Pamiętnik
z przyszłości

CECELIA Ahern

Pamiętnik z przyszłości

Z angielskiego przełożyła
Joanna Grabarek

Świat Książki

Tytuł oryginału
THE BOOK OF TOMORROW

Redaktor prowadzący
Ewa Niepokólczycka

Redakcja
Barbara Śliwińska

Redakcja techniczna
Julita Czachorowska

Korekta
Tadeusz Mahrburg
Jadwiga Piller

Świat Książki
Warszawa 2011

Świat Książki Sp. z o.o.
ul. Hankiewicza 2, 02-103 Warszawa

Skład i łamanie
MAGIK

Druk i oprawa
PWP Interdruk, Warszawa

ISBN 978-83-247-2164-1
Nr 7932

Davidowi, Mimmie, Tacie, Georginii, Nicky,
Rocco i Jayowi (oraz Starowi, Doggy'emu i Sniffowi) –
bez Was nie potrafiłabym się nawet obudzić rano,
nie wspominając o napisaniu powieści.
Dziękuję za trzymanie mnie za rękę przez całą tę długą,
ekscytującą i intrygującą podróż. „Ponieść cię...?".
Za dni wczorajsze i dzisiejsze oraz za jutra,
których nie mogę się doczekać – dziękuję.

Wszystkim Kellysom (ktoś kiedyś napisze
o Was książkę), Ahernom, Keoghanom,
moim ukochanym pełnoetatowym przyjaciołom
i półetatowym psychoterapeutom. Dziękuję.

Mariannie Gunn O'Connor. Dziękuję.

Vicki Satlow, Pat Lynch, Liamowi Murphy, Anicie Kissane,
Gerardowi O'Herlihy, Doo Services. Dziękuję.

Lynne Drew, Claire Bord – moje powieści nie byłyby tym,
czym są, bez Waszych komentarzy,
rad i wskazówek. Dziękuję, bardzo dziękuję.

Amanda Ridout – przy stole, gdzie „wszystko
jest możliwe", stoi krzesło z twoim imieniem.
Będzie mi Ciebie brakowało. Dziękuję za wsparcie,
zachętę i wiarę we mnie.

Dla całej armii w wydawnictwie HarperCollins –
za ciężką pracę nad tak wieloma fantastycznie
nowymi i ekscytującymi pomysłami. Jestem niezwykłą
szczęściarą, że należę do zespołu. Dziękuję.

Fionie McIntosh, Moirze Reilly i Tony'emu Purdue –
bardzo lubię nasze wycieczki! Dziękuję.

Chcę wspomnieć również o Killeen Castle.
Chociaż ta powieść nie jest o Killeen,
kiedy szukałam miejsca, w którym mogłabym osadzić
akcję, nagle natrafiłam tutaj. Coś nagle zaskoczyło
w mojej głowie i natychmiast zaczął się w niej
formować świat Tamary i jej rodziny.
Dziękuję mieszkańcom Killeen Castle,
którzy, acz nieświadomie, otworzyli wrota
do świata *Pamiętnika z przyszłości*.

Księgarzom – za wsparcie. W *Pamiętniku z przyszłości*
mówię o mojej wierze w magię książek, o tym,
że muszą posiadać jakiś rodzaj magnesu
albo urządzenia naprowadzającego, które pozwala
im przyciągnąć odpowiednich czytelników.
To książki wybierają ludzi, nie odwrotnie.
Wierzę, że księgarze są w tym pośrednikami. Dziękuję.

Marianne,
która choć porusza się bezgłośnie,
wywołuje sporo hałasu.

Moim Czytelnikom, w podzięce za zaufanie.

Rozdział 1

POLE PĄKÓW

Powiadają, że każda historia traci coś z każdym jej przypomnieniem. Jeżeli to prawda, ta jeszcze niczego nie straciła, ponieważ przedstawiam ją po raz pierwszy.

Jest to opowieść, przy której niedowiarkowie będą musieli odłożyć na półkę swoje zwątpienie. Gdyby nie chodziło o mnie, gdyby to nie mnie się przytrafiło, sama należałabym do tej grupy.

Wielu ludziom zaufanie moim słowom nie sprawi trudności, ponieważ ich umysły są wolne, otwarte, chłonne. Ci ludzie rodzą się tacy, albo też, gdy są jeszcze dziećmi, a ich umysły są niczym zawiązki kwiatów, pielęgnuje się ich wyobraźnię. Dzięki temu pączki wyobraźni powoli otwierają się i przygotowują na poznanie istoty życia. Rosną i rosną, w słońcu i deszczu, przechodzą przez życie świadomi i akceptujący, widzą światło tam, gdzie panuje ciemność, widzą wyjście nawet ze ślepych zaułków, czują smak zwycięstwa, gdy inni zarzucają im niepowodzenie, proszą o wyjaśnienia, kiedy inni ślepo akceptują okoliczności. Są trochę mniej zblazowani, mniej cyniczni, nie tak łatwo się poddają. Umysły innych znowu ludzi otwierają się później, często po tragicznym lub wspaniałym doświadczeniu. Każda z tych rzeczy działa niczym klucz, który otwiera w ich umyśle szufladę mądrości, pozwala zaakceptować nieznane, pożegnać się z pragmatyzmem i prostymi drogami.

Są jednak tacy, których umysły pozostają bukietem pąków, wyrastających w miarę nabywania nowych informacji – nowego pąka albo nowego faktu – ale nigdy nie otwierają się, nie rozkwitają. Są to ludzie lubiący drukowane litery i kropki na końcu zdania, odrzucający znaki zapytania i kursywę.

Moi rodzice należeli do tej właśnie grupy ludzi. Wszystkowiedzący, zawsze przekonani, że: „jeżeli nie ma tego w książce albo nigdy przedtem tego nie słyszałem, jest to niewątpliwie jakaś głupota". Trzeźwo myślący, z głowami wypełnionymi przecudnie kolorowymi pąkami, zadbanymi i pachnącymi, ale nigdy nie rozkwitłymi, niewystarczająco lekkimi i delikatnymi, aby zatańczyć na wietrze. Zawsze sztywni, rzeczowi i uczciwi, pozostali pąkami do dnia śmierci.

To znaczy, moja mama nie umarła.

Jeszcze nie. Nie fizycznie. Chociaż nawet jeśli nie umarła, to z pewnością nie jest żywa. Zachowuje się jak zombie, od czasu do czasu wydaje z siebie odgłos, jakby sprawdzając, czy jeszcze tli się w niej iskierka życia. Z pozoru może się wydać, że wszystko z nią w porządku. Z bliska jednak od razu widać, że jasnoróżowa szminka nałożona jest na usta trochę nierówno, a oczy mamy są zmęczone i bez wyrazu. Kojarzy mi się z dekoracją w studiu telewizyjnym – wszystko to fasada, za którą jest tylko pustka. Mama chodzi po domu, przemieszcza się z pokoju do pokoju, ubrana w szlafrok z luźnymi, rozszerzanymi rękawami. Wygląda jak jakaś południowoamerykańska piękność mieszkająca na farmie, rodem z *Przeminęło z wia-*

trem, mająca na głowie wyłącznie martwienie się o jutro. Pomimo wdzięcznego, łabędziego przepływania z pokoju do pokoju, w istocie mama rzuca się wściekle, usiłując utrzymać głowę nad powierzchnią wody, w której tonie. Od czasu do czasu rzuca nam spanikowany uśmiech, żebyśmy myśleli, że nadal jest z nami. Oczywiście, zupełnie nas to nie przekonuje.

Och, nie, nie winię jej. Co za luksus, móc zniknąć tak jak ona, pozostawiając wszystkich innych, żeby sprzątali bałagan i próbowali ocalić resztki dawnego życia.

Ale, ale – niczego wam jeszcze nie opowiedziałam i pewnie jesteście zdezorientowani.

Nazywam się Tamara Goodwin. Good-win, jak „dobre zwycięstwo". Jedno z określeń, którego nienawidzę. Zupełnie jak „zła strata", „gorące słońce" albo „kompletnie martwy". Dwa słowa, które pojawiają się w parze zupełnie niepotrzebnie, aby oznajmić coś, co można określić jednym z nich. Czasem, kiedy przedstawiam się ludziom z nazwiska, opuszczam jedną część: Tamara Good – „dobra", chociaż nigdy nie można było tego o mnie powiedzieć. Albo Tamara Win, co z kolei ironicznie sugeruje szczęście, którego nie zaznałam.

Mam szesnaście lat, przynajmniej wszyscy tak twierdzą. W tej chwili kwestionuję swój wiek, ponieważ czuję się dwa razy starsza. Dwa lata temu czułam się czternastolatką, zachowywałam się zaś jak jedenastolatka, która chce mieć osiemnaście lat. W ciągu ostatnich kilku miesięcy postarzałam się o ładnych kilka lat. Czy to możliwe? Zamknięte pąki potrząsnęłyby głowami, otwarte umysły powiedziałyby: „to możliwe". Wszystko jest możliwe.

Otóż nie. Nie wszystko.

Nie można wskrzesić mojego taty. Próbowałam, kiedy znalazłam go leżącego bez życia na podłodze w jego gabinecie. Bardzo martwego. Posiniałego na twarzy, z pustym pudełkiem po tabletkach u boku i opróżnioną butelką whisky na biurku. Nie wiedziałam, co robić, ale przycisnęłam usta do jego ust i jak szalona zaczęłam uciskać jego pierś. Na nic.

Moja mama też nic nie zdziałała, kiedy podczas pogrzebu, na cmentarzu, wyjąc i wbijając paznokcie w lakierowane drewno, rzuciła się na trumnę ojca, gdy opuszczano ją do grobu. Pamiętam, że ziemię przykrywała warstwa sztucznej trawy, jakby chciano nas przekonać, że tata nie został pogrzebany na wieczność w ziemi pełnej robaków. Podziwiam mamę za to, że próbowała, ale jej popis nad grobem taty nie przywrócił mu życia.

Nie udało się to również nieskończonym anegdotom o nim, opowiadanym na stypie, podczas gawędziarskiego konkursu pod tytułem: „Kto znał George'a najlepiej". Przyjaciele i rodzina trwali w gotowości do wtrącenia komentarza w stylu: „Myślisz, że to było śmieszne? Poczekaj, aż usłyszysz o...", „Pewnego razu George i ja...", czy też: „Nigdy nie zapomnę, jak George powiedział...". Wszyscy byli tacy gorliwi, że wreszcie zaczęli gadać jeden przez drugiego, roniąc łzy i czerwone wino na nowy perski dywan mamy. Widać było, że bardzo się starają, i w pewnym sensie tata prawie pojawił się wśród nas, ale ich opowieści nie przywróciły mu życia.

Nie pomogło też, kiedy mama odkryła, że stan finansów taty był tak chory, jak on sam. Stracił wszystko. Bank wystosował już nakaz przejęcia naszego domu i pozostałego mienia prywatnego. Mamie nie pozostało nic innego, jak tylko sprzedać wszystko – wszystko – co posiadaliśmy, żeby spłacić długi. Tata nie wrócił wtedy, żeby nam pomóc. W tamtej chwili wiedziałam, że odszedł. Naprawdę odszedł. Skoro pozwolił nam przechodzić przez to wszystko samym – mnie przez reanimację, mamie przez publiczne załamanie nerwowe podczas pogrzebu, a potem przyglądał się, jak traciłyśmy wszystko, co kiedykolwiek do nas należało – to z całą pewnością odszedł na zawsze. Miał rację, że nie chciał brać w tym wszystkim udziału. Było to okropne i upokarzające. Z pewnością zdawał sobie z tego sprawę.

Gdyby moi rodzice byli rozkwitłymi pąkami, może jakoś zdołaliby tego wszystkiego uniknąć. Ale nie uniknęli. Nie było światełka na końcu tego tunelu, a nawet jeżeli, okazało się tylko reflektorami pędzącego z naprzeciwka pociągu. Nie było żadnych innych rozwiązań, wyjść z sytuacji. Rodzice byli praktyczni, a ten konkretny problem nie miał praktycznego rozwiązania. Jedynie ufność, nadzieja i wiara mogłyby pomóc mojemu ojcu przetrwać kryzys. Niestety, tata nie miał wiary, ufności ani nadziei. Kiedy zrobił to, co zrobił, praktycznie rzecz biorąc, pociągnął nas za sobą do grobu.

Zastanawiające, jak śmierć, rzecz tak ostateczna i ponura, potrafi naświetlić charakter człowieka. Nieskończone historie, które słyszałam o tacie po jego śmierci, były cudowne i wzruszające. Przynosiły ukojenie i lubiłam się w nich zatracać, ale szczerze mówiąc, wątpiłam w ich prawdziwość. Tata nie był miłym człowiekiem. Kochałam go oczywiście, ale wiem, że nie był dobrą osobą. Rzadko rozmawialiśmy, a kiedy już do tego dochodziło, zazwyczaj kłóciliśmy się o różne rzeczy albo ojciec dawał mi pieniądze, żeby się mnie pozbyć. Był drażliwy, dość arogancki, często krzyczał, szybko wpadał w gniew i narzucał innym swoje opinie. Ku swojej uciesze sprawiał, że ludzie czuli się przy nim skrępowani, gorsi. Potrafił odesłać stek w restauracji trzy lub cztery razy tylko po to, żeby popatrzeć, jak denerwuje się tą sytuacją kelner. Zamawiał butelkę najdroższego wina, a potem upierał się, że trąci korkiem, tylko po to, żeby zdenerwować właściciela restauracji. Narzekał na rzekome hałasy wywołane przez urządzających przyjęcia sąsiadów, chociaż nigdy nic nie słyszeliśmy, i sprawiał, że policja przerywała im zabawę. Wszystko dlatego, że nie został zaproszony.

Przemilczałam to wszystko podczas pogrzebu i stypy w naszym domu. Właściwie nie powiedziałam ani słowa na żaden temat. Wypiłam butelkę czerwonego wina i skończyłam, wymiotując na podłogę w gabinecie taty, dokładnie tam, gdzie umarł. Mama znalazła mnie tam i spoliczkowała. Powiedziała, że wszystko zrujnowałam. Nie byłam pewna, czy ma na myśli dywan, czy pamięć o tacie. Tak czy owak, uważam, że to on zniszczył jedno i drugie.

Nie usiłuję wylać tu całej swej nienawiści do ojca. Ja też byłam okropna. Najgorszą córką z możliwych. Rodzice dali mi wszystko, a ja rzadko im za to dziękowałam, a jeżeli nawet, to całkowicie nieszczerze. Nie sądzę, że rozumiałam, co znaczy być za coś wdzięcznym – bo to właśnie kryje w sobie słowo „dziękuję". Mama i tata bezustannie opowiadali mi o głodujących dzieciach w Afryce, jakby w ten sposób mogli mnie nauczyć wdzięczności za to, co miałam. Z perspektywy czasu zdaję sobie sprawę, że najlepszym sposobem na nauczenie mnie wdzięczności mogło być tylko niedawanie mi wszystkiego, o czym zamarzyłam.

Mieszkaliśmy w Killiney, w hrabstwie Dublin, w ogromnej rezydencji o powierzchni 650 metrów kwadratowych, z sześcioma sypialniami, basenem, kortem tenisowym i prywatną plażą. Mój pokój mieścił się na drugim końcu domu, z dala od sypialni rodziców. Miałam balkon wychodzący na plażę, widok, którego chyba nigdy nie doceniałam. Własną łazienkę z prysznicem, jacuzzi i telewizorem plazmowym TileVision wbudowanym w ścianę nad wanną. W mojej szafie wisiały torby od znanych projektantów mody, na biurku stał komputer i PlayStation, spałam w łożu z baldachimem.

Szczęściara.

Kolejna prawda o mnie: byłam koszmarną córką. Pyskowałam, byłam niegrzeczna, oczekiwałam podarunków i, co gorsza, uważałam, że wszystko mi się należy tylko dlatego, że moi znajomi też to mieli. Nie przyszło mi do głowy nawet przez chwilę, że te osoby w zasadzie również nie zasłużyły na to, co miały.

Znalazłam sposób, żeby wyślizgiwać się w nocy z sypialni i spotykać się z przyjaciółmi: przez balkon, w dół po rynnie na dach basenu, skąd był już krok od ziemi. Na naszej prywatnej plaży mieliśmy miejsce, w którym piłam ze znajomymi. Dziewczyny głównie „koktajle lalek", czyli zawartość barków naszych rodziców zmieszaną w jednej plastikowej butelce. Dzięki temu z każdej butelki w kolekcji ubywało tylko kilka centymetrów i rodzice nic nie podejrzewali. Chłopcy zadowalali się pierwszym lepszym cydrem, jaki udało im się dorwać. Podobnie jak pierwszą lepszą dziewczyną, którą zdołali dorwać. Głównie mną. Był wśród nich Fiachrá, chłopak, którego odbiłam mojej najlepszej przyjaciółce Zoey. Jego ojciec był sławnym aktorem i jeżeli mam być szczera, tylko dlatego każdej nocy pozwalałam mu wsuwać rękę pod moją spódnicę na mniej więcej pół godziny. Zakładałam, że pewnego dnia w końcu poznam jego tatę. Nigdy się to nie stało.

Rodzice uważali, że to ważne, abym poznała świat i zobaczyła, jak żyją inni. Ciągle powtarzali mi, jakie mam szczęście, że mieszkam w naszym wielkim domu nad morzem. Abym mogła lepiej docenić świat, spędzaliśmy lato w naszej willi w Marbelli, Gwiazdkę w domku alpejskim w Verbier, Wielkanoc zaś w nowojorskim Ritzu, dokąd przyjeżdżaliśmy na zakupy. W dniu siedemnastych urodzin miałam dostać różowego mini coopera, a przyjaciel taty, właściciel studia nagraniowego, chciał mnie przesłuchać i możliwe, że podpisać kontrakt. Po tym jednak, jak poczułam jego dłoń na pośladku, nie miałam ochoty spędzić z nim ani chwili dłużej, nawet jeśli straciłam przez to szansę stania się sławną.

Mama i tata uczęszczali na przyjęcia charytatywne przez okrągły rok. Mama wydawała więcej pieniędzy na kupowane na tę okazję sukienki niż na opłacenie miejsca przy stole. Dwa razy do roku oddawała rzeczy, których nigdy na sobie nie miała, swojej bratowej Rosaleen, mieszkającej na wsi. Pewnie na wypadek, gdyby Rosaleen zapragnęła doić krowy w letniej sukni od Pucciego.

Teraz, kiedy wyprowadziłyśmy się z tamtego świata, wiem już, że nie byliśmy miłymi ludźmi. Myślę, że gdzieś pod maską obojętności mama również to rozumie. Nie byliśmy źli, po prostu niemili. Nigdy nie dawaliśmy nikomu niczego od serca, za to bardzo dużo braliśmy od życia.

Niezasłużenie.

Przedtem nigdy nie myślałam o przyszłości. Żyłam chwilą obecną. Chciałam wszystkiego teraz, zaraz, natychmiast. Podczas ostatniej rozmowy z tatą wydarłam się na niego, powiedziałam, że go nienawidzę, i trzasnęłam drzwiami. Nigdy nie spoglądałam wstecz, nie dostrzegałam prawdziwej siebie i tego, jak ograniczony jest mój świat. Nie zastanawiałam się nad tym, co robię albo mówię. Nie przychodziło mi do głowy, że w ten sposób mogę kogoś skrzywdzić. Powiedziałam ojcu, że nie chcę go już nigdy więcej widzieć – i tak się stało. Nie myślałam wtedy o jutrze ani o tym, że miały być to moje ostatnie słowa do taty, a nasza rozmowa ostatnią spędzoną z nim chwilą.

Mam sobie wiele do wybaczenia. Zajmie mi to dużo czasu.

Teraz jednak, ze względu na śmierć taty i to, czym mam się z wami podzielić, nie mam wyboru. Muszę myśleć o jutrze i o wszystkich ludziach, na których wpłynie przyszłość. Teraz, budząc się nad ranem, cieszę się na kolejny dzień.

Straciłam tatę. Tata zaprzepaścił przyszłość, ja zaś moje jutra z nim. Teraz nauczyłam się doceniać każdy nowy dzień i robię wszystko, żeby uczynić go możliwie najlepszym.

Rozdział 2

DWIE MUCHY

Kiedy mrówki chcą znaleźć najbezpieczniejszą drogę do źródła pożywienia, wysyłają jedną z robotnic. Ta, gdy odkryje już szlak, zostawia na nim chemiczne wskazówki dla innych. Kiedy stanie się na sznureczku wędrujących mrówek lub, mniej okrutnie, jeżeli zakłóci się w jakiś sposób ich chemiczną marszrutę, mrówki wpadają w panikę. Te, które nie dotarły na miejsce, kręcą się szaleńczo w tę i we w tę, usiłując odnaleźć drogę. Lubię się przyglądać, jak na początku wydają się zupełnie zdezorientowane, biegają w kółko, wpadają na siebie, usiłując odkryć, w którą stronę mają iść. Potem jednak przegrupowują się, przeorganizowują i wreszcie ruszają tą samą drogą w prostej linii, jakby nigdy nic się nie stało.

Ich panika kojarzy mi się z tym, co stało się z mamą i ze mną. Ktoś zakłócił naszą wędrówkę, odebrał nam przewodnika, zniszczył szlak. W naszym życiu zapanował kompletny chaos. Myślę – mam nadzieję – że z czasem odnajdziemy naszą drogę. Potrzebujemy kogoś, kto by nas poprowadził, a skoro mama najwyraźniej zamierza sobie odpuścić, wygląda na to, że rola przewodnika przypadnie mnie.

Wczoraj obserwowałam muchę. Chciała uciec z pokoju i co chwila atakowała okna, uderzając w nie raz po raz. Potem przestała zachowywać się jak żywy pocisk i skoncentrowała się na jednym oknie. Została blisko szyby, usiłując się przez nią przecisnąć i brzęcząc przy niej jak w ataku paniki. Bardzo frustrujący obrazek, zwłaszcza że gdyby mucha podfrunęła nieco wyżej, zdołałaby się wyrwać na wolność. Ona jednak popełniała bez końca ten sam błąd. Mogłam sobie wyobrazić jej zdenerwowanie: widziała drzewa, kwiaty, niebo, a jednak nie potrafiła się do nich dostać. Kilka razy próbowałam jej pomóc, doprowadzić do otwartej części okna, ale uciekała przede mną, miotając się po całym pokoju. Wreszcie wracała do tej samej szyby. Niemal słyszałam jej myśli: „Przecież tędy właśnie dostałam się do środka, więc...".

Zastanawiam się, czy obserwowanie muchy z fotela to takie samo uczucie, jak bycie Bogiem. Jeżeli Bóg istnieje. Siedzi sobie i przygląda się wszystkiemu z perspektywy, tak jak ja. Gdyby mucha poleciała do góry, odnalazłaby upragnioną wolność. Tak naprawdę nie była uwięziona, po prostu szukała w niewłaściwym miejscu. Zastanawiam się, czy Bóg widzi też jakieś wyjście dla mnie i dla mamy. Jeżeli ja mogę otworzyć okno dla muchy, Bóg może dostrzegać jutro dla nas obu. Myśl o tym przyniosła mi ulgę, a przynajmniej było tak, dopóki nie wyszłam z pokoju na kilka godzin. Po powrocie zastałam martwą muchę na parapecie. Może to nie był ten sam owad, ale mimo wszystko... Potem wściekłam się na Boga, bo w mojej głowie śmierć muchy oznaczała, że mama i ja możemy nigdy nie odnaleźć drogi wyjścia z tego chaosu. Po co siedzieć tak daleko, że widzi się wszystko z odpowiedniej perspektywy, i nie zrobić nic, żeby pomóc?

Potem zrozumiałam. Przecież usiłowałam pomóc musze, ale ona tego nie chciała. Zrobiło mi się żal Boga, ponieważ zrozumiałam jego frustrację. Czasem, kiedy ktoś wyciąga do innych pomocną dłoń, zostaje odepchnięty. Człowiek zawsze chce najpierw pomóc sobie.

Nigdy wcześniej nie myślałam o tego typu sprawach; o Bogu, muchach i mrówkach. Wolałam umrzeć, niż zostać przyłapaną w sobotni dzień w fotelu, z książką w ręku, wpatrującą się w muchę plujkę walczącą z oknem. Może o tym właśnie myślał tata w ostatniej chwili życia: wolałbym umrzeć tu i teraz, w swoim gabinecie, niż doświadczyć upokorzenia, gdy wszystko, co mam, zostanie mi odebrane.

Soboty zazwyczaj spędzałam z przyjaciółkami w Topshopie, przymierzając absolutnie wszystko, co tam mieli, i chichocząc nerwowo, kiedy Zoey wpychała w spodnie tyle akcesoriów, ile się zmieściło, zanim wyszłyśmy ze sklepu. Jeżeli zaś nie byłyśmy w Topshopie, przesiadywałyśmy w Starbucku, pijąc imbirowe latte i zajadając się babeczkami miodowo-bananowymi. Jestem pewna, że to właśnie robią teraz moje przyjaciółki.

Nie odzywały się do mnie, od kiedy przeprowadziłam się tutaj. Poza Laurą, która przysłała mi esemesa, zanim jeszcze wyłączyli mi komórkę za długi. Pośród wielu plotek napisała, że Zoey i Fiachrá znów są razem i zrobili to w domu Zoey, kiedy jej rodzice wyjechali na weekend do Monte Carlo. Tata Zoey był uzależniony od hazardu, co bardzo nam pasowało. Oznaczało to, że kiedy jej rodzice wychodzili na miasto, mogliśmy zostawać w domu Zoey znacznie dłużej niż u kogo innego. W każdym razie Zoey powiedziała podobno, że seks z Fiachrą bolał bardziej, niż kiedy jedna lesbijka z drużyny hokejowej Sutton uderzyła ją kijem między nogi. A było to okropne, uwierzcie mi – widziałam na własne oczy. W każdym razie Zoey twierdziła podobno, że nie spieszy się do następnego razu z facetem. Tymczasem Laura powiedziała mi w sekrecie, że zamierza się spotkać z Fiachrą w weekend, żeby się z nim przespać. Prosiła, żebym nie miała jej tego za złe i nie powiedziała Zoey. Tak jakbym mogła to zrobić, tkwiąc w tej dziurze.

Nie wiecie jeszcze, gdzie teraz jestem, prawda? Wspomniałam już o Rosaleen. To dla niej mama wysyłała w czarnych workach swoje ciuchy kupione w przypływie impulsu, nigdy nie noszone, nadal z metkami. Rosaleen była żoną mojego wujka Arthura, brata mamy. Mieszkali w stróżówce na wsi w Meath, na całkowitym odludziu. Odwiedziliśmy ich do tej pory tylko kilka razy i zawsze nudziłam się tam na śmierć. Dojazd zajmował nam godzinę i piętnaście minut. Oczekiwanie na koniec podróży niezmiennie kończyło się ogromnym rozczarowaniem. Zawsze uważałam, że Arthur i Rosaleen byli prostakami z zapadłej dziury. Nazywałam ich Święconą Parą. To jedyny moment, kiedy pamiętam tatę śmiejącego się z moich dowcipów. Nigdy z nami nie jeździł w odwiedziny do Rosaleen i Arthura. Nie sądzę, żeby się pokłócili czy coś w tym stylu. Po prostu byli niczym pingwiny i niedźwiedzie polarne – zbyt inni, zbyt odseparowani, żeby potrafili spędzić ze sobą chociaż chwilę. W każdym razie to właśnie tutaj teraz mieszkamy. W stróżówce Święconej Pary.

To bardzo ładny dom, wielkości jednej czwartej naszej rezydencji, co wcale nie jest takie złe. Przypomina mi domek z *Jasia i Małgosi*. Zbudowany z piaskowca, z drewnianymi ramami okiennymi i pomalowanym na oliwkowozielony kolor dachem. Na piętrze są trzy sypialnie, na dole zaś kuchnia i duży pokój. Mama ma własną łazienkę, ale ja muszę dzielić się z Rosaleen i Arthurem. Jestem przyzwyczajona do posiadania swojej własnej toalety i uważam, że dzielenie się jest obrzydliwe. Zwłaszcza kiedy wchodzę po wujku Arthurze i jego sesji z gazetą. Rosaleen ma fioła na punkcie porządków. Obsesyjnie wszystko czyści, nigdy nie przysiądzie nawet na chwilę. Zawsze coś przestawia, pucuje, rozpyla chemikalia w powietrzu, a przy tym gada o Bogu i Jego woli. Kiedyś jej powiedziałam, że mam nadzieję, iż wola Boga jest lepsza niż ostatnia wola mojego ojca. Spojrzała na mnie przerażona i pobiegła ścierać kurz w innym miejscu.

Rosaleen jest płytka jak spodek. Mówi tylko o rzeczach nieistotnych i niepotrzebnych. O pogodzie. O smutnych nowinach dotyczących jakiejś biednej osoby na drugim końcu świata. O jej przyjaciółce z wioski, która złamała rękę, albo o tej, której ojcu zostały dwa miesiące życia. O czyjejś córce, którą okropny mąż zamierza zostawić z drugim dzieckiem. Wszystko to jest bardzo ponure i nieodmiennie zakończone wspomnieniem o Bogu: na przykład „Bóg ich kocha", „Bóg jest miłościwy", „Niech Bóg im dopomoże". Nie żebym ja mówiła tylko o czymś istotnym, ale kiedy usiłuję dotrzeć do sedna którejkolwiek z tych opowieści, Rosaleen nie potrafi kontynuować rozmowy. Chce tylko mówić o smutnym problemie, nie jest zainteresowana ani tym, dlaczego się on pojawił, ani jego rozwiązaniem. Ucisza mnie swoimi powiedzonkami o Bogu i sprawia, że czuję się, jakbym powiedziała coś niewłaściwego albo była za młoda, żeby zrozumieć życie. Ja uważam, że jest odwrotnie. Myślę, że Rosaleen opowiada o tych wszystkich rzeczach, bo nie chce dopuścić myśli, że unika problemów. Kiedy już zaś zostaną wypowiedziane, nigdy do nich nie wraca.

Wujek Arthur z kolei, od kiedy go znam, powiedział może pięć słów. Zupełnie jakby mama zawsze gadała za nich oboje – co wcale nie znaczy, że mają takie same poglądy na wszystko, o czym mówiła. Teraz jednak Arthur mówi więcej niż ona. Ma swój własny język, który powoli nauczyłam się odcyfrowywać. Komunikuje się chrząknięciami, kiwnięciami głowy i wilgotnymi charknięciami, jakby wciągał nosem smarka. Zawsze tak robi, gdy się z czymś nie zgadza. Zwykłe „ach" i odrzucenie głowy do tyłu oznacza, że sprawa go nie obchodzi.

Pozwólcie, że opiszę wam typowe śniadanie w domu Arthura.

Siedzimy razem w kuchni, Rosaleen jak zwykle się krząta. Na talerzach piętrzą się tosty, obok nich stoją malutkie spodeczki z domowym dżemem, miodem i marmoladą. Radio jak zwykle wrzeszczy tak głośno, że nawet w mojej sypialni słyszę, co mówi spiker – wkurzający mężczyzna z monotonnym głosem. Opowiada o tragicznych wydarzeniach z całego świata. Rosaleen podchodzi do stołu z czajnikiem.

– Herbaty, Arthurze?

Arthur kiwa gwałtownie głową niczym koń usiłujący się opędzić od much. Chce herbaty.

Mężczyzna w radiu opowiada właśnie o tym, że zamknięto kolejną fabrykę w Irlandii i sto osób pozostało bez pracy. Arthur wydaje z siebie wilgotne charknięcie. Nie podoba mu się ta wiadomość.

Rosaleen pojawia się przy stole z kolejnym talerzem pełnym tostów.

– Och, czy to nie okropne, niech Bóg ukocha ich rodziny. I dzieci tych nieszczęśników.

– Ich mamy też powinien kochać, wiesz? – wtrącam, biorąc tost.

Rosaleen przygląda się, jak odgryzam kawałek, i jej zielone oczy rozszerzają się, kiedy go przeżuwam. Zawsze mnie obserwuje, kiedy jem. Strasznie mnie to denerwuje. Zachowuje się jak czarownica z *Jasia i Małgosi*, czekająca, aż się utuczę wystarczająco, żeby wrzucić mnie do Agi z rękami związanymi na plecach i jabłkiem wepchniętym w buzię. Nie miałabym nic przeciwko jabłku. Byłaby to najmniej kaloryczna rzecz, jaką mnie tu skarmia.

Przełykam kęs chleba i odkładam resztę tostu na talerz. Rosaleen odchodzi rozczarowana od stołu.

W wiadomościach mówią o nowym podatku rządowym. Arthur znów wydaje z siebie wilgotne charknięcie. Jeżeli usłyszy więcej złych wiadomości, wciągnie tyle smarków, że nie zostanie mu w żołądku miejsca na śniadanie. Ma czterdzieści kilka lat, ale wygląda i zachowuje się, jakby był znacznie starszy. Od ramion w górę przypomina mi krewetkę, zawsze nad czymś pochylony, czy to nad jedzeniem, czy pracą.

Rosaleen powraca z irlandzkim śniadaniem na talerzu. Jest tego tyle, że można by tym wyżywić wszystkie dzieci owych stu pracowników fabryki, którzy właśnie stracili pracę.

Arthur znowu potrząsa głową jak koń. Jest zadowolony z posiłku.

Rosaleen staje przy mnie i nalewa mi herbaty. Oddałabym wszystko za imbirowe latte, ale posłusznie wlewam mleko do filiżanki i upijam trochę. Rosaleen obserwuje mnie, a ja nie odwracam wzroku, kiedy przełykam.

Nie wiem, ile dokładnie Rosaleen ma lat, ale zgaduję, że czterdzieści parę. Niezależnie od jej rzeczywistego wieku, wygląda dużo starzej, jeżeli rozumiecie, co mam na myśli. W swoich kwiecistych, zapinanych na guziki sukienkach, z halką pod spodem, wygląda jak z lat czterdziestych. Mama nigdy nie nosi halek i prawie w ogóle nie nosi bielizny. Rosaleen ma włosy mysiego koloru, długie do brody, rozpuszczone, z przedziałkiem na środku głowy. Zawsze zakłada je za małe, różowe uszy. Nigdy nie nosi kolczyków, nie robi makijażu. Na szyi ma złoty krzyżyk na łańcuszku. Należy do tego rodzaju kobiet, o których Zoey powiedziałaby, że nigdy nie miały orgazmu. Obcinając tłuszcz z boczku (ku zgrozie Rosaleen), zastanawiam się, czy Zoey miała orgazm, kiedy uprawiała seks z Fiachrą. Potem wyobrażam sobie zniszczenia, jakich musiał dokonać kij hokejowy, i natychmiast w to wątpię.

Naprzeciwko naszej stróżówki, po drugiej stronie szosy stoi bungalow. Nie mam pojęcia, kto w nim mieszka, ale Rosaleen chodzi tam codziennie z jedzeniem. Trzy kilometry dalej jest poczta, mieszcząca się w czyimś prywatnym domu. Naprzeciwko poczty mają tu najmniejszą szkołę, jaką kiedykolwiek widziałam. W przeciwieństwie do mojej dawnej szkoły, gdzie przez cały rok odbywają się jakieś zajęcia, ta jest zupełnie opustoszała w ciągu lata. Spytałam, czy mają tam zajęcia jogi albo coś innego. Rosaleen powiedziała, że pokaże mi, jak samemu można zrobić jogurt. Wydawało się, że ta perspektywa tak ją uszczęśliwiła, że nie wyjaśniłam nieporozumienia. Pierwszego tygodnia przyglądałam się, jak robi jogurt truskawkowy. Drugiego tygodnia wciąż go jeszcze nie jadłam.

Stróżówka, która jest domem Rosaleen i Arthura, niegdyś chroniła boczne wejście do zamku Kilsaney. Było to w osiemnastym wieku. Główna brama w stylu gotyckim jest nieużywana i wygląda dość przerażająco. Za każdym razem, kiedy obok niej przechodzę, wyobrażam sobie zwisające nad nią obcięte głowy. Zamek został zbudowany jako fortyfikacja Granicy Normańskiej – oddzielającej obszar w Irlandii wschodniej pozostający pod kontrolą anglo-normańską, po ataku Strongbowa – gdzieś między rokiem 1100 a 1200, co jest datą mało precyzyjną. W każdym razie zamek został wybudowany przez watażkę normańskiego, stąd moje myśli o obciętych głowach, bo Normanowie tak właśnie robili z wrogami, prawda?

Cały obszar, czyli hrabstwo Meath, kiedyś nosił nazwę East Meath i wraz z – uwaga, uwaga – West Meath tworzył niezależną, piątą prowincję Irlandii, terytorium arcykróla. Stolicą „królewskiego hrabstwa" była Tara, położona zaledwie kilka kilometrów stąd. Cały czas wspomina się o niej w wiadomościach, ponieważ w pobliżu budują autostradę. Kilka miesięcy temu musieliśmy odbyć na ten temat dyskusję w szkole. Ja byłam „za" budową, ponieważ uznałam, że arcykról też chciałby mieć drogę szybkiego ruchu. Byłoby mu wtedy łatwiej dotrzeć do pracy, zamiast przedzierać się przez obsrane pola. Wyobraźcie sobie, jakie brudne miał po tym sandały. Powiedziałam też, że dzięki temu miasto będzie dostępniejsze dla turystów. Będą mogli dojechać do samego centrum albo robić zdjęcia, siedząc na górnym pokładzie autobusów turystycznych. Oczywiście stroiłam sobie żarty, ale nauczycielka, która przyszła na zastępstwo, oszalała. Myślała, że naprawdę tak uważam, a była w komisji, która usiłowała zablokować budowę. Jak łatwo jest przyprawić nauczyciela o załamanie nerwowe. Zwłaszcza takiego, który uważa, że może zrobić coś dobrego dla uczniów.

Mówiłam przecież wcześniej, że byłam okropna.

Po śmierci normańskiego psychopaty w zamku mieszkali inni możnowładcy. Zbudowali tu stajnie i szereg pomieszczeń gospodarczych. Co ciekawe, jeden z lordów, poślubiwszy katoliczkę, nawrócił się na katolicyzm i zbudował w podarunku dla rodziny kaplicę przy zamku.

Mama i ja dostałyśmy w prezencie basen.

Cała domena zamku Kilsaney otoczona jest „ścianą głodu", której budowa miała zapewnić pracę dla głodujących podczas klęski głodu ziemniaczanego. Mur ciągnie się wzdłuż ogrodu i domu Arthura i Rosaleen. Za każdym razem, kiedy go widzę, dostaję gęsiej skórki. Gdyby Rosaleen kiedykolwiek odwiedziła nas w dawnym domu w porze obiadu, pewnie zaczęłaby budować ścianę głodu dla nas, bo nie jadamy węglowodanów. A przynajmniej nie jadałyśmy. Teraz wchłaniam ich w siebie tyle, że mogłabym dostarczyć energii do wszystkich tych zamykanych fabryk, o których gadają w radiu.

Potomkowie władców Kilsaney mieszkali tu aż do lat dwudziestych dwudziestego wieku, kiedy to jacyś podpalacze nie dostali na czas wiadomości, że puszczają z dymem posesję katolików. Potem mieszkańcy zamku mogli już tylko gnieździć się w małej ocalałej części budynku, ponieważ nie stać ich było na naprawę i ogrzewanie całości. Wreszcie, w latach dziewięćdziesiątych, wyprowadzili się gdzieś. Nie wiem, kto jest obecnie właścicielem, ale zamek jest bardzo zaniedbany: nie ma dachu, schodów, ściany się walą. Wszystko porastają chwasty i krzaki, a w ruinach gnieżdżą się zwierzęta. Dowiedziałam się tego wszystkiego dużo wcześniej, dzięki projektowi w szkole. Mama zasugerowała, że powinnam zostać z Rosaleen i Arthurem na weekend i zebrać materiały na pracę domową. Rodzice pokłócili się tego dnia jak nigdy dotąd i tata dostał kompletnego szału, kiedy mama zasugerowała, żebym wyjechała. Atmosfera w domu była tak fatalna, że z chęcią się stamtąd zmyłam. Poza tym, moim wyjazdem mama chciała wkurzyć tatę, a ja czułam, że moim obowiązkiem jako córki jest uczynić jego życie piekłem, zatem posłusznie się podporządkowałam. Po dotarciu na miejsce nie byłam jednak zainteresowana węszeniem i odkrywaniem historii tego miejsca. Udało mi się wytrzymać z wujostwem do lunchu, a potem poszłam do toalety, zadzwoniłam do mojej filipińskiej niani Mae – którą musieliśmy teraz odesłać do domu – i kazałam jej przyjechać. Powiedziałam Rosaleen, że mam problemy z żołądkiem, i usiłowałam się nie roześmiać, kiedy zapytała, czy to może jej placek z jabłkami.

Esej o zamku ściągnęłam z internetu. Dyrektor szkoły wezwał mnie później do siebie i oblał za plagiat, co oczywiście było idiotyczne, bo Zoey też zerżnęła swój tekst o zamku Malahide słowo w słowo z internetu. Zmieniła potem parę zdań i dat, niektóre umyślnie na niewłaściwe, żeby nie wyglądało na kopię, i dostała wyższą ocenę niż ja. Gdzie tu jest sprawiedliwość?

Zamek otacza sto akrów ziemi. Arthur jest tu zarządcą i ponieważ ma dużo roboty, wychodzi z domu bladym świtem. Wraca dokładnie o piątej trzydzieści, brudny jak górnik. Nigdy nie marudzi, nie narzeka na pogodę, po prostu wstaje, zjada śniadanie, ogłuszając się audycją radiową, a potem wychodzi do pracy. Rosaleen przygotowuje mu termos z herbatą i kilka kanapek. Arthur rzadko kiedy wraca do domu w ciągu dnia, chyba że zapomni czegoś z garażu albo musi skorzystać z toalety. Jest prostym człowiekiem, chociaż ja w to nie do końca wierzę. Nikt, kto mówi tak mało jak on, nie jest tak prostym człowiekiem, jak by się mogło wydawać. Trzeba coś w sobie mieć, żeby mało mówić, bo kiedy się mało mówi, to się myśli, i to dużo. Mama i tata gadali bez przerwy. Gaduły nie myślą wiele; słowa zagłuszają podświadomość, która mogłaby zadać pytania: „Dlaczego to powiedziałeś? Co tak naprawdę sądzisz?".

W dzień powszedni i w weekendy zwykłam wylegiwać się w łóżku jak najdłużej się dało, dopóki Mae nie wyciągnęła mnie spod kołdry, krzyczącą i wierzgającą. Tutaj jednak budzę się wcześnie. Dom otaczają gigantyczne drzewa, w których gnieździ się liczne ptactwo, tak głośne, że budzi mnie o brzasku. Wstaję o siódmej, co jest w moim przypadku cudem, a w dodatku wcale nie jestem zmęczona. Mae byłaby ze mnie dumna. Wieczory tutaj również są długie. W dzień muszę się czymś zajmować, co jest dość trudne. Mnóstwo czasu do zabicia i prawie nic do roboty.

Tata zdecydował, że ma już dosyć życia, w maju, tuż przed moimi egzaminami do gimnazjum. Było to trochę nie w porządku, bo aż do dnia, w którym umarł, uważałam, że to ja powinnam być osobą pragnącą śmierci. Do egzaminów tak czy owak przystąpiłam i pewnie je oblałam, ale szczerze mówiąc, mało mnie to obchodzi. Myślę, że inni też się tym nie przejmują. Dowiem się o wynikach we wrześniu.

Cała moja klasa przyszła na pogrzeb taty. Jestem pewna, że byli zachwyceni, ponieważ mogli się urwać ze szkoły. Rozpłakałam się przy nich, ale uwierzycie, że byłam z tego powodu zażenowana? Po mnie rozpłakała się Zoey, a potem Laura. Fiona, koleżanka z klasy, z którą nikt nigdy nie rozmawiał, przytuliła mnie bardzo mocno i ofiarowała kartkę od całej rodziny, że o mnie myślą. Dała mi też swój numer telefonu i ulubioną książkę, mówiąc, że jeżeli kiedykolwiek będę potrzebowała z kimś porozmawiać, mogę do niej zadzwonić. Wtedy pomyślałam, że żałosne są te jej próby wykorzystania pogrzebu taty na zaprzyjaźnienie się ze mną. Teraz jednak uważam, że to najmilsza rzecz, jaką ktokolwiek dla mnie zrobił tamtego dnia.

Zaczęłam czytać książkę od Fiony zaraz po przeprowadzce do Meath. Była to historia o duchach. Opowiadała o dziewczynie, której nikt nie dostrzegał, nawet jej rodzina i przyjaciele, chociaż wiedzieli, że istnieje. Po prostu urodziła się niewidzialna. Nie zdradzę wam dalszej części historii. Powiem tylko, że wreszcie zaprzyjaźniła się z kimś, kto ją widział. Spodobał mi się ten wątek. Pomyślałam, że Fiona usiłowała w ten sposób dać mi coś do zrozumienia. Potem jednak, kiedy zostałam na noc w domu Zoey, opowiedziałam o wszystkim jej i Laurze. Obie uznały, że to najidiotyczniejsza rzecz pod słońcem i że Fiona jest większą wariatką, niż sądziły. Po namyśle dochodzę do wniosku, że coraz trudniej jest mi zrozumieć te dziewczyny.

Pierwszego tygodnia po przeprowadzce Arthur zawiózł mnie do Dublina, żebym mogła zostać na noc u Zoey. Podróż samochodem zajęła ponad godzinę i przez ten czas nie zamieniliśmy ani jednego słowa. Arthur rzucił tylko: „Radio?". Kiedy kiwnęłam głową, włączył stację, w której gadali wyłącznie o problemach w kraju i w ogóle nie puszczali muzyki. Słuchał przez całą drogę, wydając co rusz wilgotne charknięcia. Cóż, lepsze to niż zupełna cisza. Po pełnej narzekań na Arthura nocy spędzonej z Zoey i Laurą czułam się pokrzepiona. Byłam znów sobą. Zgodziłyśmy się, że Arthur i Rosaleen zdecydowanie zasłużyli na miano Święconej Pary i że nie powinnam dopuścić, aby wciągnęli mnie w swoją dziwaczną egzystencję. Oznaczało to, że w samochodzie mam prawo słuchać, czego tylko sobie życzę. Następnego dnia jednak, kiedy Arthur przyjechał po mnie swoim brudnym land-roverem, z którego Zoey i Laura nie przestawały się śmiać, poczułam się nie w porządku w stosunku do wuja. Naprawdę, bardzo nie w porządku.

Konieczność powrotu do nie swojego domu, w nie swoim samochodzie, spania w nie swoim pokoju i prób rozmowy z matką, która też przestała wydawać się moja, sprawiła, że tym usilniej chciałam trzymać się ostatniej rzeczy, która wydawała się znajoma – tego, kim byłam. Może nie była to właściwa decyzja, ale zawsze coś. Dlatego w samochodzie zrobiłam wielką aferę i powiedziałam Arthurowi, że chcę słuchać czegoś innego niż on. Włączył więc moją ulubioną stację na jedną piosenkę, a potem tak się sfrustrował, słuchając Pussycat Dolls śpiewających o sztucznych cyckach, że mruknął coś pod nosem i znów włączył wiadomości. Wpatrzyłam się w okno z naburmuszoną miną, nienawidząc go i jednocześnie nienawidząc siebie. Przez pół godziny słuchaliśmy jakiejś kobiety, wypłakującej się na antenie o tym, że jej mąż właśnie stracił pracę w fabryce komputerów, nie może znaleźć nowej, a mają czwórkę dzieci. Włosy opadały mi na twarz i miałam szczerą nadzieję, że Arthur nie widzi moich łez. Smutne historie teraz naprawdę bardzo na mnie działają. Słyszałam o tym wcześniej, ale byłam odporna. Po prostu mnie nie przytrafiło się wcześniej nic okropnego. Nie wiem, jak długo będziemy tu mieszkać. Nikt nie potrafi mi odpowiedzieć na to pytanie. Arthur po prostu milczy, mama z nikim się nie komunikuje, a Rosaleen nie jest w stanie poradzić sobie z pytaniem tej skali. Moje życie nie toczy się zgodnie z planem. Mam szesnaście lat i powinnam do tej pory przespać się z Fiachrą i teraz siedzieć w naszej willi w Marbelli, codziennie pływać, jeść grillowane obiady, chodzić do nocnego klubu Angels & Demons i znaleźć sobie chłopaka numer dwa. Jeżeli pierwsza osoba, z którą się prześpię, będzie tą samą, z którą założę rodzinę, chyba umrę.

Tymczasem mieszkam w dziurze zabitej dechami, w stróżówce, z trojgiem zwariowanych ludzi. Najbliższym zabudowaniem jest bungalow zamieszkany przez kogoś, kogo nigdy nie widziałam, poczta urządzona w czyimś salonie, opustoszała szkoła i ruiny zamku. Nie mam absolutnie nic do roboty.

A przynajmniej tak sądziłam na samym początku.

Chcę zacząć moją historię od chwili, w której tu przybyłam.

Rozdział 3

POCZĄTEK POCZĄTKU

Najlepsza przyjaciółka mamy Barbara zawiozła nas ku naszemu nowemu życiu w Meath. Przez całą drogę mama nie powiedziała ani słowa. Ani jednego. Nawet gdy zadało się jej pytanie. To bardzo trudna rzecz. Tak się zdenerwowałam, że nakrzyczałam na nią w samochodzie. To było wtedy, kiedy jeszcze starałam się wymusić na niej jakąś reakcję.

Wszystko przez to, że Barbara zgubiła drogę. System nawigacyjny w jej BMW X5 nie rozpoznał adresu, więc pojechałyśmy do najbliższego miasta, jakie potrafił zlokalizować. Gdy tam dotarłyśmy – miejscowość nazywała się Ratoath – Barbara musiała polegać na sobie samej, a nie na wyposażeniu jej SUV-a. Jak się okazuje, nie jest myślicielką i używanie własnego mózgu przychodzi jej z trudem. Po kilku minutach błądzenia po polnych drogach bez drogowskazów i minięciu kilku nieoznaczonych domów dostrzegłam, że Barbara zaczyna się denerwować. Jeździłyśmy po trasach, które według jej systemu nawigacyjnego nie istniały. Powinnam odczytać to jako omen.

Przyzwyczajona do jeżdżenia do celu, a nie do błądzenia po niewidocznych okolicach, Barbara zaczęła popełniać błędy, przejeżdżając na ślepo przez skrzyżowania i raz po raz zjeżdżając ryzykownie na przeciwny pas szosy. Jako że byłam w Meath tylko kilka razy w ciągu paru lat, nie mogłam jej wiele pomóc, ale plan był taki: ja miałam patrzeć na lewo w poszukiwaniu stróżówki, Barbara zaś na prawo. Raz objechała mnie za to, że się nie koncentruję, ale wtedy akurat było oczywiste, że w odległości przynajmniej kilometra nie zobaczymy żadnej bramy, więc po co miałam patrzeć. Powiedziałam jej to. W końcu zupełnie się wkurzyła i zaczęła wszystko „pieprzyć". Zważywszy na to, że od jakiegoś czasu jeździłyśmy po „pieprzonych drogach, które nie istnieją", nie widziała powodu, dla którego nie było tu „pieprzonego domu z pieprzoną bramą". Usłyszeć słowo „pieprzyć" z ust Barbary było czymś niezwykłym, zwłaszcza że jej zwyczajową werbalną oznaką zdenerwowania było „do diaska!".

Mama mogła nam pomóc, ale tylko siedziała z przodu, uśmiechała się i wyglądała przez okno. Chcąc polepszyć naszą sytuację, pochyliłam się i – przyznaję, nie było to najmądrzejsze, a już na pewno nie w porządku, ale zrobiłam to i koniec – wrzasnęłam jej do ucha najgłośniej jak potrafiłam. Podskoczyła ze strachu, zasłoniła uszy, a kiedy szok minął, zaczęła bić mnie po głowie obiema dłońmi, jakby opędzała się od roju pszczół. Naprawdę zabolało. Chwyciła mnie za włosy, drapała, biła, a ja nie mogłam się uwolnić. Barbara tak się zdenerwowała, że zjechała na pobocze. Musiała siłą oderwać dłonie mamy ode mnie. Potem wysiadła z samochodu i zaczęła spacerować w tę i we w tę, płacząc. Ja też płakałam. Głowa pulsowała mi z bólu w miejscach, w których mama szarpała mnie za włosy, biła i drapała. Tam, skąd pochodzę, jest modne, żeby mieć fryzurę niczym stóg siana, ale mama komplet-

nie ją zrujnowała. Wyglądałam teraz jak uciekinier z zakładu dla wariatów. Zostawiłyśmy ją w samochodzie, sie-
dzącą sztywno jakby kij połknęła i spoglądającą przed
siebie z gniewem.

– Chodź tu do mnie, kochanie – wychlipała Barbara,
wyciągając do mnie ramiona.

Nie potrzebowałam drugiego zaproszenia. Chciałam,
żeby ktoś mnie przytulił. Mama, nawet kiedy była w dobrej formie, nie należała do osób wylewnych. Koścista, zawsze na diecie, miała taki sam stosunek do jedzenia jak do
taty: kochała je, ale zazwyczaj od niego stroniła, ponieważ
czuła, że jej szkodzi. Wiem, bo podsłuchałam kiedyś rozmowę mamy z przyjaciółką, kiedy o drugiej nad ranem
wróciły z „lunchu". Jeżeli chodzi o przytulanie, pewnie
czuła się dziwnie, mając tak bliski kontakt fizyczny z kimkolwiek. Nie była osobą odprężoną i nie potrafiła przynieść
komuś ukojenia. To dobre spostrzeżenie: nie można dać
komuś czegoś, czego samemu się nie ma. Nie sądzę jednak, żeby mama była zimna. Nigdy nie czułam, że na niczym jej nie zależy. No dobrze, może kilka razy.

Stałyśmy z Barbarą na poboczu drogi, przytulając się
i płacząc. Kochana kobieta przepraszała mnie raz po raz za
całą tę niesprawiedliwość. Zatrzymała samochód tak, że
jego tył wystawał na środek drogi i każdy przejeżdżający
samochód trąbił na nas zajadle, ale ignorowałyśmy to.

Po tym wydarzeniu napięcie nieco opadło. To trochę
tak, jak z gromadzeniem się chmur przed burzą, mniej
więcej to samo działo się z naszymi nastrojami w drodze z Killiney do Meath. Napięcie rosło, aż wreszcie nastąpiła eksplozja. Teraz wszystkie zdołałyśmy upuścić
nieco pary, postanowiłyśmy się przygotować na to, co
nas czekało. Tyle że nie zostało nam zbyt wiele czasu,
ponieważ za następnym zakrętem ukazał się dom. Dom,
kochany dom.

Po prawej stronie widniała brama, a za nią, tuż po lewej, stróżówka. Rosaleen i Arthur stali przy małych zielonych drzwiach swojego babojagowego domku. Bóg jeden wie, ile czasu tak czekali. Spóźniłyśmy się niemal godzinę. Jeżeli chcieli udawać, że wcale ich nie martwi cała ta sytuacja, widok naszych min musiał im to bardzo utrudnić. Nie wiedząc, że jesteśmy tak blisko celu, nie zdążyłyśmy się jeszcze pozbierać. Mama siedziała z przodu z pochmurną miną, Barbara i ja miałyśmy zaczerwienione od płaczu oczy, a do tego wyglądałam jak czupiradło – to znaczy bardziej niż zazwyczaj.

Nigdy nie przyszło mi do głowy, że dla Arthura i Rosaleen ta chwila musiała być równie trudna. Byłam zajęta sobą i myślą o tym, że bardzo nie chcę tego wszystkiego. Ani razu nie pomyślałam, że zaprosili do swojego domu dwie osoby, z którymi nie mają żadnego kontaktu. Musiało ich to naprawdę sporo kosztować, a ja ani razu im za to nie podziękowałam.

Wysiadłyśmy z Barbarą z samochodu. Ona poszła wyciągnąć z bagażnika nasze torby i, jak przypuszczam, dać nam chwilę na przywitanie, które, niestety, nie nastąpiło. Tkwiłam przy aucie, spoglądając na Arthura i Rosaleen, stojących nadal w progu domu, i żałowałam, że nie rozsypywałam okruszków w drodze z Killiney, żeby móc odnaleźć drogę do domu.

Rosaleen spoglądała na nas po kolei, niczym surykatka, usiłując przyswoić sobie obecność SUV-a, mamy, mnie i Barbary. Złożyła dłonie na brzuchu, ale co rusz rozkładała je, wygładzając sukienkę, jakby brała udział w wiejskim konkursie piękności. Mama otworzyła wreszcie drzwi i wysiadła z samochodu. Stanęła na żwirowanym podjeździe i spojrzała na stróżówkę. Nagle jej gniew wyparował. Uśmiechnęła się, odsłaniając ślady szminki na zębach.

– Arthur! – Wyciągnęła ramiona, jakby to ona witała go w progu swojego domu.

Arthur wydał z siebie wilgotne charknięcie. Po raz pierwszy usłyszałam wtedy ten odgłos i skrzywiłam się z odrazą. Podszedł do mamy, która chwyciła jego dłonie i spojrzała na niego z przekrzywioną głową i dziwnym uśmiechem, napinającym jej twarz niczym źle zrobiony lifting. Potem nastąpił dziwaczny moment, w którym nachyliła się ku Arthurowi i oparła czoło o jego czoło. Arthur stał nieruchomo milisekundę dłużej, niż sądziłam, a potem poklepał mamę po karku i odsunął od siebie. Mnie pogłaskał po głowie, mocno, jak wiernego owczarka collie. Oczywiście jeszcze bardziej zdefasonował mi fryzurę. Potem ruszył w kierunku Barbary, żeby pomóc z bagażami. Mama i ja zostałyśmy same naprzeciwko Rosaleen. Tylko że mama nie patrzyła na nią. Wdychała głośno powietrze, z zamkniętymi oczami i błogim uśmiechem. Mimo przygnębiającej sytuacji poczułam wtedy, że ta przeprowadzka może jej pomóc.

Nie martwiłam się wtedy o mamę aż tak bardzo jak teraz. Minął zaledwie miesiąc od pogrzebu taty i obie byłyśmy jeszcze odrętwiałe. Nie potrafiłyśmy rozmawiać ze sobą ani z innymi. Ludzie byli tak zajęci mówieniem do nas – rzeczy miłych, nietaktownych, czegokolwiek, co przyszło im do głowy, zupełnie jakby to oni chcieli od nas pocieszenia, a nie odwrotnie – że zachowanie mamy nie wydawało się wcale dziwne. Po prostu wzdychała ze wszystkimi innymi, od czasu do czasu rzucając kilka słów. Pogrzeb jest niczym gra. Musisz dostosować się do zasad, mówić i robić właściwe rzeczy, dopóki nie dobiegnie końca. Być miłym, ale nie uśmiechać się za wiele. Być smutnym, ale nie za bardzo, żeby reszta rodziny nie poczuła się gorzej. Mieć nadzieję, ale nie pozwolić, aby twój optymizm został odczytany jako brak uczuć lub niezdolność do poradzenia sobie z rzeczywistością. Gdyby ktokolwiek zdecydował się na całkowitą szczerość, natychmiast wywiązałyby się kłótnie, wytykanie palcami, łzy, smarkanie i krzyki.

Myślę, że powinni dawać Oscary za najlepszą rolę w prawdziwym życiu. Nagroda dla najlepszej aktorki przypada Alison Flanagan za poniedziałkową przechadzkę po supermarkecie, w pełnym makijażu i nienagannej fryzurze, gdy uśmiechała się radośnie do Sarah i Deirdre z Komitetu Rodzicielskiego i zachowywała się tak, jakby jej mąż nie zostawił jej właśnie z trójką dzieci, choć naprawdę chciała umrzeć. Proszę podejść i odebrać nagrodę, Alison! Oscar za najlepszą rolę drugoplanową przypada kobiecie, dla której mąż Alison ją porzucił, a która była w tym samym supermarkecie, ale szybko uciekła, zapominając o dwóch składnikach do ulubionego lasagne jej nowego chłopaka. Nagrodę za najlepszą rolę aktorską otrzymuje Gregory Thomas za wzruszające zachowanie na pogrzebie ojca, z którym przez dwa lata nie zamienił ani słowa. Oscar dla najlepszego aktora drugoplanowego przypada Leo Mulcahy'emu za odegranie drużby na ślubie swojego najlepszego przyjaciela Simona z jedyną kobietą, którą Leo naprawdę kochał. Proszę podejść, brawa dla Leo!

Właśnie dlatego sądziłam, że mama odgrywa dobrą wdowę. Jednak po wszystkim jej zachowanie się nie zmieniło i wyglądało na to, że mama nie wie, co się dookoła niej dzieje. Używała tych samych westchnień i słów w każdej rozmowie. Zaczęłam wtedy wątpić, czy rzeczywiście blefuje. Nadal nie wiem, ile mamy jest tutaj z nami, a ile z niej to tylko udawanie, żeby nie musiała stawić czoła rzeczywistości. Tuż po śmierci taty coś w niej pękło, a kiedy ludzie przestali się na niej koncentrować i wrócili do swojego życia, pęknięcie zaczęło się powiększać. Ja chyba byłam jedyną osobą, która to dostrzegała.

Nie chodziło o bezdusznych bankierów, którzy wyrzucili nas na bruk. Tata usłyszał od nich datę eksmisji i przejęcia posesji, ale, oprócz pożegnania, była to kolejna wiadomość, jakiej zapomniał nam przekazać. Chociaż więc bank pozwolił nam zostać w domu dłużej, niż początkowo zamierzał, musiałyśmy się w końcu wyprowadzić. Zatrzymałyśmy się na tydzień w domu Barbary, w dawnych stajniach, przerobionych obecnie na apartament dla ich filipińskiej niani. Ale nie mogłyśmy zostać dłużej, ponieważ Barbara miała jechać na lato do swojej willi w St Tropez i chyba bała się, że pod jej nieobecność okradniemy ją ze sreber rodowych.

Chociaż wspomniałam, że kiedy przybyłyśmy do stróżówki, nie martwiłam się jeszcze tak bardzo o mamę, nie oznacza to, że w ogóle się nie niepokoiłam o jej stan. Zanim tu przyjechałyśmy, sugerowałam, żeby mama poszła do lekarza. Teraz uważam, że powinna się zgłosić do jednej z tych placówek, gdzie pacjenci noszą białe kaftany i kiwają się przez cały dzień na korytarzu, jakby mieli chorobę sierocą. Myślą o wizycie u lekarza podzieliłam się z Barbarą. Posadziła mnie wtedy na krześle w kuchni i protekcjonalnie wyjaśniła, że mama przechodzi przez okres „opłakiwania" taty. Wyobrażacie sobie, jak słodka była chwila, w której, jako szesnastolatka, poznałam to słowo? Przygotowałam się na konwersację o pocieszaniu i pieszczotach, ale Barbara nie zamierzała rozwijać tematu. Zamiast tego poprosiła, żebym usiadła na jej walizce, kiedy będzie ją zasuwała, ponieważ niania Lulu – spoina życia Barbary – pojechała z dziećmi na lekcję jazdy konnej. Kiedy siedziałam na pękatej torbie od Louisa Vuittona, wypchanej kompletami bikini z nadrukiem skóry zebry, złotymi sandałami i idiotycznymi kapeluszami, wyobrażałam sobie, jak otwiera się ona na podajniku bagażów i na oczach wszystkich wypada z niej wibrator.

W każdym razie tak oto znalazłyśmy się tutaj, pierwszego dnia reszty mojego życia, przed drzwiami stróżówki. Mama z zaciśniętymi powiekami, Rosaleen wpatrująca się we mnie podekscytowanymi zielonymi oczami, oblizująca od czasu do czasu usta różowym języczkiem, Arthur charkoczący na Barbarę, co oznaczało, że nie chce, aby nosiła bagaże, i Barbara, w luźnym dresie, klapkach i pomarańczową twarzą jak Oompa-Loompa z filmu *Charlie i fabryka czekolady* (tego ranka zaaplikowała sobie samoopalacz), wpatrująca się w niego z kompletnym niezrozumieniem. Prawdopodobnie walczyła z odruchem wymiotnym po usłyszeniu wydawanych przez niego dźwięków.

– Jennifer! – Rosaleen przerwała wreszcie milczenie.

Mama otworzyła oczy, uśmiechnęła się promiennie. Wydawało się, że rozpoznała Rosaleen i wiedziała dokładnie, jak postąpić. Gdybym nie spędziła z nią ostatniego miesiąca, też uznałabym, że wszystko z nią jest w porządku. Blefowała dość dobrze.

– Witajcie! – Rosaleen się uśmiechnęła.

– Tak, dziękuję. – Mama wybrała odpowiedni zestaw słów z ograniczonego obecnie zasobu.

– Wchodźcie, wchodźcie. Zrobię wam herbaty – rzuciła Rosaleen z nagłym pośpiechem, jak gdyby nasze życie zależało od napicia się czegoś w tej właśnie chwili.

Nie chciałam za nimi iść.

Nie chciałam wejść do środka, bo to by oznaczało, że wszystko się zaczęło. Wszystko, czyli rzeczywistość. To była nowa sytuacja i musiała mieć swój początek.

Arthur, wielka krewetka, przeszedł obok mnie obładowany bagażami. Był silniejszy, niż na to wyglądał. Trzasnęła klapa bagażnika. Obróciłam się na pięcie. Barbara bawiła się nerwowo kluczykami, przestępując z nogi na nogę w klapkach od Louisa Vuittona. Dopiero wtedy zauważyłam, że między palcami u stóp ma waciki. Spojrzała na mnie niepewnie, w milczeniu, zastanawiając się, jak mi powiedzieć, że mnie zostawia.

– Nie wiedziałam, że pedicure też sobie zrobiłaś – rzuciłam, żeby przerwać ciszę.

– Tak. – Spojrzała w dół i poruszyła palcami u stóp, jakby na potwierdzenie. Przyklejone do paznokci klejnoty zalśniły w słońcu. – Danielle zaprosiła nas na przyjęcie koktajlowe na swoim jachcie.

Większość ludzi uważałaby, że nasza wymiana zdań nie ma sensu, ale ja zrozumiałam. Na pokładzie jachtu Danielle nie można nosić obuwia, stąd konkurs w ozdabianiu paznokci u stóp. Te kobiety znalazłyby sposób na ozdobienie rzepki kolanowej, jeżeli byłaby to jedyna część ciała, która miałaby pozostać odsłonięta.

Spoglądałyśmy na siebie w milczeniu. Barbara strasznie chciała stąd uciec, a ja z nią. Też wolałam znaleźć się bez butów, na wybrzeżu Morza Śródziemnego, z Danielle krążącą wśród gości, z kieliszkiem martini między wymanicurowanymi palcami, w wydekoltowanej sukni od Cavallego, odsłaniającej cycki jędrne niczym oliwki z pimento pływające w jej kieliszku, i w nałożonym na bakier kapeluszu kapitańskim, w którym wyglądała jak kapitan Nemo na haju. Chciałam być częścią tego krajobrazu.

– Będzie ci tu dobrze, kochanie. – W głosie Barbary wyczułam szczerość. – Z rodziną.

Spojrzałam niepewnie za siebie na domek Baby Jagi i zachciało mi się płakać.

– Och, kochanie! – Wyczuła mój nastrój i podeszła do mnie z otwartymi ramionami. Była naprawdę dobra w przytulaniu i czuła się dobrze w roli osoby pocieszającej. A może po prostu jej implanty w odpowiedni sposób amortyzowały moją głowę. Przytuliłam się do niej mocno i zamknęłam oczy, ale odsunęła mnie od siebie szybciej, niż chciałam. Wróciłam do rzeczywistości.

– No dobrze. – Przesunęła się nieco w stronę samochodu i położyła dłoń na klamce. – Nie chcę im przeszkadzać, więc powiedz...

– Proszę wejść, bardzo proszę! – Z ciemności korytarza zadźwięczał głos Rosaleen, powstrzymując Barbarę przed wdrapaniem się do dżipa. – Witam. – Rosaleen stanęła w drzwiach. – Nie wejdzie pani na filiżankę herbaty? Przepraszam, nie znam pani imienia. Jennifer mi nie powiedziała.

Będzie musiała do tego przywyknąć. Jennifer nie będzie mówiła wielu rzeczy.

– Barbara – przedstawiła się Barbara.

Zauważyłam, że zaciska kurczowo dłoń na klamce drzwi do samochodu.

– Barbara. – Oczy Rosaleen zalśniły. – Filiżanka herbaty przed powrotem do domu, Barbaro? Mamy też świeże bułeczki i domowy dżem truskawkowy.

Barbara zastygła ze sztucznym uśmiechem na twarzy, jakby panicznie szukała w myślach wymówki.

– Barbara nie może zostać – wyręczyłam ją.

Spojrzała na mnie z wdzięcznością, a potem z poczuciem winy.

– Och... – Rosaleen posmutniała, zupełnie jakbym zepsuła jej przyjęcie.

– Musi pojechać do domu i zmyć sztuczną opaleniznę – dodałam.

Powiedziałam już wcześniej, że jestem naprawdę okropna. W moich oczach Barbara chciała mnie porzucić, chociaż to wszystko nie była jej sprawą i chociaż miała swoje życie, do którego musiała wrócić.

– I ma nadal mokre paznokcie u stóp – wzruszyłam ramionami.

– Aha. – Rosaleen spojrzała na mnie ze zdumieniem, jakbym przemówiła w jakimś dziwacznym slangu celtyckim. – Może w takim razie kawy?

Wybuchnęłam śmiechem. Rosaleen chyba zrobiło się przykro. Usłyszałam za plecami stukot klapek Barbary, kiedy przeszła obok, nie patrząc na mnie. Dziwna jest. Dzięki mnie powinno być jej łatwiej odjechać. W porównaniu z Rosaleen, Barbara, nawet w swoim welurowym dresie, klapkach i z brudną od samoopalacza szyją, wyglądała niczym egzotyczna boginka, która teraz zniknęła w czeluściach domu jak mucha w nęcącym wnętrzu liścia rosiczki.

Mimo że Rosaleen spoglądała na mnie z nadzieją, nie mogłam się zmusić do wejścia.

– Pójdę się rozejrzeć – powiedziałam.

Rosaleen wyglądała na rozczarowaną, jakbym odebrała jej coś cennego. Chciałam zaczekać, aż wejdzie do środka, zniknie w czerni korytarza, ale ona nadal stała na ganku i patrzyła na mnie. Zrozumiałam, że muszę się ruszyć pierwsza. Rozejrzałam się dookoła, świadoma jej spojrzenia. W którą stronę iść? Po lewej był dom, za mną otwarta brama przy szosie, przede mną drzewa, a po prawej wąska ścieżka wiodąca w ciemny gąszcz. Ruszyłam ścieżką. Nie odwróciłam się ani razu, Nie chciałam wiedzieć, czy Rosaleen nadal stoi na progu. Im bardziej się jednak oddalałam, tym bardziej miałam wrażenie, że przygląda mi się nie tylko ona. Czułam się obserwowana, jakby zza zasłony majestatycznych drzew ktoś jeszcze mi się przyglądał. Tak się czuje człowiek, gdy ma wrażenie, że jest intruzem w świecie przyrody, że znalazł się bez zaproszenia w miejscu, do którego nie należy. Drzewa stojące wzdłuż drogi odwróciły głowy, aby mi się przyjrzeć.

Gdyby w tej chwili przegalopowali obok mnie konni rycerze w pełnym rynsztunku, wymachujący mieczami, nie wydałoby mi się to wcale dziwne. Miejsce to było przesiąknięte legendami, pełne duchów przeszłości. Teraz wkroczyłam tu ja, kolejna osoba gotowa rozpocząć spisywanie własnej historii. Drzewa widziały już wszystko, ale nadal stały zaciekawione. Ich liście szeleściły w podmuchach letniego wiatru niczym plotkujące usta, nigdy nie znudzone opowieściami o podróży przez czas kolejnego pokolenia.

Szłam drogą i wreszcie drzewa, sprytnie maskujące zamek, rozchyliły się. Chociaż to ja byłam w ruchu, wydało mi się, jakby budowla, dotychczas przyczajona gdzieś poza moją świadomością, nagle wyskoczyła na mnie, jak diabełek z pudełka, a raczej wielka kupa sprytnych kamieni i głazów skradająca się na paluszkach, z palcem na ustach, jakby od dawna tak dobrze się nie bawiła. Zatrzymałam się na ten widok. Malutka ja i wielkie zamczysko. Wydało mi się bardziej przytłaczające i władcze jako ruina, niż gdyby było kompletną budowlą. Stało przede mną, odsłaniając swe poranione, skrwawione w bitwie ciało. Poczułam cień kogoś, kim kiedyś byłam, i także odsłoniłam swoje blizny. Od razu poczuliśmy wspólnotę. Przyjrzeliśmy się sobie nawzajem, a potem podeszłam bliżej. Zamek nawet nie mrugnął.

Chociaż mogłam wejść do środka przez wielką dziurę w bocznej ścianie, uznałam, że okażę szacunek, wchodząc przez inny otwór, tam gdzie kiedyś były główne drzwi. Nie wiem, kogo dokładnie chciałam w ten sposób uhonorować, ale chyba próbowałam obudzić łagodniejszą stronę duszy zamku. Zatrzymałam się w progu z respektem, a potem wkroczyłam do środka. Było tam mnóstwo chwastów i gruzu. Panowała niesamowita cisza i poczułam, jakbym naruszyła prywatność czyjegoś domu. Pokrzywy, mlecze i inne rośliny zamarły i spojrzały na mnie. Nie wiem dlaczego, ale nagle się rozpłakałam.

Tak jak było mi przykro z powodu muchy, pożałowałam też zamku, chociaż najprawdopodobniej w tej chwili litowałam się głównie nad sobą. Miałam wrażenie, że słyszę jęki i zawodzenia twierdzy, pozostawionej tu na wieki i niszczejącej wśród starzejących się drzew. Podeszłam do jednej ze ścian, zbudowanej z głazów tak surowych i wielkich, że wyobraźnia sama podsuwała obraz silnych ramion, które je dźwigały, dobrowolnie lub pod przymusem. Przykucnęłam w rogu, przyłożyłam ucho do kamienia i zamknęłam oczy. Nie wiem, czego nasłuchiwałam, nie mam pojęcia, z jakiego powodu chciałam pocieszyć mur, ale i to zrobiłam.

Gdybym opowiedziała o tym Zoey i Laurze, wysłałyby mnie w tempie ekspresowym do wariatkowa. Czułam z zamkiem dziwną więź. Może dlatego, że straciłam dom i miałam wrażenie, że nie mam tak naprawdę nic swojego, i na widok tego samotnego budynku zapragnęłam, żeby należał do mnie. A może po prostu już tak jakoś jest, że gdy ludzie doświadczają samotności, czepiają się choćby brzytwy, byle tylko poczuć się lepiej. Dla mnie brzytwą okazał się zamek.

Nie wiem, jak długo tam stałam, ale w końcu słońce skryło się za drzewami. Oświetlało ruiny migotliwym blaskiem za każdym razem, gdy wiatr poruszał listowiem. Przyglądałam się temu, zdałoby się, tylko przez chwilę, a tu nagle zdałam sobie sprawę, że zapada już zmierzch. Musiało być koło dziesiątej wieczorem.

Nogi zesztywniały mi od siedzenia tak długo w kucki. Podniosłam się powoli i kątem oka dostrzegłam jakiś ruch. Cień. Sylwetka. Nie było to zwierzę, chociaż poruszało się bardzo szybko. Nie wiedziałam, co to. Nie chciałam, żeby podeszło mnie od tyłu, więc wycofałam się rakiem w kierunku wyjścia. Usłyszałam dziwne pohukiwanie – może to była sowa – i niemal wyskoczyłam ze skóry. Rzuciłam się do ucieczki. W gęstwinie chwastów nie widziałam zbyt dobrze podłoża. Potknęłam się i przewróciłam na plecy. Uderzyłam się w głowę. Załkałam, słysząc we własnym głosie panikę i strach. Leżałam w odrażającej zielonej gęstwinie, w której gnieździły się nie wiadomo jakie stwory. Wzrok zamglił mi się nieco, zobaczyłam czarne plamki. Wstałam niezgrabnie, odpychając się od ziemi dłońmi, kalecząc je na kamieniach i gruzie. Potem pognałam do domu tak szybko, jak tylko poniosły mnie nogi, nie oglądając się za siebie ani razu. Wydawało mi się, że minęła cała wieczność, zanim zobaczyłam stróżówkę. Zupełnie jakby droga spiskowała z drzewami, aby zatrzymać mnie jak najdłużej.

Wreszcie dobiegłam. SUV-a Barbary już nie było i wiedziałam, że jestem całkowicie odcięta od świata. Ostatni most został zburzony. Niemal w tej samej chwili, kiedy dostrzegłam dom, drzwi otworzyły się i stanęła w nich Rosaleen. Spoglądała na mnie tak, jakby nie robiła nic innego, od kiedy poszłam na spacer.

– Wejdź, wejdź – powiedziała z niepokojem w głosie.

I tak oto w końcu przekroczyłam próg stróżówki, rozpoczynając nowe życie.

Początek początku.

Moje niegdyś czyściutkie różowe buty były teraz upaćkane od przechadzki w stronę zamku. Wkroczyłam na kamienny korytarz. W domu panowała przerażająca cisza.

– Niech no cię dobrze obejrzę. – Rosaleen chwyciła moje nadgarstki i odsunęła się nieco, lustrując mnie od stóp do głów. Raz, drugi, trzeci... próbowałam się wyrwać, ale instynktownie zwiększyła siłę uchwytu. Potem jednak zdała sobie sprawę z tego, co robi, a może zobaczyła wyraz mojej twarzy i puściła mnie. – Zaceruję je – powiedziała łagodnie. – Zostaw je w koszu przy fotelu w dużym pokoju.

– Co chcesz zacerować?

– Twoje spodnie.

– To są dżinsy. Mają tak wyglądać. – Spojrzałam na spodnie, poszarpane tak bardzo, że ledwie trzymały się szwów. Pod spodem miałam rajstopy z nadrukiem skóry geparda. Dokładnie tak, jak chciałam. – Tyle że powinny być czyste.

44

– Ach. No dobrze, zostaw je w koszu w kuchni.

– Chyba masz dużo koszy.

– Tylko dwa.

Nie jestem pewna, czy to, co powiedziałam, miało być żartem czy ironicznym komentarzem, ale Rosaleen i tak nie załapała.

– W porządku. Pójdę do swojego pokoju... – Spojrzałam na nią z wyczekiwaniem, ale ona stała, wpatrując się we mnie. – Gdzie to jest?

– A co powiesz na herbatę? Zrobiłam placek z jabłkami – powiedziała niemal prosząco.

– Emmm... dzięki, ale nie jestem głodna. – Żołądek zaburczał mi głośno. Miałam nadzieję, że tego nie usłyszała.

– Oczywiście. Oczywiście, że nie jesteś.

– Gdzie jest mój pokój?

– Na górze, drugie drzwi po lewej. Twoja mama jest w ostatnim pokoju, po prawej.

– W porządku, zajrzę do niej. – Zaczęłam wspinać się po schodach.

– Nie, dziecko – rzuciła Rosaleen pospiesznie. – Zostaw ją. Twoja mama wypoczywa.

– Chcę tylko życzyć jej dobrej nocy – uśmiechnęłam się sztywno.

– Nie, nie, musisz ją zostawić w spokoju.

Przełknęłam głośno ślinę.

– Dobrze – odparłam.

Powoli wycofałam się i weszłam na górę. Schody skrzypiały przy każdym kroku. Z góry nadal widziałam korytarz i Rosaleen, która patrzyła za mną. Uśmiechnęłam się sztucznie, poszłam do swojego pokoju i zamknęłam za sobą drzwi. Oparłam się o nie z bijącym głośno sercem.

Stałam tak pięć minut, nawet nie przyglądając się wnętrzu. Wiedziałam, że będę miała na to jeszcze mnóstwo czasu. Najpierw musiałam zobaczyć mamę. Kiedy otworzyłam powoli drzwi, wystawiłam głowę na zewnątrz i zerknęłam w dół na korytarz, Rosaleen już nie było. Ośmielona, wyszłam na korytarz i podskoczyłam ze strachu. Stała przed drzwiami pokoju mamy niczym warujący pies.

– Właśnie u niej byłam – szepnęła. Jej zielone oczy błyszczały w mroku. – Śpi. Ty lepiej też się połóż.

Nienawidzę, kiedy mówią mi, co mam robić. Kiedyś z zasady nie wykonywałam żadnych poleceń, ale w głosie Rosaleen, w jej spojrzeniu, w jej postawie i wreszcie w całej atmosferze domu było coś, co nakazywało mi się podporządkować. Cofnęłam się do pokoju i bez słowa zamknęłam drzwi.

Później tej nocy, kiedy dom i świat za oknem pogrążyły się w ciemności tak gęstej, że nie można było odróżnić żadnych kształtów, obudziłam się z uczuciem, że ktoś jest w moim pokoju. Usłyszałam cichy oddech i poczułam znajomy mydlany zapach lawendy. Zacisnęłam oczy, udając, że śpię. Nie wiem, jak długo Rosaleen stała przy moim łóżku i patrzyła, ale wydawało mi się, że minęła cała wieczność, zanim wyszła. Nawet po tym, jak zamknęła cicho drzwi, nie otwierałam oczu. Serce waliło mi tak głośno, że przez chwilę obawiałam się, że Rosaleen usłyszy. Wreszcie zasnęłam.

Rozdział 4

Słoń pod dywanem

Następnego poranka obudziłam się około szóstej rano. Za oknem wydzierały się ptaki. Przez ich nieustanne ćwierkanie i gwizdanie miałam wrażenie, jakby cały dom uniósł się w nocy w powietrze i przewędrował do ptasiego świata. Głośne przekomarzanie się przypomniało mi o robotnikach, którzy budowali dla nas basen przed domem. Gadali do siebie głośno i zuchwale, zupełnie jakby nie było nas w domu. Jeden z nich, Steve, usiłował podejrzeć mnie w sypialni podczas przebierania. Pewnego dnia dałam mu tę satysfakcję. Nie zrozumcie mnie źle: wzięłam trzy peruki, przypięłam je do bikini – domyślcie się sami, w którym miejscu – a potem zdjęłam szlafrok i zaczęłam paradować po pokoju, udając, że nie zdaję sobie sprawy, że jestem obserwowana. Po tym wydarzeniu Steve przestał podglądać, za to inni popatrywali na mnie dziwnie za każdym razem, kiedy przechodziłam obok. Przypuszczam, że wszystko im opowiedział, zboczeniec jeden. Cóż, tutaj nie będzie podobnych zabaw, chyba że postanowię przyprawić o zawał serca wiewiórkę.

Zasłonki w biało-niebieską kratkę nie zatrzymywały promieni słońca wpadających do pokoju. Oświetlony, wyglądał niczym bar przed zamknięciem: widać było wszystkie niedoskonałości. Leżałam w łóżku w pełni rozbudzona i przyglądałam się miejscu, które stało się teraz moją sypialnią. Nie miałam wrażenia, jakby należała rzeczywiście do mnie. Zastanawiałam się, czy kiedykolwiek poczuję się tu jak u siebie. Był to zwykły pokój, zadziwiająco ciepły i przytulny, w stylu Laury Ashley. I chociaż zazwyczaj nie cierpiałam tej neowiktoriańskiej ornamentyki, tutaj sprawiała bardzo przyjemne wrażenie. Nie pasowała za to w ogóle do sypialni mojej przyjaciółki Zoey. Jej mama postanowiła wyposażyć jej pokój w stylu, który pasował do dziesięciolatki – zapewne usiłując przekonać w ten sposób samą siebie, że jej córka jest słodka i niewinna. Sypialnia Zoey była odpowiednikiem marynaty w babcinym słoiku, co było z góry skazane na niepowodzenie. Nie chodziło nawet o to, że za każdym razem, gdy mama nie patrzyła, uchylało się wieczko słoika. Po prostu Zoey za bardzo lubiła jego zawartość.

Sypialnie znajdowały się tuż pod okapem. Sufit obniżał się stopniowo ku oknom. W jednym rogu stało pomalowane na biało, nieco popękane drewniane krzesło ze starą poduszką w niebiesko-białą kratę. Ściany były bladoniebieskie, ale nie wydawały się chłodne. Pod ścianą stała biała szafa, w której ledwie zmieściłaby się moja bielizna. Łóżko miało metalową ramę, białe prześcieradło i poszewkę na kołdrę w błękitne kwiatki. W stopach leżała kaszmirowa narzutka w kolorze skorupki kaczego jaja. Nad drzwiami wisiał prosty krzyż świętej Brygidy*. Na parapecie stał wazon ze świeżo zerwanymi polnymi kwiatami:

---

* Plecionka w formie krzyża, tradycyjnie wykonywana w Irlandii co roku na 1 lutego, aby ochraniać dom przed wszelkim złem przez cały rok (przyp. tłum.).

lawendą, dzwonkami i innymi, których nie rozpoznawałam. Rosaleen zadała sobie dużo trudu.

Z dołu dobiegał hałas: szczękały talerze, szumiała woda płynąca z kranu, gwizdał czajnik, skwierczało coś na patelni. Wreszcie zapach przygotowywanego śniadania dotarł na górę i zdałam sobie sprawę, że nie miałam nic w ustach od wczorajszego lunchu u Barbary, kiedy to Lulu przyrządziła nam boskie sashimi. Nie byłam również w toalecie. Tak oto pęcherz i żołądek zmówiły się, aby wygnać mnie z łóżka. Gdy tylko o tym pomyślałam, usłyszałam przez cienkie jak papier ściany, że drzwi w pomieszczeniu obok się zamykają. Ktoś przekręcił klucz. Za chwilę dobiegł mnie odgłos podnoszonej klapy i ciurkanie uryny rozpryskującej się na dnie muszli klozetowej. Leciała z wysoka, więc musiał być to Arthur, chyba że Rosaleen sikała, stojąc na szczudłach.

Sądząc z odgłosów dochodzących z kuchni i łazienki, mamy nie było w żadnym z tych pomieszczeń. To była moja szansa na to, żeby ją zobaczyć. Wsunęłam stopy w swoje różowe buty, otuliłam się niebieskim kocem i wymknęłam na korytarz do sypialni mamy.

Choć starałam się stąpać bardzo ostrożnie, podłoga skrzypiała przy każdym kroku. Usłyszałam spuszczanie wody w toalecie, więc biegiem przemierzyłam korytarz i wpadłam do pokoju mamy bez pukania. Nie wiem, czego się spodziewałam, ale przypuszczam, że czegoś podobnego do widoku, jaki witał mnie każdego poranka przez ostatnie dwa tygodnie: ciemnego niczym jaskinia pokoju i mamy zakopanej pod kołdrą. Tego poranka jednak czekała mnie miła niespodzianka. Sypialnia mamy była jeszcze jaśniejsza niż moja, w kolorze pastelowej żółci, czystej i świeżej. Wazon na parapecie wypełniony był jaskrami, mleczami i długimi źdźbłami traw, przewiązanymi żółtą wstążką. Pokój musiał znajdować się bezpośrednio nad salonem, ponieważ na jednej ścianie widniał otwarty kominek z wiszącą nad nim fotografią papieża. Wzdrygnęłam się na ten widok. Nie chodziło o papieża, chociaż osobiście wolałabym na swojej ścianie podobiznę Zacka Efrona. To kominek wywołał u mnie nieprzyjemny dreszcz. Nigdy ich nie lubiłam. Ten tutaj miał biały gzyms i czarne wnętrze. Wyglądał, jakby często go używano, co wydało mi się dziwne, jako że był to pokój gościnny. Pewnie często ktoś ich odwiedzał, chociaż nie sprawili na mnie wrażenia rozrywkowej pary. Potem zauważyłam łazienkę i zrozumiałam, że Rosaleen i Arthur oddali mamie własną sypialnię.

Mama siedziała nieruchomo w bujanym fotelu, z twarzą zwróconą do okna, za którym widać było ogród na tyłach domu. Włosy miała starannie upięte z tyłu głowy i ubrana była w jedwabną luźną podomkę w kolorze brzoskwiniowym. Usta pomalowała tą samą szminką, której użyła w dniu pogrzebu taty. Uśmiechała się, ledwo widocznie, ale jednak. Wyglądała, jakby intensywnie usiłowała sobie przypomnieć wczorajszy dzień. Kiedy do niej podeszłam, spojrzała na mnie i rozjaśniła się.

– Dzień dobry, mamo. – Pocałowałam ją w czoło i przysiadłam obok, na brzegu posłanego łóżka. – Dobrze spałaś?

– Tak, dziękuję – odparła radośnie.

Poczułam nadzieję w sercu.

– Ja też. – Gdy to powiedziałam, zrozumiałam, że to prawda. – Tutaj jest tak cicho, prawda? – Postanowiłam nie wspominać nic o wizycie Rosaleen w mojej sypialni wczoraj w nocy, w razie gdyby jednak mi się to przyśniło. Nie chciałam oskarżać nikogo bez dowodów. To byłoby żenujące.

– Tak. Jest – odparła mama.

Siedziałyśmy tak razem, przyglądając się ogrodowi za oknem. Na samym jego środku rósł dąb, który aż się prosił, żeby się na niego wspiąć. Piękne drzewo wystrzelało ku niebu z godnością, obsypane zielenią. Było mocne, solidne i zrozumiałam, dlaczego mama wciąż na nie patrzyła. Tchnęło bezpieczeństwem i stałością. Jeżeli rosło tu przez kilka stuleci, można było założyć, że pozostanie w tym miejscu przez następne lata. Odrobina stabilności w naszych rozchwianych życiach. Szpak skakał z jednej gałęzi na drugą, podekscytowany, że ma całe drzewo dla siebie. Jak dziecko, które bawi się samo ze sobą w „krzesełka do wynajęcia". Był to dla mnie całkiem nowy obrazek: drzewo z ptakiem. Nawet jeśli widziałam już kiedyś taki zestaw, nigdy wcześniej nie porównałam go do bawiącego się samotnie dziecka. Zoey i Laura miałyby ze mną poważny kłopot. Sama zaczynałam mieć ze sobą problem. Myśl o przyjaciółkach wywołała we mnie tęsknotę za domem.

– Nie podoba mi się tutaj, mamo – powiedziałam wreszcie. Zdałam sobie sprawę, jak bardzo trzęsie mi się głos i jak blisko jestem łez. – Możemy wrócić do Dublina? Zatrzymamy się u przyjaciół.

Mama spojrzała na mnie i uśmiechnęła się ciepło.

– Och, będzie nam tutaj dobrze. Będzie dobrze.

Poczułam ulgę, słysząc te słowa z jej ust, czując jej siłę i pewność siebie. Tego właśnie potrzebowałam.

– Ale jak długo tu będziemy? Jakie mamy plany? Gdzie będę chodziła do szkoły od września? Mogę zostać w Świętej Marii?

Nadal się uśmiechając, mama odwróciła ode mnie wzrok i wpatrzyła się w okno.

– Będzie nam tutaj dobrze. Wszystko będzie dobrze – powtórzyła.

– Wiem, mamo – odparłam sfrustrowana, chociaż starałam się tego nie okazać. – Przed chwilą to powiedziałaś. Ale jak długo?

Milczała.

– Mamo? – Mój ton stwardniał.

51

– Będzie nam tutaj dobrze – powtórzyła. – Wszystko będzie dobrze.

Jestem dobrą osobą, ale tylko wtedy, gdy tego chcę. Pochyliłam się nad uchem mamy, szykując się do powiedzenia czegoś naprawdę okropnego, tak bardzo, że nie odważę się tego napisać. Ale w tej chwili rozległo się pukanie do drzwi i w progu stanęła Rosaleen.

– Ach, tutaj jesteście – rzuciła, jakby szukała nas w każdym kącie domu.

Szybko odsunęłam się od mamy i przysiadłam na łóżku. Rosaleen wpatrzyła się we mnie, jakby potrafiła mi czytać w myślach. Potem jej twarz złagodniała, weszła do pokoju ze srebrną tacą w dłoni, ubrana w nową sukienkę, która odsłaniała rąbek cielistej halki wokół kolan.

– Jennifer, mam nadzieję, że odpoczęłaś ostatniej nocy.

– Tak, odpoczęłam.

Mama spojrzała na Rosaleen z uśmiechem. Złościło mnie to, że udaje jej się nabrać wszystkich dookoła, tylko nie mnie.

– To doskonale. Zrobiłam ci śniadanie, tylko kilka kęsów, nic wielkiego.

Rosaleen trajkotała, kręcąc się po pokoju, przesuwając meble, przestawiając krzesła, poprawiając poduszki. Przyglądałam się jej w milczeniu.

Kilka kęsów, powiedziała. Kilka kęsów, ale chyba dla kilku setek ludzi. Taca była obładowana jedzeniem. Kawałki owoców, miska owsianki, talerz z całą górą tostów, dwa jajka na miękko, mała miseczka czegoś, co wyglądało na miód, druga z dżemem truskawkowym i kolejna z marmoladą. Do tego imbryk z herbatą, dzbanuszek mleka, cukierniczka, sztućce i serwetki. Dla kogoś, kto zazwyczaj jadał na śniadanie batonika z muesli i popijał espresso – i to wyłącznie z poczucia obowiązku – spożycie tego wszystkiego było nie lada zadaniem.

– Cudownie – powiedziała mama do tacki stojącej na małym drewnianym stoliku. Nie spojrzała ani razu na Rosaleen. – Dziękuję.

Zastanawiałam się wtedy, czy mama zdaje sobie w ogóle sprawę z tego, że wszystko, co postawiono przed nią, miało zostać zjedzone, a nie służyło wyłącznie ku ozdobie.

– Nie ma za co. Czy potrzebujesz czegoś jeszcze?

– Odzyskania domu i miłości jej życia... – rzuciłam sarkastycznie.

Mój żart nie był skierowany przeciwko Rosaleen. Nie zamierzałam się z niej naigrawać. Po prostu dałam ujście swojej frustracji. Myślę jednak, że Rosaleen wzięła moje słowa do siebie. Wyglądała na wstrząśniętą i chyba zranioną, zażenowaną albo zagniewaną. Spojrzała na mamę, upewniając się, że nie dotknęły jej moje słowa.

– Nie martw się, ona mnie nie słyszy – powiedziałam znudzonym tonem, oglądając rozdwajające się końcówki swoich długich, brązowych włosów. Udawałam, że mnie to nie wzrusza, chociaż tak naprawdę to, co powiedziałam, wywołało u mnie gwałtowne bicie serca.

– Oczywiście, że cię słyszy, dziecko – odparła Rosaleen lekko karcącym tonem, cały czas krzątając się po pokoju, wycierając niewidoczny kurz, poprawiając i przestawiając różne przedmioty.

– Doprawdy? – Uniosłam brew. – Co ty o tym sądzisz, mamo? Będzie nam tutaj dobrze?

Mama spojrzała na mnie i uśmiechnęła się.

– Oczywiście. Będzie nam dobrze. Wszystko będzie dobrze.

Dołączyłam do niej, gdy wypowiadała drugie zdanie, naśladując jej przesadnie radosny ton. Przemówiłyśmy w idealnym unisono, które chyba zmroziło Rosaleen. Mnie z całą pewnością znokautowało.

Rosaleen przestała ścierać kurze i spojrzała na mnie.

– Tak, mamo, wszystko będzie dobrze – rzuciłam drżącym głosem. Postanowiłam brnąć dalej. – O, spójrz, słoń w pokoju. Czy to nie cudowne?

Mama wpatrzyła się w dąb za oknem z tym samym uśmiechem na różowych ustach.

– Tak, to cudowne – odparła.

– Tak myślałam.

Przełknęłam głośno ślinę, powstrzymując się od płaczu i spojrzałam na Rosaleen. Powinnam czuć satysfakcję, a tymczasem byłam jeszcze bardziej zagubiona. Do tej pory to, że z mamą jest coś nie tak, było jedynie hipotezą, i oto właśnie ją potwierdziłam. Wcale mi się to nie podobało.

Może teraz wyślą ją do terapeuty albo psychologa, który ją naprawi, żebyśmy mogły znów zacząć normalnie żyć.

– Śniadanie dla ciebie stoi na stole – powiedziała Rosaleen, odwróciła się do mnie plecami i wyszła z pokoju.

Właśnie tak Goodwinowie załatwiali wszystkie problemy. Wyrównać na powierzchni, zepchnąć do kąta, byleby nie było nic widać. Broń Boże nie wgłębiać się w istotę sprawy. Zignorować słonia, zamieść go pod dywan. Myślę, że tego poranka zdałam sobie sprawę, że dorastałam ze słoniem w każdym pokoju. Stał się praktycznie naszą rodzinną maskotką.

Rozdział 5

GRÈVE

Ubierałam się bez pośpiechu, wiedząc, że tego dnia nie czeka mnie zbyt wiele zajęć. Stałam, drżąc w łazience koloru awokado pod prysznicem, z którego woda ciekła jak krew z nosa pod górę. Tęskniłam za swoją opalizującąoróżową kabiną kąpielową z mozaikowymi kafelkami, sześciodyszowym prysznicem z funkcją masażu i telewizorem na ścianie.

Zużyłam cały szampon (nie chciało mi się walczyć z odżywką), wysuszyłam włosy i zeszłam na dół na śniadanie. Arthur wyskrobywał właśnie resztki jedzenia ze swojego talerza. Zastanawiałam się, czy Rosaleen opowiedziała mu o tym, co zdarzyło się wcześniej w pokoju mamy. Chyba nie, bo gdyby był choć w połowie przyzwoitym bratem, coś by z tym zrobił. Nie sądzę, żeby siorbanie resztek herbaty miało cokolwiek naprawić.

– Dzień dobry, Arthurze – rzuciłam.

– Dobry – odparł, z nosem zanurzonym w kubku.

Rosaleen, pracowita domowa pszczółka, natychmiast przystąpiła do roboty i zaatakowała mnie odzianymi w kuchenne rękawice dłońmi. Delikatnie je poboksowałam, ale nie pojęła żartu. Arthur nie powiedział ani słowa, nawet się nie skrzywił, ale wiedziałam, że zrozumiał.

– Zjem tylko płatki, dzięki, Rosaleen. – Rozejrzałam się dookoła. – Wezmę sobie sama, jeżeli mi powiesz, gdzie są. – Zaczęłam otwierać szafki. Cofnęłam się o krok, kiedy po uchyleniu podwójnych drzwiczek zobaczyłam stos słoików z miodem. Musiało ich tam być ze sto.

– Ho, ho! – Odsunęłam się od szafek. – Macie jakąś obsesję na punkcie miodu?

Rosaleen spojrzała na mnie zdezorientowana, ale za chwilę uśmiechnęła się i wręczyła mi kubek z herbatą.

– Usiądź sobie tutaj, przyniosę ci śniadanie. Siostra Ignacjusz daje nam miód – wyjaśniła.

Niestety, w chwili kiedy to mówiła, właśnie upijałam łyk herbaty. Zakrztusiłam się ze śmiechu. Herbata wyleciała mi nosem. Arthur wręczył mi serwetkę i spojrzał na mnie rozbawiony.

– Masz siostrę o imieniu Ignacjusz? – zarechotałam. – Totalnie męskie imię. Czy to transwestyta?

– Transwestyta? – spytała Rosaleen, marszcząc czoło.

Znów wybuchnęłam śmiechem i urwałam gwałtownie, kiedy zbladła. Zamknęła szafkę i ruszyła w stronę kuchenki po moje śniadanie. Ustawiła na środku stołu talerz obłożony bekonem, kiełbaskami, jajkami sadzonymi, kaszanką i pieczarkami. Miałam nadzieję, że siostra Ignacjusz przyłączy się do konsumpcji, bo sama w żaden żywy sposób nie mogłabym tego wszystkiego w siebie wepchnąć. Rosaleen zniknęła, przemknęła cicho za moimi plecami i wróciła z kolejnym talerzem, na którym widniała wieża z tostów.

– O nie, dziękuję. Nie jadam węglowodanów – powiedziałam najuprzejmiej, jak potrafiłam.

– Węglowodanów? – spytała Rosaleen.

– Cukrowców – wyjaśniłam. – Wzdyma mnie po nich.

Arthur postawił filiżankę na spodeczku i spojrzał na mnie spod krzaczastych brwi.

– Arthur, wcale nie jesteś podobny do mamy – powiedziałam.

Rosaleen upuściła słoik z miodem. Oboje z Arthurem podskoczyliśmy i odwróciliśmy się, spoglądając w jej stronę. Dziwnym trafem słoik nie rozbił się o kamienną podłogę. Rosaleen ogarnęła się szybko i postawiła przede mną dżem, marmoladę, miód i talerzyk ze słodkimi bułeczkami.

– Jeszcze rośniesz, potrzebujesz jedzenia.

– Potrzebuję tylko i wyłącznie przybrania w tych okolicach. – Wskazałam na swój biust rozmiaru 75B. – To śniadanie w niczym mi nie pomoże, chyba że wypcham sobie stanik kaszanką.

Tym razem to Arthur zakrztusił się herbatą. Nie chcąc obrażać ich dalej, nałożyłam sobie na talerz plasterek bekonu, kiełbaskę i pomidora.

– Dalej, weź więcej – zachęciła Rosaleen.

Spojrzałam przerażona na Arthura.

– Daj jej czas na zjedzenie – powiedział cicho, wstając z pustymi talerzami w dłoniach.

– Zostaw, zostaw. – Rosaleen zaczęła się kręcić wokół niego jak uprzykrzona mucha, aż miałam ochotę chwycić packę i się z nią rozprawić. – Idź już do pracy.

– Arthur, czy ktoś pracuje w zamku?

– W ruinach? – upewniła się Rosaleen.

– W zamku – poprawiłam i natychmiast poczułam do niej niechęć. Skoro mieliśmy się bawić w wyzwiska, powinniśmy zacząć od mamy, która zdecydowanie nie była w najlepszym stanie, ale nikt mimo to nie nazywał jej ruiną. Nadal była kobietą. Zamek też może nie był taki jak dawniej, ale nadal był zamkiem. Nie wiem, skąd pojawiło się we mnie to przekonanie, ale po wczorajszym wieczorze wiedziałam, że nigdy nie nazwę go ruiną.

– Dlaczego pytasz? – Arthur włożył koszulę i watowaną kamizelkę.

– Byłam tam wczoraj, żeby się trochę rozejrzeć, i wydawało mi się, że ktoś tam się czaił. Nic wielkiego – dodałam szybko, zabierając się do jedzenia i modląc się, żeby nie zabronili mi tam chodzić.

– Może to szczur? – Rosaleen spojrzała na Arthura.

– No skoro tak, to czuję się znacznie spokojniejsza. – Spojrzałam na Arthura z wyczekiwaniem, ale milczał.

– Nie powinnaś tam chodzić sama. – Rosaleen podsunęła mi talerz z jedzeniem.

– Dlaczego?

Oboje milczeli.

– No tak – rzuciłam, ignorując stertę pożywienia. – W takim razie wszystko jasne. To był gigantyczny szczur rozmiarów człowieka. Skoro nie mogę tam chodzić, to co tu jest do roboty?

Zapadła cisza.

– W jakim sensie? – spytała Rosaleen, jakby przestraszona.

– No co mam niby robić. Co tutaj jest? Jakieś sklepy? Z ciuchami? Kawiarnie? Cokolwiek w pobliżu?

– Najbliższe miasto jest piętnaście minut drogi stąd – odparła Rosaleen.

– Świetnie. Pójdę tam po śniadaniu. Przynajmniej spalę te wszystkie kalorie. – Wgryzłam się w kiełbaskę.

Rosaleen uśmiechnęła się radośnie i oparła brodę o dłoń, obserwując mnie.

– W którą stronę? – spytałam, przełykając kęs i otwierając buzię, żeby pokazać, że połknęłam jedzenie.

– W którą stronę co? – Nie zrozumiała i przestała się gapić.

– Do miasta. Po wyjściu za bramę mam skręcić w lewo czy w prawo?

– O nie, nie możesz tam iść na piechotę. Do miasta jest piętnaście minut samochodem. Arthur cię zawiezie. Gdzie potrzebujesz iść?

– Nigdzie, po prostu chciałam się rozejrzeć.

– Arthur cię zawiezie i odbierze, kiedy będziesz gotowa.

– Ile czasu zamierzasz tam być? – spytał Arthur, zapinając bezrękawnik.

– Nie wiem. – Spojrzałam na jedno i na drugie.

– Dwadzieścia minut? Godzinę? Jeżeli niedługo, może na ciebie zaczekać – powiedziała Rosaleen.

– Nie wiem, jak długo tam będę. Skąd mogę wiedzieć? Nie mam pojęcia, co jest w mieście i czym mogę się zająć.

Popatrzyli na mnie ze zdziwieniem.

– Może pojadę autobusem i wrócę, kiedy będę gotowa.

Rosaleen spojrzała nerwowo na Arthura.

– Co? – Opadła mi szczęka. – W jaki sposób możecie gdziekolwiek się dostać?

– Samochodem – odparł Arthur.

– Ale ja nie umiem prowadzić.

– Artur cię zawiezie – powtórzyła Rosaleen. – Albo kupi to, czego potrzebujesz. Masz coś konkretnego na myśli? Arthur może ci przywieźć, prawda, Arthur?

Odpowiedziało jej wilgotne charknięcie.

– Czego potrzebujesz? – Rosaleen pochyliła się ku mnie gorliwie.

– Tamponów – wyplułam z siebie, zmieszana.

Nie wiem, dlaczego to powiedziałam.

Nieprawda, wiem. Oboje mnie wkurzali. W domu byłam przyzwyczajona do całkowitej swobody, a nie hiszpańskiej inkwizycji. Wychodziłam i wracałam kiedy mi się żywnie podobało, robiłam wszystko we własnym rytmie, a rodzice nigdy nie zadawali mi tylu pytań.

Rosaleen i Arthur umilkli. Wepchnęłam kolejny kawałek kiełbaski do ust.

Rosaleen bawiła się nerwowo rąbkiem serwetki pod talerzem. Arthur czekał przy drzwiach, wstrzymując oddech, czekając na wyrok. Uznałam, że moim obowiązkiem jest oczyścić atmosferę.

– Nieważne – powiedziałam uspokajająco. – Rozejrzę się dzisiaj w okolicy. Może jutro pojadę do miasta. – Zawsze to jakaś pociecha na przyszłość.

– W takim razie idę. – Arthur skinął głową do Rosaleen. Kobieta zerwała się z krzesła jak oparzona.

– Nie zapomnij picia. – Zakrzątnęła się po kuchni, jakby zależało od tego życie. – Proszę. – Wręczyła mu pudełko z lunchem i termos. Obserwując to, nie mogłam się powstrzymać od uśmiechu. Rosaleen traktowała Arthura jak dziecko, które idzie do szkoły. Powinno być to dziwne, a tymczasem wydało mi się miłe.

– Chcesz trochę tego na lunch? – Pokazałam palcem na pełny talerz przede mną. – Za nic na świecie tego nie zjem.

Miał to być przyjazny komentarz. Chciałam przez to powiedzieć, że nie zjem aż takiej ilości, nie dlatego, że mi nie smakuje. Niestety, źle to zabrzmiało. A może zabrzmiało dobrze, ale zostało źle odebrane. Nie wiem. W każdym razie nie chciałam, żeby tyle dobra się zmarnowało. Pragnęłam podzielić się z Arthurem, ale Rosaleen wyglądała, jakbym wymierzyła jej policzek.

– Skoro tak, to trochę wezmę – powiedział Arthur.

Miałam wrażenie, że robi to wyłącznie po to, żeby uszczęśliwić Rosaleen. Jej policzki zaróżowiły się, kiedy zaczęła grzebać w szafce, szukając kolejnego plastikowego pudełka.

– Wszystko jest bardzo smaczne, naprawdę, Rosaleen. Ja po prostu nigdy tyle nie jadam na śniadanie. – Nie mogłam uwierzyć, że z głupiego śniadania zrobiła się taka afera.

– Oczywiście, oczywiście.

Pokiwała głową, jakby uznała, że się zbłaźniła, nie rozumiejąc, o co mi chodziło. Zsunęła jedzenie z talerza do plastikowego pojemnika. Po chwili Arthura już nie było.

Podczas gdy tkwiłam przy stole, usiłując przegryźć się przez stertę tostów tak wielką, że mogłaby posłużyć do odbudowania zamku, Rosaleen poszła do pokoju mamy i wróciła z tacą pełną nietkniętego jedzenia. Z pochyloną głową wyrzuciła wszystko do kosza, oczyszczając dokładnie talerze. Po niedawnej scenie wiedziałam, że ją to zraniło.

– My po prostu nie jadamy śniadania – wyjaśniłam najłagodniej jak potrafiłam. – Mama zazwyczaj pije espresso i przegryza batonikiem śniadaniowym.

Rosaleen wyprostowała się i odwróciła, pełna nowej nadziei.

– Batonik śniadaniowy?

– Tak, wiesz, jedna z tych pożywnych rzeczy zrobionych z płatków, rodzynków, jogurtu i tym podobnych.

– Jak to? – Pokazała mi miskę pełną płatków i rodzynków oraz drugą, ze świeżym jogurtem.

– Tak, tylko że... w postaci batonika.

– A jaka to różnica?

– No, batonik się gryzie.

Rosaleen zmarszczyła czoło.

– W ten sposób jest szybciej. Można zjeść śniadanie w biegu – usiłowałam tłumaczyć dalej. – Na przykład w samochodzie w drodze do pracy, rozumiesz?

– Ale co to za śniadanie w samochodzie?

Usiłowałam nie roześmiać się z jej oburzenia.

– No wiesz... po prostu oszczędza to dużo czasu rano.

Spojrzała na mnie, jakby wyrosło mi dziewięć głów, a potem zamilkła i zajęła się sprzątaniem w kuchni.

– Co sądzisz o mamie? – spytałam po długiej przerwie.

Rosaleen nadal ścierała blaty, odwrócona do mnie plecami. – Rosaleen? Co sądzisz na temat zachowania mojej mamy?

– Twoja mama jest pogrążona w żalu, dziecko – odparła szybko.

– Nie sądzę, żeby był to odpowiedni sposób radzenia sobie z tym, a ty? W pokoju znajduje się słoń?

– Ach, na pewno cię nie zrozumiała – zbyła mnie. – Jest gdzie indziej myślami.

– W wariatkowie – mruknęłam.

Ponieważ ludzie ciągle wyjeżdżają z „pogrążeniem w żalu", zupełnie jakbym się urodziła wczoraj i nie wiedziała, jak okropnie jest stracić kogoś, z kim spędzało się każdy dzień przez ostatnie dwadzieścia lat życia, poczytałam sobie trochę na ten temat. Dowiedziałam się, że nie ma stosownej metody odbywania żałoby, a raczej nie ma złych i dobrych sposobów. Nie wiem, czy się z tym zgadzam. Uważam, że mama wybrała zupełnie niewłaściwą drogę. Angielskie słowo *grief* pochodzi od francuskiego *grève*, co oznacza „ciężar", „brzemię". Zupełnie jakby żal po stracie przytłaczał ludzi brzemieniem smutku i innych emocji. Ja właśnie czuję się w ten sposób: obłożona niewidzialnym ciężarem. Wszystko, nawet chodzenie, wymaga wysiłku, a świat jest ponury i beznadziejny. Zupełnie jakby moją głowę bezustannie wypełniały przytłaczające myśli. Dostaję od tego migreny. Ale mama...?

Mama wydaje się pozbawiona brzemienia, jakby żałość wcale jej nie dotknęła. Wręcz przeciwnie, wydaje się, jakby dostała skrzydeł i miała zaraz odlecieć. Tyle że nikogo poza nią to chyba nie obchodzi. Jestem jedyną osobą, która trzyma ją za kostki u nóg i usiłuje ściągnąć na ziemię.

Rozdział 6

AUTOBUS Z KSIĄŻKAMI

Kuchnia została dokładnie uporządkowana i wyszorowana na wysoki połysk. Byłam chyba jedyną rzeczą, której nie odłożono na półkę.

Nigdy nie widziałam, żeby ktoś sprzątał z takim wigorem i determinacją. Rosaleen podwinęła rękawy, odsłaniając zaskakująco zgrabne ramiona, i w pocie czoła zaczęła szorować wszystkie powierzchnie kuchni, nie pozostawiając na nich nawet najmniejszego śladu używania. Zupełnie jakby zależało od tego jej życie. Siedziałam, przyglądając się z fascynacją i – przyznaję bez bicia, z politowaniem – temu niepotrzebnemu aktowi intensywnego czyszczenia i polerowania.

Potem Rosaleen wyszła z domu z paczką zawierającą świeżo upieczony chleb razowy, który pachniał tak smakowicie, że do ust napłynęła mi ślina, a żołądek skurczył się z głodu, chociaż niedawno przecież jadłam. Obserwowałam Rosaleen z okna w dużym pokoju. Pomaszerowała energicznie, bez krzty kobiecości w ruchach, do domu po drugiej stronie szosy. Czekałam przy oknie zaintrygowana, chcąc zobaczyć, kto jej otworzy, ale Rosaleen przeszła bokiem za dom, pewnie żeby skorzystać z tylnego wejścia. Zepsuła mi całą zabawę.

Wykorzystałam jej nieobecność na rozejrzenie się po domu bez konieczności wysłuchiwania historii wszystkiego, na co padł mój wzrok. Wystarczy, że robiła to przez cały poranek:

– Och, to jest serwantka. Dębowa. Pewnej zimy podczas burzy z piorunami złamało się drzewo. Nie mieliśmy prądu przez kilka dni. Arthur nie mógł go odratować. Oczywiście drzewa, a nie prądu. Włączyli nam go po kilku dniach. Prąd. – Nerwowy chichot. – Zrobił z dębu serwantkę. Bardzo przydatna do przechowywania różnych rzeczy.

– To mógłby być dobry biznes dla Arthura.

– Och nie! – Rosaleen spojrzała na mnie, jakbym popełniła świętokradztwo. – To hobby, a nie płatny projekt.

– Nie projekt, tylko biznes. Nie ma w tym nic złego – wyjaśniłam, ale Rosalin tylko zacmokała niezadowolona.

Nagle zdałam sobie sprawę, że mówię jak ojciec, i chociaż nigdy nie cierpiałam jego wiecznej chęci do zmieniania wszystkiego w interesy, poczułam ciepełko w sercu. Gdy jako dziecko przynosiłam do domu rysunki, tata natychmiast uznawał, że mogę zostać artystką, ale tylko taką, która będzie żądała milionów za swoje dzieła. Kiedy zręcznie dowodziłam jakiejś racji, nagle stawałam się przyszłym prawnikiem, ale wyłącznie takim, który żądałby setek euro za godzinę pracy. Miałam niezły głos, więc oczywiście miałam nagrać płytę w studiu jego znajomego i stać się najnowszą gwiazdą muzyki rozrywkowej. I tak w stosunku do wszystkiego. Dla taty życie było pełne możliwości, co samo w sobie nie było złym podejściem. Próbował jednak wykorzystać nadarzające się okazje z zupełnie niewłaściwych powodów. Nie pasjonowała go sztuka, nie obchodzili prawnicy pomagający ludziom ani nawet mój głos. Chodziło wyłącznie o pieniądze. Więcej pieniędzy. To, że zabiło go bankructwo, pewnie było czymś w rodzaju sprawiedliwości dziejowej. Leki i whisky to tylko gwoździe do trumny.

– Spodobała ci się ta fotografia? – ciągnęła Rosaleen, gdy błądziłam oczami po pokoju. – Zrobił ją, kiedy odwiedziliśmy Groblę Olbrzyma*. Przez cały dzień padało, na dodatek złapaliśmy po drodze gumę – trajkotała jak nakręcona. – Widzę, że przyglądasz się zasłonom. Przydałoby się je nieco odświeżyć. Jutro zdejmę i przepiorę. Kupiłam ten materiał od wędrownej sprzedawczyni. Nie robię tego zazwyczaj, ale to była cudzoziemka, nie znała angielskiego, nie miała zbyt wiele pieniędzy, tylko ten materiał. Podobał mi się kwiecisty wzór. Pasuje do poduszek, nie sądzisz? Mam jeszcze całkiem spory zapas w garażu na tyłach domu. Arthur sam go zbudował – dodała, kiedy spojrzałam w kierunku wspomnianego pomieszczenia. – Nie było tu garażu, kiedy się wprowadziłam.

Zdziwiło mnie to sformułowanie. „Kiedy się tu wprowadziłam"?

– Kto tu przedtem mieszkał?

Rosaleen spojrzała na mnie swoimi wielkimi zdziwionymi oczyma. Nie powiedziała ani słowa. Często tak robi w zupełnie przypadkowych okolicznościach. Przerywa konwersację spojrzeniami i nagłym milczeniem, jakby traciła połączenie z mózgiem.

Poczułam się bardzo dziwnie, więc odwróciłam wzrok. Padł na dywanik, który został jej podarowany przez kogoś z jakiegoś powodu, nie pamiętam już...

Teraz, kiedy byłam sama i nie przeszkadzało mi jej nerwowe terkotanie, mogłam się wreszcie porządnie rozejrzeć.

---

* Giant's Causeway, oryginalna formacja kolumn bazaltowych na wybrzeżu Irlandii Północnej (przyp. tłum.).

Duży pokój był bardzo przytulny, chociaż trochę trącił starością. A raczej mocno nią zalatywał. W niczym nie przypominał mojego domu, bardzo współczesnego, gdzie królowały czyste mocne linie i symetria. Tutaj panował chaos. Obrazy nie pasowały do kanap, dziwaczne ozdoby, stoły i krzesła miały patykowate nogi i zwierzęce pazury, dwie kanapy obite były zupełnie inną tapicerką – jedna była w błękicie i kości słoniowej, z kwiecistym wzorem, a druga wyglądała tak, jakby zwymiotował na nią kot. Do tego stolik do kawy, służący jednocześnie jako podstawka pod szachownicę. Podłoga wydawała się nierówna, jakby obniżała się od kominka w stronę półek z książkami. Od patrzenia na nią kręciło mi się trochę w głowie. Największy rozgardiasz panował w okolicach straszącego mnie kominka. Było to otwarte palenisko z przyrządami, które nadawały mu wygląd średniowiecznej izby tortur: żelazne pogrzebacze z główkami w kształcie zwierzęcych pysków, różne rozmiary szufelek do węgla, starodawne miechy i czarna osłona z kutego żelaza. Odwróciłam się od kominka i skoncentrowałam na sięgających pod sufit półkach z książkami, z ustawioną przy nich drabiną. Regał był wypełniony książkami, zdjęciami, puszkami, pudełkami pamiątkowymi, bezużytecznymi świecidełkami i tym podobnymi rzeczami. Większość literatury tu zgromadzonej dotyczyła ogrodnictwa i gotowania. Bardzo sprecyzowane gusta. Niestety, nie podziałam ich. Książki były stare i wielokrotnie czytane, niektóre ponadrywane, inne bez okładek, z pożółkłymi kartkami, podniszczone przez wodę, ale bez najmniejszego pyłku. Dostrzegłam także dużą oprawną w czerwień księgę, tak starą, że jej karty poczerniały od wsiąkającego weń barwnika. Był to *Rejestr Przewozów Morskich Lloyda 1919–1920, tom drugi*. W środku znalazłam setki stron z alfabetycznie ułożonymi nazwami statków, nośnością, pojemnością ładowni i luków. Odłożyłam tomiszcze na miejsce i wytarłam dłonie o ubranie, nie chcąc zarazić się bakteriami z 1919 roku. Kolejna książka traktowała o wielkich religiach świata. Na okładce miała złoty symbol wbitego w ziemię krzyża, wokół którego wił się wąż. Obok stała książka o kuchni greckiej. Szczerze wątpię, żeby w piekarniku Rosaleen znalazło się kiedykolwiek miejsce dla souvlaki. Następną książką było *Kompendium wiedzy o koniach*. Chyba jednak nie zawierało wszystkich informacji na ten temat, bo tuż obok znalazłam kolejny tuzin książek o tym samym.

Do tej pory przeczytałam tylko jeden rozdział z książki, którą Fiona dała mi na pogrzebie taty. Tak czy inaczej, przekroczyłam tym roczny limit, więc książki Arthura i Rosaleen, powpychane na siłę na półki, nieszczególnie mnie interesowały. Zaciekawił mnie za to album ze zdjęciami, stojący w sekcji dużych tomów, obok słowników, encyklopedii, atlasu świata i tym podobnych. Wyglądał dość wiekowo, oprawny w czerwoną aksamitną okładkę obitą na brzegach złotą ramką. Ściągnęłam go z półki i przesunęłam palcem po miękkim obiciu, pozostawiając na nim ciemniejszą smugę. Umościłam się w skórzanym fotelu, ciesząc się na wycieczkę w czyjeś wspomnienia. Zdołałam zaledwie otworzyć album na pierwszej stronie, kiedy rozległ się dzwonek do drzwi, długi i przenikliwy. Przerwał ciszę i sprawił, że podskoczyłam ze strachu.

Zastygłam, oczekując, że Rosaleen przybiegnie w te pędy od sąsiadów, z sukienką podwiniętą do pasa, odsłaniając uda tak mocne i zwarte, że można by nimi kruszyć kamienie. Ale Rosaleen się nie pojawiła. Zapadła cisza. Mama na górze nawet się nie poruszyła. Dzwonek rozbrzmiał jeszcze raz, więc odłożyłam album na stół i powędrowałam do drzwi wejściowych. Poczułam się nagle nieco bardziej swojsko.

Przez matową kolorową szybkę w drzwiach dostrzegłam mężczyznę. Otworzyłam drzwi i zobaczyłam, że był bardzo przystojny. Dwudziestokilkulatek, jak się domyślałam, z ciemnobrązowymi włosami postawionymi na żel i wyprasowanym na sztywno kołnierzem koszuli. Może był zawodnikiem rugby? Zlustrował mnie od stóp do głów i uśmiechnął się, odsłaniając doskonale proste i białe zęby.

– Hej – powiedział.

Miał lekki zarost na policzkach i niesamowicie niebieskie oczy. W ręku trzymał podkładkę do pisania z przyczepioną do niej tabelką.

– Hej – odparłam, wypinając biust, kiedy oparłam się o framugę.

– Sir Ignacjusz? – spytał.

– To nie ja – uśmiechnęłam się.

– Czy w tym domu jest sir Ignacjusz?

– W tej chwili nie. Pojechał polować na lisy z lordem Casperem.

Przyjrzał mi się podejrzliwie, mrużąc oczy.

– A kiedy wróci?

– Przypuszczam, że po upolowaniu lisa.

– Hmmm... – Pokiwał powoli głową i rozejrzał się. – Czy w tych okolicach lisy szybko biegają?

– Najwyraźniej nie jesteś stąd. Wszyscy wiedzą o tutejszych lisach.

– Hmmm, rzeczywiście nie jestem stąd.

Przygryzłam wargę, usiłując powstrzymać śmiech.

– Rozumiem, że w takim razie sir Ignacjusz nieprędko się pojawi? – Uśmiechnął się, widząc, że stroję sobie żarty.

– Rzeczywiście, może mu nieco zejść.

– Rozumiem. – Oparł się o kolumnę wspierającą dach ganku i popatrzył na mnie.

– Co? – rzuciłam nieco ostro, czując, że topnieję pod jego spojrzeniem.

– A tak naprawdę?

– Tak naprawdę co?

– Mieszka tu czy nie?

– Na pewno nie za progiem tego domu.

– A ty kim jesteś?

– Goodwin.

– To pewne, ale jak masz na nazwisko?

Starałam się powstrzymać wybuch śmiechu, ale tym razem nadaremnie.

– Tandetne zagranie, wiem. Przepraszam. – Uśmiechnął się dobrodusznie, a potem spojrzał na swoje zapiski i poskrobał się w głowę, nagle zdezorientowany.

Spojrzałam nad jego ramieniem i dostrzegłam biały autobus z napisem „Biblioteka Objazdowa".

Nieznajomy podniósł wzrok znad zapisków.

– No dobrze, teraz naprawdę nic nie rozumiem. Nie mam na liście żadnej osoby o nazwisku Goodwin.

– Och, nie, na pewno nie jesteśmy zarejestrowani pod tym nazwiskiem. – Mama była z domu Byrne, zatem ten dom też należał do Byrne'ów. Arthur i Rosaleen Byrne. Jennifer Byrne... nie, to nie brzmiało dobrze. Mama zawsze powinna mieć na nazwisko Goodwin.

– Czy to rezydencja Kilsaneyów? – spytał z nadzieją.

– Ach, Kilsaneyowie – odparłam ze zrozumieniem. Chyba odetchnął z ulgą. – Mieszkają w następnym domu po lewej, o tam, za drzewami – uśmiechnęłam się.

– Świetnie, dzięki. Nigdy wcześniej tu nie byłem. Jestem już spóźniony ponad godzinę. Jacy oni są, ci Kilsaneyowie? – Zmarszczył nos. – Będą mieć pretensje?

Wzruszyłam ramionami.

– Nie są zbyt rozmowni, ale nie martw się, Uwielbiają książki.

– To dobrze. Chcesz, żebym w drodze powrotnej tutaj wstąpił? Przejrzysz sobie naszą kolekcję.

– Jasne.

Zamknęłam za nim drzwi i wybuchnęłam śmiechem. Podekscytowana, czekałam na jego powrót. Łaskotało mnie w żołądku, zupełnie jak wtedy, gdy jako dziecko bawiłam się w chowanego. Od miesiąca nie miałam takich wrażeń. Chwilę później usłyszałam nadjeżdżający autobus. Wyszłam na ganek i otworzyłam drzwi. Nieznajomy chłopak wysiadał właśnie z szoferki z szerokim uśmiechem na twarzy.

– Kilsaneyów nie ma w domu? – spytałam.

Roześmiał się. Na szczęście nie był zły, tylko rozbawiony.

– Postanowili, że nie chcą już więcej książek, ponieważ wygląda na to, że ich regał gdzieś zniknął. Łącznie z całym piętrem, większością ścian i dachem.

Zachichotałam.

– Bardzo śmieszne, panienko Goodwin.

– Panno, bardzo proszę.

– Jestem Marcus. – Wyciągnął dłoń, którą gorliwie uścisnęłam.

– Tamara.

– Piękne imię. – Oparł się o drewnianą kolumnę wspierającą ganek. – A tak na poważnie, wiesz, gdzie mogę znaleźć sir Ignacjusza Powera od Sióstr Miłosierdzia?

– Zaraz, chwileczkę, daj mi to. – Zabrałam mu notatki. – To nie jest „sir" tylko „sr". Skrót od „siostry" – wycedziłam. – Ty głupku. – Popukałam go w czoło podkładką do pisania. – To zakonnica. – Czyli jednak siostra Ignacjusz nie była transwestytą.

– Och! – Roześmiał się i chwycił notatki, usiłując mi je zabrać. Przytrzymałam je mocno. Szarpnął, przyciągając mnie do siebie. Z bliska był jeszcze bardziej apetyczny. – Czy to ty, siostro? – spytał. – Usłyszałaś powołanie?

– Jedyną rzeczą, jaką słyszę, jest wołanie na obiad.

Roześmiał się znowu.

– W takim razie, kim ona jest?

Wzruszyłam ramionami.

– Chcesz mnie zdezorientować, co?

– Cóż, przyjechałam tu dopiero wczoraj, więc jestem tak samo zdezorientowana jak ty – powiedziałam to bez uśmiechu.

Marcus również spoważniał. Zrozumiał.

– Cóż, dla twojego własnego dobra mam nadzieję, że to nieprawda. – Spojrzał na dom. – Mieszkasz tutaj?

Znowu wzruszyłam ramionami.

– Nie wiesz nawet, gdzie mieszkasz?

– Jesteś dziwnym człowiekiem, który podróżuje autobusem pełnym książek. Sądzisz, że powiem ci, gdzie mieszkam? Słyszałam o takich jak ty. – Ruszyłam w kierunku jego pojazdu.

– Doprawdy? – Marcus poszedł za mną.

– Był taki jeden facet, zupełnie jak ty, który wabił dzieciaki do swojego autobusu obietnicą lizaków. A kiedy wsiadały, zamykał je na kłódkę i odjeżdżał.

– A tak, słyszałem o nim. – Oczy Marcusa rozświetliły się. – Długie przetłuszczone czarne włosy, wielki nochal, blada skóra, chodził w ciasnych spodniach. Często śpiewał i tańczył. Miał zamiłowanie do pudełek na zabawki.

– Ten sam. To twój przyjaciel?

– Proszę. – Pogrzebał w kieszeni i wyciągnął z niej legitymację. – Masz rację, powinienem ci to pokazać wcześniej. To biblioteka publiczna, z licencją i w ogóle. Wszystko oficjalnie zatwierdzone. Obiecuję, że nie uwięzię cię w środku.

Chyba że go o to sama poproszę.

Przyjrzałam się legitymacji.

– Marcus Sandhurst.

– To ja. Chcesz spojrzeć, jakie mamy książki? – Wskazał ręką w kierunku autobusu. – Twój rydwan czeka.

Rozejrzałam się. Nikogo nie było w pobliżu, wyłączając mamę. Bungalow po drugiej stronie drogi też wydawał się opuszczony. Nie miałam nic do stracenia, więc weszłam do środka. Kiedy postawiłam stopę na progu, Marcus zaczął śpiewać *Dzieci* głosem Łowcy Dzieci*, a potem zachichotał. Ja też.

Wewnątrz obie ściany autobusu zastawione były setkami książek, uporządkowanych według różnych kategorii. Przesunęłam palcem po grzbietach używanych tomów, nie czytając jednak tytułów. Czułam się trochę niepewnie, sama w autobusie z obcym mężczyzną. Marcus chyba to wyczuł, bo odsunął się ode mnie, dając mi dużo wolnej przestrzeni. Stanął przy otwartych drzwiach.

– Jaka jest twoja ulubiona książka? – spytałam.

– Em... *Człowiek z blizną*.

– To film.

– Oparty na powieści.

– Nieprawda. Jaka jest twoja ulubiona książka?

– Coldplay – odparł. – Pizza... nie wiem.

– W porządku – roześmiałam się. – Rozumiem, że nie czytasz książek?

– Nie. – Usiadł na schodku przy wejściu do autobusu. – Mam jednak nadzieję, że to doświadczenie zmieni mnie na lepsze i stanę się zapalonym czytelnikiem – mówił bez wyrazu i bez przekonania, jakby powtarzał formułkę, którą sam kiedyś usłyszał.

Przyjrzałam mu się uważnie.

– Co, tata poprosił znajomego, żeby dał ci robotę?

Rysy Marcusa stwardniały. Zamilkł, a ja poczułam się naprawdę głupio i pożałowałam tego komentarza. Nie wiem nawet, dlaczego to powiedziałam, skąd się we mnie wzięły te słowa. Miałam po prostu dziwne przeczucie, że wcale się nie myliłam. Może dostrzegłam w nim podobieństwo do siebie samej.

---

* Postać z musicalu *Chitty Chitty Bang Bang* (przyp. tłum.).

– Przepraszam, to nie było zabawne. To co ty właściwie robisz? – spytałam, usiłując przerwać nieprzyjemną ciszę. – Podróżujesz po kraju, pukasz do drzwi różnych ludzi i oferujesz im książki?

– Działam na takiej samej zasadzie jak każda biblioteka – wyjaśnił, nadal nieco oziębłe. – Ludzie się zapisują, dostają karty członkowskie, co upoważnia ich do wypożyczania książek. Jeżdżę tam, gdzie nie ma stacjonarnych wypożyczalni.

– Ani żadnych form żywych – dodałam.

Roześmiał się.

– Ciężko ci tutaj, dziewczynko z miasta?

Zignorowałam komentarz i nadal wpatrywałam się w książki.

– Wiesz, co tubylcy by naprawdę docenili, zamiast literatury?

Uśmiechnął się do mnie sugestywnie.

– Nie to – zachichotałam. – Mógłbyś dobrze zarobić, gdybyś pozbył się tych papierzysk.

– Ha! To niezbyt kulturalne.

– Może, ale tutaj w okolicy nie ma autobusów. Podobno piętnaście minut jazdy samochodem stąd jest miasto. Jak ludzie mają do niego dotrzeć?

– Hm... odpowiedź znajdziesz w swoim pytaniu.

– Tak, ale ja, na przykład, nie mogę prowadzić samochodu, bo nie jestem... – zająknęłam się. Marcus obdarzył mnie uśmiechem. – Bo nie jestem w stanie – dokończyłam.

– Co takiego? Tatuś nie kupił ci jeszcze mini-coopera? To bezczelne z jego strony – odparł, naśladując mnie.

– Touché.

– No dobrze. – Zeskoczył ze stołu z nową energią. – Muszę teraz jechać. Może oboje udamy się do tego wspaniałego magicznego miasta, do którego nikt nie może dotrzeć?

– Dobrze – zachichotałam.

– Nie musisz kogoś powiadomić? Nie chciałbym zostać aresztowany za porwanie.

– Może nie jestem kierowcą, ale zdecydowanie nie jestem również dzieckiem.

Przez cały ten czas miałam oko na bungalow. Rosaleen zniknęła tam na bardzo długo.

– Jesteś pewna. – Marcus rozejrzał się dookoła. – Proszę, jednak powiedz o tym komuś.

Wyglądał na zaniepokojonego, dlatego wyciągnęłam telefon i zadzwoniłam do mamy, chociaż wiedziałam, że nie tknęła swojej komórki od miesiąca. Zostawiłam wiadomość.

– Hej, mamo, to ja. Jestem przed domem w autobusie pełnym książek, z fajnym chłopakiem, który obiecał zabrać mnie do miasta. Wrócę za kilka godzin. W razie czego, nazywa się Marcus Sandhurst, ma ponad dwa metry wzrostu, czarne włosy, niebieskie oczy... jakieś tatuaże? – spytałam.

Marcus podciągnął koszulę. Miał niesamowitą tarkę!

– Ma krzyż celtycki w dolnej części brzucha, nieowłosioną klatę i głupawy uśmiech. Lubi *Człowieka z blizną*, Coldplay i pizzę. Ma nadzieję zrobić kokosy w biznesie bibliotekarskim. Do zobaczenia później.

Rozłączyłam się. Marcus wybuchnął śmiechem.

– Znasz mnie lepiej niż większość ludzi.

– Zabierajmy się stąd – zarządziłam.

– Zawsze się tak niegrzecznie zachowujesz? – spytał.

– Zawsze – odparłam, gramoląc się na siedzenie po stronie pasażera. Byłam gotowa na przygody poza granicami Kilsaney Demesne.

Rozdział 7

CHCĘ

Do miasta dotarliśmy po dwunastu minutach niezobowiązującej, swobodnej i wcale nie nudnej konwersacji. Tylko że „miasto" nie było tym, czego się spodziewałam. Nawet z maksymalnie zaniżonymi wymaganiami było znacznie poniżej poziomu minimum. Prawdziwa zapadła dziura, a może nawet gorzej. Kościół, cmentarz, budka z frytkami, stacja benzynowa z kioskiem, sklep z narzędziami i to wszystko.

Chyba mi się niechcący jęknęło, bo Marcus spojrzał na mnie zaniepokojony.

– Coś nie tak?

– Nie tak? – Spojrzałam na niego szeroko rozwartymi oczami. – Coś nie tak? Moje miasteczko Barbie z czasów, kiedy miałam pięć lat, było większe niż to tutaj.

Usiłował bezskutecznie powstrzymać wybuch śmiechu.

– Nie jest tak źle. Dwadzieścia minut drogi stąd i jesteś w Dunshaughlin. To prawdziwe miasto.

– Jeszcze dwadzieścia minut? Ja nie mogę się nawet dostać tutaj, do tej wiochy zabitej dechami. – Poczułam, że do oczu napływają mi łzy. W nosie mnie zaswędziało, ogarnęła mnie nieprzezwyciężona chęć, żeby skopać autobus i pokrzyczeć sobie trochę. – Co ja, do cholery, mam tutaj robić sama? Kupić sobie łopatę w tym sklepie ze złomem i zacząć dla sportu wykopywać nieboszczyków, przegryzając frytkami i przepijając piwem?

Marcus parsknął. Musiał odwrócić wzrok, żeby się opanować.

– Tamara, tu naprawdę nie jest aż tak źle.

– Owszem, jest. Chcę natychmiast mieć pieprzone imbirowe dietetyczne latte i cynamonową bułeczkę – powiedziałam bardzo spokojnie, świadoma, że przypominam teraz do złudzenia Violet Beauregarde z *Charliego i fabryki czekolady*. – A skoro już tu jesteśmy, chcę również skorzystać z mojego laptopa, użyczyć nieco tutejszej sieci Wi-Fi i zalogować się na moją stronę na Facebooku. Oprócz tego mam ochotę na zakupy w Topshopie, zabawę na Twitterze, a potem na wycieczkę z przyjaciółkami na plażę. Chcę podziwiać z nimi morze, wypić butelkę białego wina, upić się na umór i zwymiotować. Zwyczajne rzeczy, które robią zwyczajni ludzie. Tego właśnie sobie życzę.

– Zawsze dostajesz to, czego chcesz? – Spojrzał na mnie.

Nie potrafiłam odpowiedzieć. W gardle urosła mi ogromna gula od nagłego zauroczenia. Pokiwałam więc tylko głową.

– W porządku – ożywił się.

Przełknęłam głośno, posyłając skoncentrowane w krtani zauroczenie Marcusem prosto do żołądka.

– Spójrzmy na to od dobrej strony – dodał.

– Nie ma dobrej strony.

– Zawsze jest dobra strona. – Spojrzał w lewo, potem w prawo, uniósł ręce do góry i popatrzył na mnie rozpromienionym wzrokiem. – Nie ma tu biblioteki.

– O mój Boże... – jęknęłam i walnęłam głową w deskę rozdzielczą.

– No dobrze. – Roześmiał się i wyłączył silnik. – Wybierzmy się gdzieś indziej.

– Czy w tym celu nie powinieneś włączyć silnika? – spytałam.

– Nie będziemy jechać autobusem. – Podniósł się z fotela i ruszył między półki. – Zobaczmy... dokąd się wybierzemy? – Przesunął palcem po grzbietach książek podróżniczych, odczytując powoli: Paryż, Chile, Rzym, Argentyna, Meksyk...

– Meksyk – odparłam bez namysłu, klękając na fotelu, żeby go lepiej widzieć.

– Meksyk. – Pokiwał głową. – Dobry wybór. – Wyciągnął przewodnik z półki i spojrzał na mnie. – Idziesz czy nie?

Uśmiechnęłam się i zeskoczyłam z siedzenia. Przycupnęliśmy na podłodze, ramię w ramię, na tyłach autobusu. Tego dnia wybraliśmy się do Meksyku.

Nie wiem, czy Marcus zdawał sobie sprawę, jakie to było dla mnie ważne. Szczerze powiedziawszy, ocalił mnie od popadnięcia w czarną rozpacz. Może o tym wie i zrobił to specjalnie. Tak czy inaczej, był niczym anioł, który pojawił się w odpowiednim momencie mojego życia wraz ze swoim autobusem pełnym książek i zabrał mnie z okropnego miejsca do baśniowego kraju.

Nie byliśmy w Meksyku tak długo, jakbyśmy chcieli. Zostawiliśmy bagaże w pokoju hotelowym z podwójnym łóżkiem i od razu ruszyliśmy na plażę. Marcus zamówił sobie koktajl i zamierzał wybrać się na przejażdżkę na nartach wodnych (ja stanowczo odmówiłam przebierania się w piankę), kiedy ktoś zapukał do drzwi. Do środka weszła starsza kobieta, która przyjrzała mi się podejrzliwie, zanim zaczęła rozglądać się za odpowiednią dla siebie lekturą. Wstaliśmy więc i Marcus zajął się klientką, ja zaś zaczęłam przeglądać zbiór. Wpadła mi w oko książka o żalu po stracie bliskiej osoby, o tym jak sobie radzić z własnym smutkiem lub z bliską osobą, która cierpi po czyjejś śmierci. Zatrzymałam się przez chwilę przy tym tytule, a serce zabiło mi żywiej, jakbym znalazła magiczną szczepionkę na wszelkie dolegliwości tego świata. Nie potrafiłam się jednak zmusić do wyciągnięcia jej z półki. Nie wiem, dlaczego nie chciałam, żeby zobaczył to Marcus i zaczął mnie wypytywać. Nie chciałam zostać zmuszona do opowiedzenia mu o śmierci taty. Oznaczałoby to bowiem, że byłam dokładnie tym, kim byłam. Dziewczyną, której ojciec niedawno odebrał sobie życie. Dopóki Marcus o tym nie wiedział, mogłam być kim innym, przynajmniej dla niego. W głębi duszy jestem tamtą dziewczyną, pozwolę jej się złościć i szaleć, ale kiedy ja udam się do Meksyku, ona zostanie za bramą stróżówki.

Mój wzrok padł na oprawną w skórę księgę w dziale literatury faktu. Była brązowa, gruba, bez tytułu i nazwiska autora na grzbiecie. Wyciągnęłam ją z półki – ciężka, o postrzępionych brzegach, jakby ktoś usiłował wyrwać kartki.

– Jesteś Robin Hoodem świata publikacji – powiedziałam, gdy tylko starsza kobieta wyszła z autobusu, unosząc pod pachą pikantny romans. – Przynosisz książki tym, którzy nic nie mają?

– Coś w tym rodzaju. Co tam masz?

– Nie wiem. Nie ma tytułu na okładce.

– Spójrz na grzbiet.

– Tam też nic nie ma.

Marcus chwycił folder leżący za jego plecami, poślinił palec i zaczął przewracać kartki.

– Nazwisko autora?

– Nie ma.

– Niemożliwe. – Zmarszczył brwi i spojrzał na mnie. – Otwórz ją i zobacz, co jest na pierwszej stronie.

– Nie mogę – roześmiałam się. – Jest zamknięta na kłódkę.

– Nie wygłupiaj się, Goodwin.

– Mówię poważnie. – Wciąż się śmiejąc, podeszłam do niego. – Naprawdę, spójrz.

Podałam mu tomiszcze. Nasze palce spotkały się przelotnie. Dotyk wywołał łaskotanie o sile wulkanu w każdej strefie erogennej, jaka istniała w moim ciele.

Karty księgi były zamknięte na złotą klamrę z małą złotą kłódką.

– Co do cholery. – Marcus pociągnął za nią, robiąc miny, które szalenie mnie rozśmieszyły. – Tylko ty byłabyś zdolna do znalezienia w całym zbiorze jedynej książki, która nie ma autora, tytułu, a na dodatek jest zamknięta na kłódkę.

Wybuchnęliśmy śmiechem. Marcus nie zdołał sforsować kłódki. Spojrzeliśmy sobie w oczy. W tym momencie powinnam powiedzieć chyba „mam dopiero szesnaście lat", ale nie potrafiłam. Po prostu nie potrafiłam. Tłumaczyłam już wam wcześniej, że czułam się starsza. Wszyscy zawsze uważali, że wyglądam dorośle jak na swój wiek.

Chciałam być starsza. Wiem, że nie rzucilibyśmy się na siebie i nie zaczęli uprawiać seksu na podłodze autobusu, a Marcus nie poszedłby do więzienia za patrzenie na mnie. Mimo to powinnam jednak mu powiedzieć. Gdybyśmy byli bohaterami rodem z dziewiętnastowiecznego romansu w stylu *Przeminęło z wiatrem*, kiedy kobiety były własnością mężczyzn i nie chroniło je żadne prawo, wtedy moje słowa by się nie liczyły. Moglibyśmy się turlać w sianie, robić, co by nam się żywnie podobało, i nikt nie został by o nic oskarżony. Miałam okropną ochotę odnaleźć rzeczony romans, otworzyć go i wskoczyć na jego stronice wraz z Marcusem. Ale to były próżne marzenia. Żyliśmy w dwudziestym pierwszym wieku, ja miałam szesnaście lat, on dwadzieścia dwa (tak wynikało z jego legitymacji). Wiedziałam, że nie będzie czekać do moich siedemnastych urodzin.

– Nie bądź taka smutna.

Wyciągnął dłoń i palcem podniósł mój podbródek. Nie zdawałam sobie sprawy, że stanął tak blisko. I oto był, tuż przede mną. O jeden dreszcz.

– To tylko... książka.

Dotarło do mnie, że przyciskam ją do siebie mocno.

– Ale ona mi się podoba – uśmiechnęłam się.

– Mnie też, i to bardzo. Psotna, śliczna książka, ale to chyba oczywiste, że teraz nie możemy jej przeczytać.

Spojrzałam na niego podejrzliwie, zastanawiając się, czy aby mówimy o tym samym.

– Oznacza to, że będziemy musieli się jej porządnie przyjrzeć, pogłówkować, dopóki nie znajdziemy klucza.

Uśmiechnęłam się, czując, że różowieją mi policzki.

– Tamara! – usłyszałam zdesperowane wołanie z nutką paniki.

Przestaliśmy się sobie wpatrywać w oczy. Szybko podeszłam do drzwi autobusu. No tak, Rosaleen. Biegła w moim kierunku drogą, ze ściągniętą twarzą i czymś niebezpiecznym we wzroku. Za nią na chodniku obok samochodu stał Arthur, jak zwykle niewzruszony. Trochę się rozluźniłam. Dlaczego Rosaleen się tak nakręciła?

– Tamara! – rzuciła bez tchu. Spoglądała to na Marcusa, to na mnie, niczym surokatka na haju. – Wróć do nas, dziecko. Wróć do nas – powtórzyła drżącym głosem.

– Przecież wrócę. – Zmarszczyłam czoło. – Nie było mnie tylko przez godzinę.

Wyglądała na nieco zagubioną. Spojrzała na Marcusa, jakby mógł jej to wszystko wyjaśnić.

– Co się stało, Rosaleen? Z mamą wszystko w porządku?

Milczała. Otworzyła i zamknęła usta, jakby nie potrafiła znaleźć słów.

– Z mamą wszystko w porządku? – powtórzyłam, czując narastającą panikę.

– Tak – odparła. – Oczywiście, że tak. – Nadal wyglądała na zdezorientowaną, ale zaczęła się trochę uspokajać.

– Co ci się stało, Rosaleen?

– Myślałam, że... – Urwała, rozglądając się po miasteczku, jakby dopiero co zdała sobie sprawę, gdzie jest. Wyprostowała się, przesunęła dłonią po włosach, żeby je przygładzić, i poprawiła wygniecioną od siedzenia w samochodzie sukienkę. Odetchnęła parę razy i wyraźnie się uspokoiła. – Wracasz do domu?

– Oczywiście że tak. – Przyjrzałam się jej podejrzliwie. – Powiedziałam mamie, dokąd się wybieram.

– Tak, ale twoja mama...

– Moja mama co? – spytałam twardym głosem.

Skoro wszystko było w porządku z mamą, w takim razie to, że jej powiedziałam, nie powinno stanowić problemu.

Marcus położył mi dłoń na plecach, uspokajająco masując skórę kciukiem. Przypomniało mi to o Meksyku i innych miejscach, w których mogłabym w tej chwili być.

– Powinnaś z nią wrócić – powiedział cicho. – I tak muszę już jechać. Zatrzymaj to. – Skinął w kierunku książki, którą trzymałam w objęciach.

– Dzięki. Zobaczymy się jeszcze?

Wywrócił oczami.

– Oczywiście, Goodwin. A teraz już idź.

Kiedy przechodziłam przez ulicę i wspinałam się na tylne siedzenie land-rovera, zauważyłam trzech palaczy stojących przed pubem i wpatrujących się w nas. To, że ktoś mi się przyglądał, nie było dziwne, ale zaniepokoił mnie wyraz ich oczu. Arthur skinął im głową. Rosaleen trzymała głowę spuszczoną. Mężczyźni odprowadzili nas wzrokiem. Spojrzałam na nich, usiłując odgadnąć, na czym polegał ich problem. Czy to dlatego, że byłam nowa? Szybko zrozumiałam jednak, że nie o to chodzi, ponieważ nie patrzyli na mnie, tylko na Arthura i Rosaleen. Przez całą drogę powrotną w samochodzie panowała cisza.

W domu poszłam sprawdzić, jak się czuje mama, pomimo że Rosaleen była temu przeciwna. Mama nadal siedziała w fotelu bujanym, nieruchomo, zapatrzona w ogród za domem. Posiedziałam z nią przez chwilę, a potem wyszłam. Zbiegłam na dół do dużego pokoju i zasiadłam w fotelu, w którym umościłam się, zanim Marcus zadzwonił do drzwi. Sięgnęłam po album ze zdjęciami, ale nie było go już na stoliku. Rosaleen musiała go odłożyć na miejsce. Westchnęłam i poszłam go poszukać na półce, ale zniknął. Przejrzałam całą biblioteczkę i nic. Przepadł jak kamień w wodę.

Usłyszałam skrzypnięcie drzwi i odwróciłam się na pięcie. W progu stała Rosaleen.

– Rosaleen! – krzyknęłam, przykładając dłoń do piersi. – Ale mnie przestraszyłaś!

– Co robisz? – spytała, palcami mnąc i wygładzając fartuch włożony na sukienkę.

– Szukałam albumu ze zdjęciami, który tu był wcześniej.

– Albumu? – Przechyliła głowę w bok, marszcząc czoło.

– Tak. Leżał tu, zanim przyjechała wędrowna biblioteka. Mam nadzieję, że nie masz nic przeciwko temu. Chciałam go przejrzeć, ale... – uniosłam ręce do góry i roześmiałam się – ...zniknął w tajemniczych okolicznościach.

Potrząsnęła głową.

– Nie, dziecko. – Spojrzała za siebie i ściszyła głos do szeptu. – A teraz nic nie mów o tej sprawie.

W tej chwili w pokoju pojawił się Arthur z gazetą w dłoni. Rosaleen zamilkła. Arthur popatrzył na mnie, a potem na nią. Rosaleen nerwowo odwzajemniła spojrzenie.

– Lepiej pójdę sprawdzić, co z obiadem. Dzisiaj mamy jagnięcinę – powiedziała cicho.

Arthur skinął głową. Obserwował, jak wychodziła z pokoju. Jego spojrzenie sprawiło, że postanowiłam nie pytać go o album.

Wieczorem dobiegły mnie z ich sypialni stłumione odgłosy ożywionej wymiany zdań. Nie byłam pewna, czy się kłócą, czy nie, ale na pewno rozmawiali zupełnie inaczej niż na co dzień. Była to prawdziwa konwersacja, a nie seria komentarzy i chrząknięć. Cokolwiek było tematem ich rozmowy, robili wszystko, żebym ich nie usłyszała. Przytknęłam ucho do ściany, zastanawiając się, dlaczego nieoczekiwanie zapadła cisza. Nagle drzwi do mojego pokoju otworzyły się i stanął w nich Arthur.

– Arthur. – Odsunęłam się od ściany powoli. – Powinieneś najpierw zapukać. Mam prawo do odrobiny prywatności.

Zważywszy na to, że właśnie przyłapał mnie na podsłuchiwaniu ich rozmowy, dobrze, że tego nie skomentował.

– Chcesz, żebym cię zawiózł do Dublina jutro rano? – mruknął.

– Co takiego?

– W odwiedziny do przyjaciółki.

Byłam zachwycona. Uderzyłam pięścią w powietrze i natychmiast zadzwoniłam do Zoey, z przejęcia nie chcąc lub nie pamiętając o tym, że powinnam dociec powodu tej przepustki na wolność.

Wtedy właśnie nocowałam u Zoey. Po zaledwie dwóch dniach w stróżówce czułam się bardzo dziwnie, wracając do Dublina. Poszłyśmy w nasze zwyczajowe miejsce, na plażę obok mojego dawnego domu. Wyglądało teraz inaczej i nie podobało mi się. Czułam się tu nieswojo i to też mi się nie podobało. Obok bramy wjazdowej do domu postawiono tablicę „Na sprzedaż". Nie mogłam na nią patrzeć bez wzburzenia. Serce waliło mi jak szalone i miałam przemożną chęć wrzasnąć niczym potępieniec. Dlatego nie patrzyłam. Zoey i Laura przyglądały mi się, jakbym przyleciała z innej planety, wypatroszyła ich najlepszą przyjaciółkę i włożyła na siebie jej skórę niczym kostium. Każde moje słowo było brane na warsztat, analizowane i niewłaściwie odbierane.

Widząc tablicę przed domem, moje przyjaciółki z właściwym sobie brakiem wrażliwości bardzo się podekscytowały. Zoey nie przestawała nawijać o włamaniu się do środka i spędzeniu tam popołudnia, zupełnie jakby to była najodpowiedniejsza rzecz w tej sytuacji. Laura, nieco bardziej nobliwa, popatrywała na mnie niepewnie, kiedy Zoey odwracała się do nas plecami, spoglądając na bramę wjazdową i oceniając sytuację. Ponieważ jednak nie zaprotestowałam przeciwko głupawym pomysłom Zoey, dołączyła do niej i popłynęła z prądem niczym świeżo spuszczona kupa w toalecie.

Nie wiem, jak to zrobiłam, ale udało mi się odwieść je od pomysłu włamania się do domu, w którym mój ojciec odebrał sobie życie. Zamiast tego upiłyśmy się i zaczęłyśmy knuć przeciwko Arthurowi, Rosaleen i ich wiejskiej egzystencji. Powiedziałam im – nie, raczej wyjawiłam tajemnicę Marcusa i autobusu z książkami. Obie roześmiały się, biorąc mnie za kompletną idiotkę i uważając, że biblioteka objazdowa jest najbardziej kretyńską i najnudniejszą rzeczą pod słońcem. Pokój pełen książek wydawał się im wystarczająco odrażającym pomysłem, a już żeby jeszcze bardziej ułatwiać ludziom dostęp do lektury, to już naprawdę kosmiczny idiotyzm.

Poczułam się potwornie zraniona, chociaż nie mogłam zrozumieć dlaczego. Usiłowałam to ukryć, ale jedyna radość i poczucie wolności od śmierci taty zostały mi teraz odebrane. Myślę, że to właśnie wtedy zaczęłam budować wokół siebie mur oddzielający mnie od przyjaciółek. One też to czuły. Zoey spoglądała na mnie badawczo zmrużonymi oczami. Zawsze patrzyła tak, kiedy ktoś się „zmieniał" – co było dla niej najgorszą obrazą. Nie rozumiały dlaczego. Nie pomyślały, że ostatnie wydarzenia w moim życiu, emocje, które mną targały, zmienią mnie nie na kilka tygodni, ale na zawsze i dogłębnie. Sądziły, że to po prostu mieszkanie na wsi wywarło na mnie zły wpływ. Ja jednak czułam się zdeptana niczym roślina, zduszona pod butem, chociaż nie zabita. I tak jak roślina nie miałam wyboru, tylko zacząć rosnąć w innym kierunku.

Kiedy Zoey się znudziła albo przestraszyła rozmową o sprawach, o których nic nie wiedziała, zadzwoniła do Fiachry, Garóida i trzeciego muszkietera, Colma, którego nazywam Cabáiste (po irlandzku to kapusta). Nigdy w życiu nie rozmawiałam z nim w normalny sposób. Zoey zajęła się Garóidem, Laura Fiachrą, co najwyraźniej nie przeszkadzało tej pierwszej. Cabáiste i ja siedzieliśmy, spoglądając na morze, podczas gdy pozostałe dwie pary tarzały się po piachu, wydając wilgotne mlaskające dźwięki. Cabáiste popijał od czasu do czasu wódkę z butelki i spodziewałam się w każdej chwili, że zacznie się do mnie dobierać. Znów pociągnął łyk, a ja przygotowałam się psychicznie na wilgotny, obrzydliwy, smakujący alkoholem pocałunek, który lekko szczypał w usta i powodował, że chciało mi się wymiotować.

Tym razem jednak nie nastąpił.

– Przykro mi z powodu twojego taty – powiedział Cabáiste cicho.

Zaskoczył mnie. Nagle poczułam tak ogromny przypływ emocji, że odebrało mi mowę. Nie mogłam mu odpowiedzieć ani nawet na niego spojrzeć. Odwróciłam głowę i pozwoliłam, żeby wiatr zdmuchnął mi włosy na twarz, ukrywając gorące łzy, które popłynęły po policzkach.

Tak, zdecydowanie byłam zmiażdżoną roślinką. To nie ulegało wątpliwości. Zastanawiałam się tylko bez końca, w którym kierunku teraz rosłam.

Rozdział 8

Tajemniczy ogród

Ilekroć wyjeżdżałam na dłużej, jak w przypadku zagranicznych wycieczek szkolnych albo wypadów z przyjaciółkami do Londynu na zakupy, zawsze zabierałam ze sobą jakąś małą rzecz, która przypominała mi o domu. Pewnego roku, na Gwiazdkę, jedliśmy w restauracji hotelowej i tata ukradł stamtąd małego plastikowego pingwina, który siedział na wierzchu deseru. Ukrył go potem w moim ciastku. Usiłował mnie rozbawić, ale tego dnia (jak zresztą przez większość dni) byłam w nastroju, w jakim nic, cokolwiek by zrobił lub powiedział, nie było śmieszne. Pingwin trafił koniec końców do mojej kieszeni. Kilka miesięcy później, na wyjeździe, włożyłam dłoń do kieszeni, znalazłam pingwinka i roześmiałam się. Żart taty dotarł wreszcie do mnie spóźniony o kilka miesięcy. Tak się jakoś stało, że pingwinek wylądował w mojej kosmetyczce i od tej chwili podróżował ze mną po całym świecie.

Na pewno wiecie, o co mi chodzi. Są takie rzeczy, na których widok natychmiast przypominamy sobie o czymś lub o kimś. Nie jestem sentymentalna, nigdy nie czułam się przywiązana do mojego domu. Nie tak, jak niektórzy ludzie, płaczący na widok jakiegoś pluszaczka, bo kojarzy się im z domowym wydarzeniem z przeszłości, kiedy byli szczęśliwi. W moim przypadku wożenie ze sobą pamiątek było bardziej formą obrony. Dzięki temu nie czułam się tak zupełnie samotna. Miałam ze sobą kawałek domu. To nie sentymentalizm, tylko zwykła niepewność.

Zdecydowanie natomiast nie byłam przywiązana do stróżówki. Mieszkałam w niej zaledwie od kilku dni, ale na czas mojej ucieczki do domu Zoey zabrałam ze sobą książkę, którą znalazłam w objazdowej bibliotece. Nadal nie udało mi się jej otworzyć, a już z całą pewnością nie zamierzałam jej czytać podczas pobytu w Dublinie. Nie wtedy, gdy moje przyjaciółki opowiadały mi z pełnym zaangażowaniem o ich nowej rozrywce, która polegała na – uwaga! – chodzeniu na prywatki bez majtek. Bardzo mnie to rozśmieszyło. Pewna amerykańska gwiazdka reality show (Cindy Monroe – metr pięćdziesiąt wzrostu, 41 kilo wagi) została sfotografowana podczas wysiadania z samochodu przed klubem, do którego się udała zaraz po dwudniowym pobycie w areszcie za prowadzenie po pijanemu. Na zdjęciu widać, że nie ma majtek. Zoey i Laura najwyraźniej uznały, że to ogromny krok naprzód dla wyzwolenia kobiet. Ja uważam, że kiedy feministki zdejmowały staniki i paliły je publicznie, nie myślały o takim wyniku ich kampanii. Powiedziałam to Zoey, która przyjrzała mi się z namysłem, mrużąc oczy tak bardzo, że niemal je zamknęła. Skojarzyła mi się z Królową Kier decydującą, czy zawołać: „Ściąć ją! Ściąć ją natychmiast". Potem jednak otworzyła oczy i powiedziała:

– Spoko. Miałam bluzkę totalnie bez pleców, więc i tak nie mogłam włożyć stanika.

Totalnie bez pleców. Kompletnie martwy. Kolejne z moich ulubionych zwrotów. Bluzka albo bez pleców, albo nie.

Oczywiście nie mam wątpliwości, że to pierwsze.

W każdym razie, gdy zostałam „odesłana" do domu Zoey na jedną noc, czułam się tam, jakby kazano mi stanąć w kącie i zastanowić się nad tym, co przeskrobałam. Powinnam cieszyć się powrotem do starych kątów, odczuwać radość, że mogę znów być sobą. Tymczasem wcale tak się nie stało. Dlatego zabrałam ze sobą kawałek mojego nowego świata. Książkę. Wiedziałam, że jest w mojej torbie przy gościnnym łóżku w sypialni Zoey. Całą noc plotkowałyśmy o tym i owym, a książka, ta obca rzecz ze znienawidzonego nowego życia podsłuchiwała, dowiadując się coraz więcej o mnie i o mojej przeszłości.

Niemy świadek.

Chciałam jej powiedzieć, żeby wróciła do wioski i opowiedziała wszystkim rzeczom, których tam nie cierpiałam, jakie życie wiodłam przedtem. Książka była moją małą tajemnicą, z której nie zwierzyłam się dziewczynom. No dobrze, może nudną i bezsensowną tajemnicą, ale mimo wszystko.

Kiedy land-rover Arthura skręcił na podjazd Kilsaney Demesne i zostałam na powrót pochłonięta przez moje nowe, desperackie nie-życie, postanowiłam zabrać książkę na spacer. Wiedziałam, że Rosaleen będzie umierała z ciekawości, jeżeli nie wrócę i nie opowiem jej o nowej modzie chodzenia bez majtek. Ale ponieważ lubiłam jej dokuczyć, po prostu poszłam sobie. U mamy nic się raczej nie zmieniło. Pewnie nadal siedziała nieruchomo w fotelu bujanym, patrząc na ogród. Pozwoliłam jednak swojemu umysłowi wyobrazić sobie zupełnie inną sytuację, w której mama, na przykład, byłaby w ogrodzie, zupełnie nago, kręcąc piruety i wywijając salta.

Nigdy wcześniej nie spacerowałam po okolicy. Zaliczyłam wycieczkę do zamku, ale nie zapuściłam się dotąd na tereny zamkowe. Wszystkie moje poprzednie wizyty ograniczały się do picia herbaty, jedzenia kanapek z szynką i słuchania rozmów mamy z dziwną ciocią i wujkiem na zupełnie obojętne tematy. Mogłabym wtedy zrobić wszystko – zjeść dwadzieścia okropnych kanapek z jajkiem i dwa kawałki ciasta – żeby tylko wydostać się z kuchni i pochodzić po ogrodzie, na tyłach domu i przed nim. Nic więcej mnie nie interesowało. Nie miałam natury eksploratora i wszystko, co wymagało ruchu, bardzo mnie nudziło. Nigdy nic nie zainteresowało mnie na tyle, żebym pokusiła się o coś więcej. Tego dnia niewiele się zmieniło, ale odczuwałam przeraźliwą nudę. Zostawiłam więc w samochodzie torbę, którą Arthur zaniósł do domu, wydając przy tym okropne wilgotne charknięcia, sama zaś wyruszyłam na obchód terenu.

Poszłam w przeciwną stronę niż dom i zamek. Wąską drogę ocieniały rosnące przy poboczu trzydziestometrowe dęby, jesiony i cisy. Powietrze wypełniała słodycz, ziemia była pokryta miękką warstwą opadłego listowia i kory. Moje stopy odbijały się od sprężystego podłoża, zupełnie jak na trampolinie. Było gorąco, ale pod koronami starych drzew panował przyjemny chłód. Ptaki zachowywały się niczym nadaktywne małpy, wrzeszcząc i terkocząc, przeskakując niczym Tarzan z jednego drzewa na drugie. Zmęczona po nieprzespanej nocy spędzonej z przyjaciółkami, brnęłam do przodu, z głową wypełnioną rozmowami i nowymi wiadomościami (Laura musiała zażyć pigułkę poronną). Nie były one jednak w stanie zagłuszyć konwersacji, jaką prowadziłam sama ze sobą w swojej głowie. Nie mogłam jej wyłączyć. Nigdy nie przypuszczałam, że jestem zdolna do tak intensywnego myślenia i do tak długiego milczenia.

Od czasu do czasu pomiędzy drzewami, w oddali, migał zamek, spoglądający sponad wysokich traw na jeziora, którymi usiana była okolica, i na majestatyczne drzewa, rozstawione na całym terenie niczym drogowskazy. Samotne wysokie eleganckie topole wyrastały ku niebu jak pierzaste wachlarze, a szerokie dęby z ciężkimi koronami wyglądały jak wielkie grzyby. Potem nagle znad horyzontu znowu wynurzył się zamek, jakby bawił się ze mną w chowanego. Dróżka zakręcała w lewo i wkrótce szłam już prosto w jego kierunku. Po kolejnych dwudziestu minutach wędrówki dostrzegłam po prawej stronie główną bramę prowadzącą do zamku. Natychmiast zwolniłam. Poczerniała gotycka furta sprawiała złe wrażenie. Była skuta łańcuchami niczym jeniec pozostawiony na śmierć przy drodze. Długie trawy i wszelkiego rodzaju chwasty wychylały się spomiędzy stosunkowo nowych, lecz już pordzewiałych prętów, sterczały niczym długie, wychudzone ramiona, machające na przejeżdżające mimo samochody, błagając o nakarmienie albo wypuszczenie z tego więzienia. Niegdyś była to główna droga dojazdowa do zamku. Teraz została zapomniana, nikt jej nie używał ani o nią nie dbał. Porastała ją trawa, niczym wyłożoną żółtym kamieniem drogę w *Powrocie do Krainy Oz*. Zadrżałam. Mimo że była w pewnym sensie częścią dawnej świetności zamku, nie polubiłam jej tak jak pozostałości zamku. Jej blizny wydały mi się groteskowe. Rany zamku zaś sprawiały, że chciałam unieść dłoń i delikatnie, kojąco przeciągnąć po nich palcem. Szramy na drodze były brzydkie i potrafiłam jedynie odwrócić od nich wzrok z odrazą.

Postanowiłam znaleźć inną drogę. Cokolwiek, bylebym tylko nie musiała przekraczać tej koszmarnej gotyckiej bramy. Zeszłam z drogi i ruszyłam na przełaj przez pola. Od razu poczułam się bezpieczniej, otoczona ramionami drzew. Stara zamkowa droga była pewnie szlakiem Normanów, którzy przejeżdżali tędy na ciężkich koniach, machając dziko mieczami, na których zatknęli obcięte głowy wieśniaków.

Pnie drzew wyglądały fascynująco. Były stare i pomarszczone niczym nogi słoni. Owijały się wokół siebie niczym kochankowie. Niektóre wyrastały w górę wykrzywione jak w agonii, sięgając wzwyż, potem skręcając się i ustawiając w nowej pozycji. Korzenie wyłaniały się z ziemi i chowały znowu, niczym śliskie węgorze w czarnej wodzie. Często potykałam się o nie, ale przed upadkiem zawsze ratował mnie jakiś uczynny pień. Drzewa bawiły się ze mną. Podstawiały mi nogę i chwytały, zanim upadłam, łaskotały mnie liśćmi i pajęczynami, uderzały w twarz gałęziami – kiedy odsuwałam je, żeby przejść, natychmiast powracały, smagając mnie łobuzersko od tyłu.

Z jednego miasta drzew dotarłam do drugiego. Powietrze pachniało tu słodko, wokół kwitnących drzew krzątały się pszczoły, przeskakując z kwiatka na kwiatek, niecierpliwe, chcąc wszystkiego naraz. Pod nogami miałam owoce z poprzedniego sezonu, niektóre zgniłe, inne wysuszone na kamień. Zatrzymałam się i podniosłam jeden z nich, usiłując odgadnąć, co to. Powąchałam. Obrzydliwe. Rzuciłam z powrotem na ziemię i wytarłam ręce. Wtedy dostrzegłam na drzewie obok mnie napisy. Biedny pień był pocięty niczym dynia na Halloween. Z pewnością napisy nie pojawiły się tu jednego dnia, może nawet nie w tym samym stuleciu. Od samej ziemi, dwa metry w górę, cała kora pokryta była wyciętymi imionami, obwiedzionymi sercem albo prostokątem. Wszystkie deklarowały wielką nierozłączną miłość lub dozgonną przyjaźń.

Przesunęłam palcem po „Franku i Ellie", „Fionie i Stephenie", „Siobhan i Michaelu", „Lauriem i Róży" oraz „Michelle i Tommym". Wszystkie te napisy deklarowały uczucie. „Na zawsze razem". Zastanawiałam się, czy którakolwiek z tych par rzeczywiście nadal była razem.

To jedyne drzewo w sadzie tak poranione. Wkrótce zorientowałam się dlaczego. Tuż pod nim była malutka polanka. Wyobraziłam sobie rozkładane tu koce, pikniki i zabawy, spotkania przyjaciół i kochanków, którzy wymknęli się z domu, żeby spędzić ze sobą czas pod płodnym drzewem. Opuściłam sad, szukając kolejnej zielonej osady. Tuż przede mną wyrósł nagle mur i tak oto skończyła się moja zabawa z drzewami.

Usiłowałam stąpać ostrożnie, bezgłośnie, kiedy przedzierałam się w kierunku wysokiej ściany, ale rośliny wydały mnie głośnym trzaskaniem chrustu, świstem gałęzi i szelestem liści. Nie wiedziałam, co jest za murem, ale nie był to na pewno zamek. Za daleko zawędrowałam. Nie znałam tu żadnych innych budowli oprócz rozpadających się wiejskich chat otaczających pozostałe trzy bramy zamkowe. Dawno już nikt w nich nie mieszkał. Wyglądały, jakby pewnego dnia nagle wszyscy zebrali się i odeszli. Ten mur nie był zbudowany z takich samych kamieni jak ściany zamku, ale dla mojego niedoświadczonego oka niewiele się różnił. Jego szczyt był nierówny. Nie widziałam nad nim żadnego dachu, nigdzie też nie dostrzegłam otworów okiennych lub drzwi. W przeciwieństwie do zamku, ta konstrukcja oparła się jednak czasowi i nie wyglądała na zniszczoną. Wyszłam spośród chroniących mnie drzew, czując się jak jeż, który nagle opuścił swoje siedlisko, zmuszony do przekroczenia szosy – ostrożny, czujny i obnażony w światłach przejeżdżających samochodów. Pozostawiłam swoich wysokich przyjaciół za plecami i pod ich czujnym spojrzeniem ruszyłam wzdłuż muru.

Nagle urwał się, a raczej zakręcił gwałtownie pod kątem prostym, o czym przekonałam się, kiedy wyjrzałam za róg. Za ścianą usłyszałam podśpiewywanie kobiety. Podskoczyłam zaskoczona. Poza wujkiem Arthurem nie spodziewałam się tutaj spotkać innej istoty ludzkiej. Przytuliłam książkę mocniej do piersi i zaczęłam nasłuchiwać. Śpiew

był łagodny, słodki, szczęśliwy, zbyt swobodny jak na Rosaleen, zbyt radosny jak na moją mamę. To było typowe
nucenie zabijające czas, na nieznaną mi melodię, jeżeli
w ogóle była to prawdziwa piosenka, a nie improwizacja.
Powiew letniego wietrzyku przyniósł słodki zapach, któremu towarzyszyła piosenka. Zamknęłam oczy i oparłam
głowę o mur, żeby posłuchać.

Gdy moje czoło dotknęło muru, kobieta przestała nucić.
Otworzyłam oczy i wyprostowałam się. Rozejrzałam się
dookoła. Nie było jej nigdzie w zasięgu wzroku, więc nie
mogła mnie dostrzec. Kiedy serce wreszcie przestało mi
bić jak oszalałe, kobieta zaczęła znów śpiewać. Ruszyłam
wzdłuż muru, wiodąc palcami po szarym kamieniu, od-
najdując pod gorącymi opuszkami rysy, pajęczyny, pokru-
szone, wygładzone i szorstkie części ściany. Słońce praży-
ło, a drzewa nie mogły już zapewnić mi przed nim osłony.
Nagle mur się skończył. Zobaczyłam ozdobną kamienną
bramę.

Zajrzałam za nią ostrożnie, żeby nie pokazać się tajem-
niczej pieśniarce. Za bramą zobaczyłam nienagannie
utrzymany ogród. Z miejsca, w którym stałam, ujrzałam
róże w pełnym rozkwicie, na wielkich ogrodzonych raba-
tach, rosnących po obu stronach ścieżki prowadzącej
do innego wejścia. Odważyłam się nieco przesunąć, żeby
obejrzeć resztę ogrodu. W środku dostrzegłam więcej
kwiatów – pelargonii, chryzantem, goździków i innych,
których nazw nie znałam. Zwieszały się z wielkich koszy
i gigantycznych ozdobnych kamiennych donic, ustawionych wzdłuż głównej ścieżki wiodącej przez ogród. Nie
mogłam uwierzyć w istnienie tej małej kolorowej oazy. Zupełnie jakby ktoś wziął napój gazowany, wstrząsnął go
i otworzył w otoczeniu kruszącego się muru i jakby kolor
wyprysnął nagle, opryskując okolicę tysiącami barw.
Pszczoły latały od jednego kwiatka do drugiego, winorośl

wspinała się po murze, przemykając pomiędzy pięknymi kwiatami. Czułam zapach rozmarynu, lawendy i mięty z pobliskiego ogrodu ziołowego. W rogu stała mała szklarnia, a obok niej tuzin drewnianych skrzyń na stojakach. I nagle zdałam sobie sprawę, że wiedziona ciekawością nieświadomie weszłam w głąb ogrodu. Śpiew umilkł. Nie wiedziałam, czego oczekiwać, ale zdecydowanie nie byłam przygotowana na to, co zobaczyłam.

Na końcu ogrodu, wpatrując się we mnie, jakbym przybyła z innej planety, stało źródło śpiewu, ubrane w coś, co przypominało biały kombinezon kosmonautów, z głową przykrytą gęstym czarnym welonem, z dłońmi odzianymi w grube gumowe rękawice i w kaloszach na nogach. Nieznajoma wyglądała, jakby przed chwilą wyszła ze statku kosmicznego prosto w świat po katastrofie nuklearnej.

Uśmiechnęłam się nerwowo i pomachałam wolną ręką.

– Hej, przychodzę w pokoju.

Spoglądała na mnie jeszcze chwilę, nieruchoma niczym rzeźba. Poczułam się lekko zdenerwowana i niepewna, więc zrobiłam to, co zazwyczaj robię w takich sytuacjach.

– Na co się, kurwa, patrzysz? – warknęłam.

Nie wiem, jak to odebrała, ponieważ miała na głowie hełm lorda Vadera. Spoglądała na mnie nadal. Czekałam, żeby powiedziała mi, że jestem Lukiem, a ona jest moim ojcem.

– No tak – rzuciła nagle pogodnie, jakby wyrywając się z transu. – Wiedziałam, że mam gościa.

Zdjęła z głowy dziwaczny kapelusz, odsłaniając twarz starszą, niż się spodziewałam. Musiała mieć z siedemdziesiąt lat.

Podeszła do mnie, a ja miałam wrażenie, że zrobi to wielkimi skokami, jakby nie było tu grawitacji. Kobieta była pomarszczona, i to bardzo. Skóra na twarzy była tak zwiotczała, jakby czas ją stopił. Błękitne oczy połyskiwały niczym Morze Egejskie, przypominając mi o naszym wypadzie w tamte okolice na jachcie taty. Kiedy spoglądało się w dół, w przejrzystą wodę, widać było piasek i setki kolorowych ryb. Jednak na dnie oczu kobiety nie dostrzegłam nic. Były tak przezroczyste, że praktycznie odbijały całe światło.

Kobieta zdjęła rękawice i wyciągnęła do mnie dłonie.

– Jestem siostra Ignacjusz.

Uśmiechnęła się, nie potrząsając mojej ręki, ale chwytając ją w obie dłonie. Pomimo że był upalny dzień, jej ręce były gładkie i chłodne niczym marmur.

– Jest pani zakonnicą – wyrwało mi się.

– Tak – roześmiała się. – Jestem zakonnicą. Byłam tam, kiedy to się stało.

Moja kolej. Roześmiałam się. Wszystko nagle stało się jasne. Szafka pełna słoików z miodem, tuzin dziwnych skrzynek pod ścianą ogrodu i idiotyczny ubiór.

– Zna pani moją ciocię.

– Ach.

Nie wiedziałam, jak odczytać tę odpowiedź. Nie była zdziwiona, ale też nie usiłowała się dopytywać o szczegóły. Nadal trzymała moją dłoń. Nie chciałam się wyrywać, zwłaszcza że była zakonnicą, ale czułam się dziwnie. Mówiłam więc dalej.

– Moja ciocia to Rosaleen, a wujek to Arthur. Jest tutaj zarządcą. Mieszkają w stróżówce. Zatrzymaliśmy się u nich na... trochę.

– My?

– Ja i mama.

– Och. – Uniosła brwi tak wysoko, że przez chwilę wydały się mi gąsienicami, które za chwilę przejdą przeobrażenie i odlecą w niebo jako motyle.

– Rosaleen pani nie powiedziała? – Poczułam się nieco urażona, chociaż jednocześnie wdzięczna ciotce za uszanowanie naszej prywatności. Przynajmniej nikt w tej zapadłej dziurze nie będzie plotkował o nowo przybyłych.

– Nie – odparła. – Nie – powtórzyła bez uśmiechu i z nutą stanowczości w głosie.

Wyglądała na rozeźloną, więc pospiesznie rzuciłam się ratować ich przyjaźń czy cokolwiek między nimi było.

– Jestem pewna, że Rosaleen chroniła naszą prywatność, chciała nam dać trochę czasu, żebyśmy sobie poradziły z... tym... zanim powie innym.

– Poradzić z czym?

– Z przeprowadzką tutaj – odparłam powoli. Czy to bardzo źle, mówić nieprawdę zakonnicy?

Właściwie nie do końca kłamałam... mimo to spanikowałam. Nagle poczułam, że robi mi się gorąco i cała się pocę. Siostra Ignacjusz coś mówiła, jej usta otwierały się i zamykały, ale nie docierało do mnie ani jedno słowo. Myślałam tylko o kłamstwie, o dziesięciu przykazaniach i piekle. Ale nie chodziło tylko o to. Pomyślałam, że poczułabym się tak dobrze, gdybym mogła powiedzieć to na głos, w jej obecności. Była zakonnicą, chyba mogłam jej zaufać.

– Mój tata umarł – rzuciłam szybko, przerywając jej w pół zdania. Słyszałam, jak bardzo drży mi głos. Nagle, zupełnie niespodziewanie, tak jak tamtej nocy z Cabáiste, po policzkach zaczęły płynąć mi łzy.

– Och, dziecko.

Siostra Ignacjusz objęła mnie mocno. Oddzielała nas jedynie książka, którą nadal tuliłam do siebie. Mimo że starsza pani była obcą osobą, była jednocześnie służebnicą pańską. Oparłam głowę o jej ramię i nie powstrzymywałam się już dłużej. Płakałam, smarkałam i zachłystywałam się, a ona delikatnie mnie kołysała i masowała po plecach. Byłam właśnie w środku żenująco wyjącego wywodu w stylu: „Dlaczego on to zrobił? Dlaaaaaczeeeegooo?...", kiedy od moich ust odbiła się pszczoła. Wrzasnęłam i od-skoczyłam od siostry Ignacjusz.

– Pszczoła! – skrzeknęłam, podskakując i usiłując odpę-dzić podążającego za mną owada. – O mój Boże, zabierz ją ode mnie!

Siostra Ignacjusz przyglądała mi się roześmianymi oczami.

– O mój Boże, siostro, błagam, niech siostra zabierze ode mnie tę pszczołę! Wynocha! – Machałam wściekle ra-mionami. – To pani cholerne pszczoły, muszą się pani słu-chać.

Siostra Ignacjusz wycelowała palcem w unoszącego się w pobliżu owada i krzyknęła głębokim głosem:

– Sebastian, dosyć!

Przestałam się rzucać i wpatrzyłam się w nią z niedo-wierzaniem, zapominając o łzach.

– Chyba siostra żartuje. Chyba nie nadała siostra swo-im pszczołom imion?

– Tam na róży siedzi Jemima, a na pelargonii Benja-min – odparła radośnie.

– Niemożliwe. – Wytarłam twarz, zażenowana swoim wy-stępem. – A ja myślałam, że to ja mam problemy z głową.

– Oczywiście, że to żart. – Siostra Ignacjusz roześmiała się nagle, w cudowny, dziecinny, radosny sposób, który wywołał u mnie natychmiast uśmiech.

Myślę, że to właśnie wtedy zrozumiałam, że kocham siostrę Ignacjusz.

– Mam na imię Tamara.

– Tak. – Spojrzała na mnie badawczo, jakby już to wie-działa.

Znowu się uśmiechnęłam. Jej twarz tak na mnie działała.

– Czy siostra może rozmawiać? Nie powinna siostra milczeć albo co? – Rozejrzałam się. – Niech się siostra nie martwi, w razie czego nikomu nie powiem.

– Wiele sióstr by się z tobą zgodziło – zachichotała. – Ale tak, wolno mi rozmawiać. Nie przyjęłam ślubów milczenia.

– Och. Czy inne zakonnice mają o to do pani pretensje?

Znów się roześmiała, słodko, dźwięcznie, radośnie.

– To znaczy, że nie widuje się siostra z ludźmi, tak? To niezgodnie z zasadami? Nie ma obawy, nikomu nie powiem. Chociaż wie pani, Obama jest teraz prezydentem USA – zażartowałam. Kiedy nie zareagowała, uśmiech zniknął z moich ust. – Kurczę! Czy nie powinna pani wiedzieć o takich rzeczach? Zdarzeniach z zewnętrznego świata? Bycie zakonnicą musi być trochę tak jak uczestniczenie w Big Brother.

Wyrwała się z transu i znowu roześmiała. Jej twarz wydawała się wtedy taka dziecinna, jak Benjamina Buttona.

– Osobliwa z ciebie dziewczynka.

Powiedziała to z uśmiechem, więc bardzo postarałam się nie obrazić.

– Co tam masz? – Spojrzała na książkę, którą nadal tuliłam do siebie.

– Och, to. Znalazłam ją wczoraj w... właściwie to jestem pani winna książkę.

– Nie bądź głuptasem.

– Nie, naprawdę. Marcus, to znaczy biblioteka objazdowa, pojawił się przedwczoraj u nas w domu, szukając pani, a ja nie wiedziałam, kim pani jest.

– W takim razie rzeczywiście jesteś mi winna książkę – rzuciła z psotliwym błyskiem w oku. – Zobaczmy, kto ją napisał.

– Nie wiem, kto. Ani o czym jest. To nie Biblia ani nic w tym stylu. Może się siostrze nie spodobać – powiedziałam, odczuwając niechęć na myśl o oddaniu książki. – Może są tam jakieś opisy scen erotycznych, przekleństwa, opowieści o gejach, rozwodnikach i innych takich.

Spojrzała na mnie i zacisnęła usta, usiłując się nie roześmiać.

– Nie mogę jej otworzyć – powiedziałam w końcu, wręczając jej książkę. – Jest zamknięta.

– Zaraz się tym zajmiemy. Chodź ze mną. – Ruszyła w stronę drugiego wyjścia z ogrodu, dzierżąc tomiszcze w dłoni.

– Dokąd pani idzie? – zawołałam za nią.

– Dokąd my idziemy – poprawiła mnie. – Chodź, poznasz inne siostry. Bardzo się ucieszą. Ja tymczasem otworzę dla ciebie tę książkę.

– Em... nie, lepiej nie – podbiegłam do niej z zamiarem odebrania tajemniczego tomu.

– Nie bój się. Jesteśmy tylko cztery. Nie gryziemy. Zwłaszcza gdy jemy jabłecznik siostry Mary, ale nie mów jej tego, dobrze? – zachichotała.

– Ale, siostro, ja nie umiem się obchodzić ze świętymi ludźmi. Nie wiem, co powiedzieć.

Znów się roześmiała i podreptała chybotliwie w swoim dziwnym kombinezonie w stronę sadu.

– Co to za drzewo z tymi wszystkimi napisami? – spytałam, podskakując, żeby dotrzymać jej kroku.

– Ach, widziałaś zatem nasz sad? Wiesz, niektórzy mówią, że jabłoń to drzewo miłości. – Kiedy się uśmiechnęła, na jej policzkach pojawiły się dołeczki. – Wielu młodych ludzi wyznało sobie miłość po tym drzewem. – Szła dziarsko, przerywając magię opowieści. – Poza tym jabłonie są świetne dla pszczół. A pszczoły są świetne dla drzew – zachichotała. – Arthur naprawdę wykonuje świetną robotę z naszym sadem. Mamy tu najlepsze na świecie jabłka Granny Smith.

– Ach, to dlatego Rosaleen robi trzy tysiące placków z jabłkami dziennie? Zjadłam już tyle jabłek, że dosłownie wychodzą mi...

Spojrzała na mnie.

– Uszami – dokończyłam.

Roześmiała się. Zabrzmiało to jak piosenka.

– Dlaczego jesteście tu tylko we cztery? – spytałam, sapiąc, zmęczona szybkim chodem.

– Niewiele kobiet chce w dzisiejszych czasach być zakonnicami. To nie jest modne, czy, jak to mówicie, „odlotowe".

– Właściwie to nawet nie o to chodzi, że nie jest odlotowe, chociaż rzeczywiście nie jest, ale, bez urazy, moim zdaniem chodzi o seks. Gdyby zakonnice mogły uprawiać seks, pewnie mnóstwo dziewczyn chciałoby nimi zostać. Chociaż w mojej obecnej sytuacji ja pewnie wcześniej czy później też do was wkrótce dołączę. – Wywróciłam oczami.

Siostra Ignacjusz się roześmiała.

– Wszystko w swoim czasie, dziecko, wszystko w swoim czasie. Masz dopiero siedemnaście lat, och przepraszam, prawie osiemnaście.

– Szesnaście.

Zatrzymała się i popatrzyła na mnie uważnie.

– Siedemnaście.

– Za kilka tygodni kończę siedemnaście. – Odzyskałam wreszcie oddech.

– Osiemnaście. – Zmarszczyła brwi.

– Chciałabym, ale naprawdę mam szesnaście, chociaż ludzie zawsze uważają, że jestem starsza.

Wpatrzyła się we mnie, jakbym nagle zmieniła się w obcy obiekt. Myślała tak intensywnie, że niemal słyszałam chrobot przekręcających się trybików w jej głowie. Potem odwróciła się na pięcie i ruszyła przed siebie. Pięć minut szybkiego marszu, dostałam zadyszki, chociaż siostra Ignacjusz nawet się nie spociła. Dotarłyśmy wreszcie do jakichś zabudowań. Wyglądały na dawne stajnie i budynki gospodarcze. Oprócz tego był tam jeszcze mały kościółek.

– To nasza kaplica – wyjaśniła siostra Ignacjusz. – Została zbudowana przez Kilsaneyów pod koniec osiemnastego wieku.

Pamiętałam tę informację z mojego szkolnego projektu. Nie mogłam oderwać wzroku od budowli. Wstrząsnęło mną, że informacja, którą wyciągnęłam z internetu, nagle okazała się nie ściągniętą pracą domową, ale rzeczywistością. Był to mały kościółek z szarego kamienia. Z dwoma kolumnami przed wejściem, popękanymi niczym pustynna ziemia, która nie widziała wody od dziesięcioleci. Na szczycie znajdowała się dzwonnica. Za kapliczką widniał stary cmentarz otoczony rachitycznym żelaznym płotkiem. Nie byłam pewna, czy miał zatrzymać pochowanych wewnątrz, czy potencjalnych wandali na zewnątrz, ale jego widok wywołał we mnie dreszcz. Zdałam sobie nagle sprawę, że stanęłam, wpatrując się w cmentarz. A siostra Ignacjusz wpatrywała się we mnie.

– Świetnie. Mieszkam przy cmentarzu. Po prostu doskonale.

– Wszystkie pokolenia Kilsaneyów są tutaj pochowane – odparła łagodnie. – A przynajmniej tylu z nich, ilu można było. Dla tych zmarłych, których ciał nie odnaleziono, wzniesiono nagrobki.

– Co ma siostra na myśli z tymi nieodnalezionymi ciałami? – spytałam przerażona.

– Pokolenia wojenne, Tamaro. Niektórzy Kilsaneyowie zostali wysłani do zamku w Dublinie, do więzienia, inni odjechali lub zaangażowali się w rewolucję.

Zapadła cisza. Spoglądałam na stare nagrobki, niektóre omszałe, inne poczerniałe i przechylone, z inskrypcjami wyblakłymi tak bardzo, że nie można było odczytać poszczególnych liter.

– To okropne. Musicie tu mieszkać?

– Nadal się modlimy w tej kaplicy.

– Modlicie się o co? Żeby ściany nie zwaliły się wam na głowę. Wygląda, jakby miało to nastąpić w każdej chwili.

Roześmiała się.

– Mimo wszystko to poświęcony kościół.

– Niemożliwe. Macie tutaj msze niedzielne?

– Nie. – Znów się uśmiechnęła. – Ostatnim razem... – Zamknęła oczy, a jej usta otwierały się i zamykały, jakby odmawiała różaniec. Potem nagle spojrzała na mnie szeroko otwartymi oczami. – Wiesz co, Tamara, powinnaś sprawdzić zapiski, żeby poznać dokładną datę. I imiona wszystkich, którzy tu byli. Mamy je w domu. Chodź, obejrzysz sobie.

– Em... nie, dzięki.

– No dobrze, przyjdziesz, jak będziesz gotowa.

Ruszyła przed siebie, a ja spiesznie skoczyłam za nią.

– Jak długo pani tutaj mieszka? – spytałam, podążając za nią do dawnego budynku gospodarczego, który służył jako szopa na narzędzia.

– Trzydzieści lat.

– Trzydzieści lat?! Musiała się siostra czuć strasznie samotnie przez cały ten czas.

– O nie. Kiedy przybyłam, mieliśmy tu więcej zajęć. Pozostałe trzy siostry były wtedy o wiele żwawsze. Ja jestem najmłodsza, dziecko – roześmiała się tym swoim dziewczęcym śmiechem. – Był wtedy zamek, stróżówka... zupełnie inne czasy. Ale teraz lubię ciszę i spokój. Przyrodę. Prostotę. Czas, który płynie wolnym tempem.

– Ale ja myślałam, że zamek został spalony w latach dwudziestych.

– Był palony wielokrotnie w historii. Ale przy tej konkretnej okazji spalono tylko jego część. Rodzina pracowała bardzo ciężko, żeby go odrestaurować. Wykonali wspaniałą robotę. Zamek wyglądał naprawdę przepięknie.

– Była tam siostra? W środku?

– O tak. – Wydawała się zdziwiona moim pytaniem. – Wiele razy.

– Więc co się z nim stało?

– Pożar – odparła i spojrzała w bok.

Odnalazła pudełko z narzędziami na zagraconym stole i otworzyła je. Ze środka wysunęło się pięć szufladek wypełnionych nakrętkami, śrubami i gwoździami. Siostra Ignacjusz była niczym sroka, łasa na rzeczy do majsterkowania.

– Jeszcze jeden? Daję słowo, to już zupełny idiotyzm. Nasze alarmy przeciwpożarowe były połączone z lokalną remizą strażacką. Chce siostra wiedzieć, jak się o tym dowiedziałam? Paliłam w pokoju papierosa i nie otworzyłam okna, bo na zewnątrz było totalnie zimno, poza tym, kiedy uchylałam okno, to trzaskało i głowa mnie od tego bolała. Więc podkręciłam muzykę, żeby nie słyszeć alarmu. Chwilę później przystojny strażak wyłamał drzwi do mojej sypialni. Myślał, że się pali.

Zapadła cisza. Siostra Ignacjusz przeglądała pudło z narzędziami.

– Tak przy okazji, on też myślał, że mam siedemnaście lat – roześmiałam się. – Zadzwonił potem do domu i chciał ze mną rozmawiać, ale tata odebrał telefon i postraszył, że pośle go do więzienia. To w temacie dramatów.

Cisza.

– Ten pożar... nikomu się nic nie stało, prawda?

– Niestety tak – odparła i kiedy spojrzała na mnie przelotnie, zdałam sobie sprawę, że jej oczy są pełne łez. – Stało się.

Zamrugała gwałtownie, głośno przetrząsając szufladki. Jej pomarszczone, ale silne dłonie błądziły pośród gwoździ i śrubokrętów. Na serdecznym palcu prawej ręki miała bardzo ciasną złotą obrączkę, wyglądającą jak ślubna. Wątpię, żeby kiedykolwiek mogła ją zdjąć, nawet gdyby chciała. Miałam ochotę zadać jeszcze parę pytań o zamek, ale nie chciałam denerwować biednej zakonnicy. Poza tym, grzebiąc w pudełku z narzędziami w poszukiwaniu odpowiedniego śrubokręta, robiła taki hałas, że i tak by mnie nie usłyszała.

Wypróbowała kilka narzędzi. Zaczęła mnie ogarniać coraz większa nuda. Snułam się bez celu po komórce. Na ścianach przymocowane były rzędy półek, na których piętrzyły się sterty różnorakich przedmiotów. Stół roboczy, spinający trzy ściany, również był zastawiony rozmaitymi bibelotami i urządzeniami, których przeznaczenia nie mogłam odgadnąć. Istna jaskinia Aladyna dla majsterkowiczów.

Rozejrzałam się, ale głowę miałam pełną nowych pytań o historię zamku. Okazało się, że ktoś tam mieszkał od czasu pożaru w 1920 roku. Siostra Ignacjusz powiedziała, że jest tu trzydzieści lat i odwiedzała ich po odbudowie. To musiało być gdzieś w latach siedemdziesiątych. Miałam wrażenie, że zamek stał opuszczony znacznie dłużej.

– Gdzie są wszyscy?

– W środku. Pora rekreacji. W telewizji nadają *Napisała: Morderstwo*. Siostry uwielbiają ten serial.

– Chodziło mi o rodzinę Kilsaneyów. Gdzie oni się wszyscy podziali?

Westchnęła.

– Starsi państwo wyprowadzili się do kuzynów w Bath. Nie mogli patrzeć na zamek w tym stanie. Nie mieli ani czasu, ani energii, ani pieniędzy, żeby go odbudować.

– Zaglądają tu?

Spojrzała na mnie smutno.

– Oni umarli, Tamaro. Przykro mi.

Wzruszyłam ramionami.

– Nie ma sprawy, nie obchodzi mnie to zbytnio.

Mój głos brzmiał zbyt żwawo, jakbym udawała. Dlaczego? Naprawdę mnie to nie wzruszało. Nie znałam ich wcale, więc dlaczego miałabym się przejmować? A jednak się przejmowałam. Może dlatego, że mój tata umarł i czułam, że każda smutna historia jest moją historią? Nie wiem. Mae, moja niania, uwielbiała oglądać programy o rozwiązywaniu prawdziwych problemów ludzi. Kiedy rodzice wychodzili wieczorami, siadała przed telewizorem w salonie i oglądała *Z akt FBI*. Strasznie mnie to denerwowało, nawet nie z powodu krwawych detali (widziałam gorsze rzeczy), ale dlatego, że Mae wydawała się całkowicie zafascynowana poznawaniem sposobów na ukrycie zbrodni. Zawsze myślałam, że kiedyś nas wszystkich zabije, gdy będziemy spali. Robiła jednak najlepsze pod słońcem latte, więc nie dopytywałam się o nic, żeby nie poczuła się urażona i nie przestała je przygotowywać. Podczas oglądania jednego z tych programów dowiedziałam się, że słowo „rozwiązanie" można skojarzyć z nicią, taką jak z greckiego mitu – rozwijającym się kłębkiem, dzięki któremu jeden koleś wydostał się z labiryntu Minotaura. Jest to coś, co pozwala ci dojść do celu, zakończyć poszukiwania, doprowadzić do końca drogi. Albo do początku. Podobnie jak nawigacja satelitarna Barbary albo ślad z okruszków: czasem to, gdzie jesteśmy, jest dla nas całkowitą zagadką i potrzebujemy jej rozwiązania, żebyśmy wiedzieli, od czego zacząć dalszą wędrówkę przez życie.

W końcu zamek, nad którym pracowała siostra Ignacjusz, poddał się i otworzył.

– Siostro Ignacjusz, cwaniaczka z siostry.

Roześmiała się serdecznie. Kiedy otworzyła ciężką okładkę, serce zabiło mi mocniej. Głosy Zoey i Laury podpowiadały mi już wcześniej, że powinnam czuć się tym wszystkim zażenowana. Przez chwilę nawet byłam, dopóki Tamara z nowego świata nie wypędziła obu głosów z głowy gdzie pieprz rośnie. Teraz, w tej jednej chwili, zażenowanie powróciło zwielokrotnione, przynosząc ze sobą gniew, ponieważ karty książki były puste. Całkowicie puste.

– Hmmm... spójrz na to. – Siostra Ignacjusz przerzucała strony z grubego kremowego papieru, wyglądające jak z zupełnie innego świata. – Puste strony oczekujące na wypełnienie – dodała z zachwytem.

Wywróciłam oczami.

– Szalenie ekscytujące.

– Bardziej niż księga już zapisana. Wtedy na pewno nie byłabyś jej w stanie użyć.

– Ale mogłabym ją przeczytać. Po to właśnie są książki – warknęłam, znowu czując, że to miejsce mnie zawiodło.

– Wolałabyś otrzymać życie, które ktoś już przeżył, Tamaro? Wtedy mogłabyś siedzieć i obserwować. A może jednak chciałabyś je przeżyć sama? – spytała z uśmiechem w oczach.

– Ech, niech sobie siostra to zatrzyma.

Ruszyłam do wyjścia. Przestałam być zainteresowana rzeczą, którą jeszcze niedawno tuliłam do siebie jak skarb. Czułam zawód.

– Nie, kochanie, należy do ciebie. Wykorzystaj ją.

– Ja nie piszę. Nienawidzę tego. Robią mi się od pisania nagniotki na palcach. I dostaję migreny. Wolę wysyłać e-maile. Poza tym i tak nie mogę. Ta książka należy do objazdowej biblioteki. Marcus będzie chciał ją odzyskać. Muszę się z nim spotkać i mu ją oddać.

Zauważyłam, że głos mi złagodniał, gdy wypowiadałam ostatnie zdanie. Z wysiłkiem powstrzymałam uśmiech.

Siostra Ignacjusz wszystko zauważyła. Uśmiechnęła się i uniosła brwi.

– Cóż, przecież i tak możesz się spotkać z Marcusem, żeby przedyskutować sprawę książki – zaczęła się ze mną droczyć. – Zrozumie, tak jak ja, że ktoś musiał ofiarować ją bibliotece, przez pomyłkę biorąc ją za dzieło literatury.

– Czy jeżeli ją zatrzymam, nie złamię jakiegoś przykazania albo co?

Naśladując mnie, siostra Ignacjusz wywróciła oczami i, mimo złego humoru, musiałam się roześmiać.

– Ale nie wiem, co mam napisać – powiedziałam nieco łagodniej.

– Zawsze jest coś wartego opisania. Myśli. Założę się, że masz ich mnóstwo.

Zabrałam książkę z powrotem, robiąc przy tym prawdziwe przedstawienie, żeby pokazać, jak dogłębnie niezainteresowana byłam pisaniem. Marudziłam, że pisanie pamiętników jest dla idiotów. W głębi duszy jednak byłam zadziwiająco zadowolona, że znów mogłam trzymać ją w ramionach. Czułam, że tu jest jej miejsce.

– Pisz o tym, co siedzi tutaj. – Siostra Ignacjusz dotknęła swojej skroni. – I o tym, co tutaj. – Wskazała na serce. – Jak to określił kiedyś pewien wielki człowiek, to „tajemniczy ogród". Wszyscy takie mamy.

– Jezus?

– Nie, Bruce Springsteen.

– Dzisiaj ja odkryłam ogród siostry. – Uśmiechnęłam się. – Już nie jest tajemniczy.

– No proszę. Zawsze dobrze jest się podzielić z kimś tym, co mamy. – Wskazała na książkę. – Z kimś albo z czymś.

Rozdział 9

Długie pożegnanie

Zanim dotarłam do stróżówki, nastał wieczór. Byłam głodna, bo nie miałam nic w ustach od lunchu, kiedy to mama Zoey przygotowała nam amerykańskie naleśniki z jagodami. Tak jak poprzednio, Rosaleen stała w otwartych drzwiach, czekając na mnie z twarzą ściągniętą zmartwieniem, rozglądając się to w lewo, to w prawo, jakbym zaraz miała wynurzyć się zza rogu. Jak długo tutaj była?

Podskoczyła, kiedy mnie dostrzegła, złożyła dłonie na podołku, wygładzając sukienkę – czekoladową z nadrukiem zielonej winorośli. Koliber trzepotał skrzydłami tuż obok jej piersi. Później zauważyłam kolejnego, w okolicach jej lewego pośladka. Nie sądzę, żeby projektant tej sukienki rozmieścił je z tą myślą, ale wzrost cioci sprawił, że tak się ułożyło.

– A, jesteś, dziecko.

Chciałam zaprotestować, że nie jestem dzieckiem, ale zacisnęłam zęby i uśmiechnęłam się. Muszę nauczyć się większej tolerancji wobec Rosaleen. Dziś wieczór jestem Tamarą Good, Tamarą Dobrą.

– Kolacja dla ciebie jest w piecyku, żeby była ciepła. Nie mogliśmy już dłużej czekać. Burczało mu w żołądku tak, że aż z ruin go słyszałam.

Wiele rzeczy wkurzyło mnie w tym zdaniu. Po pierwsze, że Rosaleen nie nazwała Arthura po imieniu. Po drugie, znowu rozmawialiśmy o jedzeniu. Po trzecie, Rosaleen nazwała zamek ruinami. Zamiast jednak zatupać nogami, Tamara Dobra uśmiechnęła się znowu i odparła słodko:

– Dziękuję, Rosaleen, z chęcią zjem za chwilę kolację.

Odwróciłam się i już miałam pójść na górę, kiedy jej nagły ruch, niczym lekkoatlety szykującego się do startu i nasłuchującego wystrzału, zatrzymał mnie w miejscu. Nie spojrzałam na nią, zaczekałam tylko na komentarz.

– Mama śpi, więc lepiej jej teraz nie przeszkadzaj.

Z jej tonu zniknęła nagle wszechobecna nutka lizusostwa. Nie mogłam jej rozszyfrować, zapewne z wzajemnością. Tamara Niezbyt-Dobra zignorowała Rosaleen. Zaczęłam wchodzić po schodach. Zapukałam cicho do drzwi mamy, wszystko pod czujnym i osądzającym spojrzeniem ciotki. Nie spodziewałam się odpowiedzi, więc po prostu weszłam.

W pokoju było ciemniej niż poprzednim razem. Okno było zasłonięte, ale tak naprawdę to słońce, które zmieniło barwę przed nocą, sprawiło, że pokój stał się chłodniejszy i mroczniejszy. Mama skojarzyła mi się od razu z mumią, chociaż nie miało to nic wspólnego z jej wiekiem. Leżała w łóżku, okryta żółtymi kocami po samą brodę, z ramionami przylegającymi do ciała ściśle owiniętego przykryciem, zupełnie jakby gigantyczny pająk uprządł wokół niej kokon, żeby ją zabić i zjeść. Mogłam sobie wyobrazić, że to sprawka Rosaleen. Było fizycznie niemożliwe, żeby mama zrobiła to sama. Poluźniłam koce, wyciągnęłam jej ramiona i ułożyłam na przykryciu. Uklękłam obok łóżka. Na twarzy mamy malował się spokój, zupełnie jakby odbywała właśnie jeden ze swoich ulubionych zabiegów odnowy ze śmietankowo-jogurtowymi okładami. Leżała tak nieruchomo, że musiałam przysunąć ucho do jej twarzy, żeby usłyszeć oddech.

Przyjrzałam się jej; jasnym włosom rozsypanym na poduszce dookoła twarzy, długim rzęsom ocieniającym idealną skórę bez najmniejszej skazy. Miała lekko rozchylone usta. Oddychała delikatnie, słodko.

Może kiedy zaczęłam opowiadać moją historię, przedstawiłam wam mamę w złym świetle. Cierpiąca wdowa bezmyślnie wyglądająca przez okno, siedząca w bujanym fotelu, ubrana w szlafrok, może wydać się starą kobietą. Mama wcale nie jest stara. Jest piękna.

Ma dopiero trzydzieści pięć lat, jest dużo młodsza niż mamy wszystkich moich znajomych. Urodziła mnie, kiedy miała osiemnaście lat. Tata uwielbiał opowiadać mi o tym, jak się poznali, chociaż za każdym razem opowieść była trochę inna. Chyba podobało mu się utrzymywanie prawdziwej wersji w tajemnicy przede mną, jak coś, co należało tylko do nich dwojga. To było bardzo fajne u taty i nie przeszkadzało mi, że nigdy nie powiedział całej prawdy. Może gdybym usłyszała rzeczywistą wersję, byłabym zawiedziona. W każdym razie w historii ich poznania zawsze pojawiał się ekskluzywny bankiet. Kiedy spojrzeli na siebie, tata wiedział, że musi mamę mieć. Kiedy to usłyszałam pierwszy raz, zaczęłam się śmiać, bo dokładnie to samo i w ten sam sposób powiedział o młodej klaczy, którą zobaczył na aukcji u Goffa.

Tata zamknął się wtedy, przestał się uśmiechać i rozmarzenie zniknęło z jego wzroku. Natychmiast pożałował, że ma nastoletnią córkę. Mama zastanawiała się nad moimi słowami w milczeniu, bardzo długo. Chciałam im powiedzieć, że to nie tak, że to mój głupi charakter, popychający mnie do kąśliwych uwag, zanim pomyślę, co mogą oznaczać i jaką przykrość mogą komuś sprawić. Nie mogłam jednak wyznać tego moim rodzicom. Byłam zbyt dumna. Nie miałam w zwyczaju przepraszać. W tym jednak przypadku nie chciałam odwoływać swoich słów. W głębi duszy czułam, że mogłam mieć rację. Tata powiedział dokładnie to samo, kiedy wrócił od Goffa. Powtarzał zresztą te słowa za każdym razem, kiedy dostrzegał nowy zegarek, łódź albo garnitur: „Powinnaś to zobaczyć, Jennifer. Muszę to mieć". A kiedy tata musiał coś mieć, tak się działo. Zastanawiałam się, czy mama była tak samo bezsilna, jak klaczka, jacht w Monako i wszystkie inne rzeczy na świecie, które postanowił zdobyć tata. Jeżeli tak, to dobrze jej tak za brak charakteru.

Nie wątpię, że tata kochał mamę. Zawsze patrzył na nią, obejmował ją, otwierał przed nią drzwi, kupował kwiaty, buty, torebki, niespodzianki, żeby pokazać, że o niej myśli. Zawsze komplementował ją za najbardziej idiotyczne rzeczy, co strasznie mnie wkurzało. Mnie nigdy nie powiedział niczego miłego. I nie przeprowadzajcie tu na mnie żadnej freudowskiej psychoanalizy. Nie byłam zazdrosna. Chodziło o tatę, a nie o mojego chłopaka, i doskonale wiem, że obowiązują w tym przypadku inne reguły, z czym całkowicie się zgadzam. Mimo wszystko... Nie można stracić córki, prawda? Twoje dziecko zawsze będzie twoim dzieckiem, czy się je widuje, czy nie. Żonę z kolei można stracić. Może się znudzić i odejść. Mama była piękna i większość mężczyzn, których spotykała, z pewnością chciałaby z nią być. Tata dobrze o tym wiedział. To, co mówił do mamy, chociaż z dobrego serca, mnie wydawało się protekcjonalne.

– Kochanie, opowiedz im, co odpowiedziałaś wczoraj, kiedy kelner zapytał, czy smakował ci deser. Dalej, powiedz im, kochanie.

– George, naprawdę, to nic wielkiego.

– Ale Jennifer, powiedz im. To było naprawdę bardzo zabawne.

I mama opowiadała:

– Powiedziałam, że dostałam zastrzyk kalorii od samego patrzenia.

Ludzie uśmiechali się lekko, podczas gdy twarz taty rozjaśniała się niczym słońce z dumy. Uwielbiał poczucie humoru swojej żony. Mama uśmiechała się enigmatycznie, ja zaś miałam ochotę zerwać się i wrzasnąć: „To przecież kretynizm! Ten żart ma trzy tysiące lat i nawet nie jest śmieszny!".

Nie wiem, czy mama postrzegała to w ten sam sposób. Zawsze uśmiechała się zagadkowo i ten uśmiech krył w sobie milion odpowiedzi. Może dlatego tata wciąż był taki niepewny: wiedział, że mama ukrywa różne rzeczy. Może nigdy nie wiedział, co ona naprawdę czuje. Nie byli jak inne pary, które czasem sobie dokuczają, wywracają oczami na to, co powiedziała lub zrobiła druga strona, komentują, rzucają uszczypliwe uwagi. Moi rodzice zawsze się ze sobą zgadzali, do obrzydliwości. Mama z nieodgadnionym wyrazem twarzy, tata zawsze przymilny. A może po prostu nie rozumiem, co między nimi było, ponieważ nigdy jeszcze się nie zakochałam. Może miłość sprawia, że kiedy twój partner zrobi lub powie coś prozaicznego, ma się ochotę z radości zacząć meksykańską falę stąd do Uzbekistanu. Nigdy nie czułam niczego podobnego.

Moim zdaniem, różniliśmy się z tatą całkowicie. Kiedy on się bał, że ktoś go porzuci, komplementował tę osobę na każdym kroku. Na przykład odwiedziny przyjaciółek mamy zazwyczaj go irytowały, w związku z tym ignorował je przez cały wieczór. Kiedy jednak wychodziły, obdzielał je najcieplejszymi uśmiechami i uściskami. Miał w zwyczaju stać w progu i machać, dopóki samochody gości nie zniknęły za rogiem. Wyobrażałam sobie, co mówiły psiapsiółki mamy po powrocie do domu: „George jest takim dżentelmenem. Kiedy wychodziłam, uścisnął mnie serdecznie i pomógł mi wsiąść do samochodu. Naprawdę, chciałabym, żebyś ty też tak się zachowywał w stosunku do moich przyjaciół, Walterze".

Tata wyznawał zasadę, że liczy się ostatnie wrażenie, a nie pierwsze. Przez to jego śmierć nabrała dodatkowego symbolu. Ja stanowiłam zupełne przeciwieństwo ojca. Podobnie jak poprzez kąśliwy komentarz ułatwiłam Barbarze ucieczkę, nie inaczej zachowywałam się w stosunku do rodziców. Ludziom łatwiej jest kogoś zostawić, gdy chwilowo go nienawidzą. Nie zdawałam sobie sprawy, że mama i tata pamiętają każde moje okropne zachowanie i sarkastyczne uwagi. Robiłam to od dziecka.

Kiedyś, na początku, błagałam rodziców, żeby nie wychodzili tak często wieczorami, ale oni ignorowali moje prośby. Zostawali tylko wtedy, kiedy musieli się doładować. Zazwyczaj byli wtedy tak zmęczeni sobą, że spędzali cały wieczór w osobnych pokojach. Nigdy nie spędzaliśmy wieczorów razem, jak rodzina. Teraz już rozumiem, że strasznie – ale nie najbardziej na świecie – pragnęłam, żebyśmy potrafili usiąść wszyscy razem, w domu, zwyczajnie i bez planu, a nie tylko wtedy, kiedy rodzice wołali mnie do pokoju, żeby z dumą wręczyć mi prezent lub oznajmić coś niespodziewanego.

– Tamaro, zdajesz sobie sprawę z tego, jak dobrze ci w życiu – zaczynała mama, która zawsze miała poczucie winy z powodu tego, co posiadaliśmy. – Wiele dzieci nie ma takiego startu...

Słuchałam ich, usiłując przywołać na twarz radość i podniecenie, którego nie czułam. Słyszałam w głowie własny głos, powtarzający: „Bla, bla, bla, powiedzcie wreszcie, o co chodzi. Co dostanę tym razem?".

– Ponieważ jednak byłaś taka grzeczna i okazywałaś wdzięczność za wszystkie śliczne rzeczy, które masz, i dlatego, że jesteś naszą cudowną córeczką...

Bla, bla, bla. To nie może być prezent. Nie widzę go nigdzie w pokoju. Mama nie ma kieszeni, tata trzyma w swoich ręce, więc na pewno nie ukryli tego na sobie. Wyjeżdżamy gdzieś. Dzisiaj jest środa. W czwartki tata ma spotkanie na terenie treningowym, a mama comiesięczne płukanie okrężnicy, bez którego z pewnością by ją rozsadziło, więc na pewno nie wyjedziemy do piątku. Czyli wyprawa weekendowa. Jakie miejsca są wystarczająco blisko?

– Rozmawialiśmy o tym już od jakiegoś czasu i uważamy...

Bla, bla, bla. Może Londyn? Ale rodzice często jeżdżą do Londynu, a poza tym już tam byłam. Wydają się tacy podekscytowani. Musi to być jakieś miejsce, do którego nie wybieramy się zbyt często. Paryż. Wystarczająco blisko, dużo atrakcji dla wszystkich. Mama może iść na zakupy, z tatą u boku, on będzie cichaczem kupował wszystko, co jej się spodobało, ale co uznała za zbyt drogie. A ja? Co ja będę robiła w Paryżu? Och, powiedzcie już wreszcie, o co chodzi. Wiem! Disneyland. Fajnie.

– Pozwolimy ci zgadywać trzy razy. – Mama niemal piszczy z podniecenia.

– O kurczę, mamo, to niemożliwe. Jak miałabym zgadnąć? – odpowiadam, usiłując odegrać zagubioną, nieco podenerwowaną i zdecydowanie podekscytowaną istotkę, która bardzo usilnie się nad czymś zastanawia. – Pojedziemy na weekend do cioci Rosaleen i wujka Arthura? – Nauczyłam się, że jeśli na początku będę celowała nisko, rodzice uradują się jeszcze bardziej na myśl o nadchodzącym szoku i zachwycie. Wymieniam jeszcze dwa beznadziejne miejsca, przyglądając się mamie, która wygląda, jakby za chwilę miała pęknąć z radości. Kochana mama.

– Jedziemy do Disneylandu w Paryżu! – wykrzykuje, podskakując na kanapie, a tata wyciąga broszurę, żeby pokazać mi, gdzie się zatrzymamy. Mama szuka emocji w mojej twarzy, bardziej pragmatyczny tata odczytuje listę rzeczy, które możemy zrobić, kupić, mieć. Popatrz tutaj, przerzuca stronę, o, i tutaj. Rzeczy, rzeczy, rzeczy. Nieważne, jak bardzo rodzice są przekonani, że nagroda dla dziecka będzie niespodzianką, ich pociechy wszystko wiedzą.

Wracając do meritum: pewnego wieczoru przed ich wyjściem urządziłam im niezłą awanturę. Rzucałam w nich przekleństwami nie po to, żeby wywołać u nich poczucie winy, ale dlatego, że w tamtej chwili tak właśnie o nich myślałam. Rodzice i tak wyszli, a mnie upiekło się tylko dlatego, że chyba czuli się winni, że mnie zostawili. Nauczyłam się wtedy, że niezależnie od tego, co powiem lub zrobię, rodzice i tak mnie zostawią. Zamiast więc siedzieć smutna i zażenowana z Mae, odepchnęłam ich od siebie. W ten sposób miałam wszystko pod kontrolą.

Na kilka tygodni przed śmiercią – może zresztą dłużej, ale nie jestem pewna – tata zachowywał się dziwnie. Nigdy z nikim nie rozmawiałam o tej sprawie. Pewnie w takich właśnie chwilach przydają się pamiętniki. Myślałam, że tata chce od nas odejść. Czułam, że coś się dzieje, ale nie mogłam odgadnąć, co to takiego. Był zadziwiająco miły. To znaczy, jak już mówiłam, dla mamy zawsze był miły, a dla mnie tylko wtedy, gdy zachowywałam się przyzwoicie. Tym razem jednak miałam wrażenie, jakby tata machał do mnie z progu. Ostatnie, długie pożegnanie. Zapadające w pamięć, bardzo miłe ostatnie wrażenie.

Ostatnie pożegnanie. Jak śmierć.

Czułam, że coś się święci. Albo to on miał odejść, albo my.

Nawet gdy po jego śmierci ludzie pytali o zmiany w zachowaniu taty, zachowałam taki sam niewinny i zagubiony wyraz twarzy jak mama: „Nie, nie, niczego nie zauważyłam". Właściwie to co miałam im powiedzieć? Że na tydzień przed śmiercią taty miałam wrażenie, że stoi w progu i macha nam na pożegnanie, nawet gdy już dawno zniknęłyśmy za horyzontem?

Czułam, że coś się stanie, i zrobiłam to, co zwykle – zaczęłam go od siebie odpychać. Zrobiłam się dla niego okropna, zachowywałam się paskudniej niż zazwyczaj, paliłam w domu, przychodziłam pijana i tym podobne. Znacznie częściej go też prowokowałam. Nasze kłótnie zrobiły się bardziej zacięte, moje dokuczanie bardziej personalne. Okropieństwo. Zrobiłam to, czego nauczyłam się w dzieciństwie, kiedy nie chciałam, żeby rodzice zostawiali mnie samą w domu. Powiedziałam, żeby się wynosił. Nienawidzę go za to, że właśnie wtedy zrobił to, co zrobił. Teraz przeżywam jego śmierć i jednocześnie nienawidzę siebie. Nie jestem w stanie dłużej tego wytrzymać. Czy nie mógł chociaż raz pomyśleć, jak ja się będę czuła, zwłaszcza po naszej ostatniej wymianie zdań? Pożegnałam go w najgorszy z możliwych sposobów, ale on też zachował się fatalnie. Może nie skończył ze sobą przeze mnie, ale z pewnością nie pomogłam mu odstąpić od tego pomysłu.

Czy mama też wiedziała, co się święci? Może tak, ale nigdy nic nie powiedziała. Jeżeli tego nie wyczuła, byłam jedyną osobą, która miała podejrzenia co do zamiarów taty. Powinnam była coś powiedzieć, albo jeszcze lepiej, coś zrobić, powstrzymać go.

Przepraszam, tato.

A jeśli, jeśli, jeśli... jeśli wiedzielibyśmy, jakie będzie nasze jutro, czy naprawilibyśmy je? Czy potrafilibyśmy to zrobić?

Rozdział 10

SCHODY DO NIEBA

Następnego poranka postanowiłam zjeść śniadanie z mamą w jej sypialni. Rosaleen chyba się tym niepokoiła, została bowiem w pokoju trochę zbyt długo, przestawiając meble, przygotowując dla nas nakrycie na stole przed oknem, poprawiając zasłony, otwierając okno, przymykając je, uchylając trochę, pytając, czy nie za bardzo wieje.

– Rosaleen, proszę – powiedziałam łagodnie.

– Tak, dziecko – odparła i zaczęła poprawiać poduszki na łóżku, zawijać kołdrę pod materac. Nie zdziwiłabym się, gdyby się okazało, że po włożeniu kołdry w powłoczkę liże jej brzeg i skleja jak kopertę.

– Nie musisz tego robić. Pościelę po śniadaniu – powiedziałam. – Idź na dół, do Arthura. Na pewno będzie chciał cię zobaczyć przed wyjściem do pracy.

– Przygotowałam mu lunch. Leży na szafce. Arthur wie gdzie. – Nie przestawała wygładzać i poprawiać, a kiedy okazywało się, że coś nie jest idealne, zaczynała od nowa.

– Rosaleen – powtórzyłam łagodnie.

Nie umiała się powstrzymać i rzuciła mi szybkie spojrzenie. Kiedy nasze oczy się spotkały, wiedziała, że ją przejrzałam. Koniec gry. Nadal jednak wpatrywała się we mnie wyzywająco. Nie sądziła, że to zrobię. Przełknęłam ślinę.

– Jeżeli byłabyś tak łaskawa, chciałabym spędzić trochę czasu z mamą. Sam na sam, bardzo proszę.

No i proszę, powiedziałam to. Dorosła Tamara przemówiła. Naturalnie odpowiedziało mi skrzywdzone spojrzenie, powolne odłożenie poduszek na łóżko i szept:

– Oczywiście.

Nie czułam się winna.

Wreszcie wyszła. Milczałam przez chwilę. Nie słyszałam trzeszczenia klepek na korytarzu i wiedziałam, że stanęła tuż za drzwiami, nasłuchiwała, pilnowała, ochraniała, a może więziła nas tutaj. Nie byłam pewna, co właściwie robiła. Czego się tak obawiała?

Zamiast usiłować wciągnąć mamę w rozmowę, tak jak to robiłam przez ostatni miesiąc, postanowiłam nie walczyć z jej milczeniem i po prostu posiedzieć z nią cierpliwie w ciszy, która najwyraźniej dobrze na nią działała. Co jakiś czas podawałam jej kawałek owocu, który brała i zaczynała gryźć. Przyglądałam się jej twarzy. Wyglądała na kompletnie zauroczoną, zupełnie jakby oglądała film na widocznym tylko dla niej wielkim ekranie ustawionym w ogrodzie. Jej brwi unosiły się i opadały, jakby reagowała na czyjeś słowa, uśmiechała się delikatnie. Jej twarz skrywała milion tajemnic.

Kiedy uznałam, że spędziłam z nią wystarczająco dużo czasu, pocałowałam ją w czoło i wyszłam. Pamiętnik, który przedtem tak dumnie tuliłam do piersi, teraz leżał schowany pod łóżkiem. Miałam wrażenie, że usiłuję ukryć wielki sekret. Muszę przyznać, że byłam podekscytowana, ale też nieco zakłopotana. Ani ja, ani moje przyjaciółki nie prowadziłyśmy pamiętników. Nie pisywałyśmy też do siebie w klasyczny sposób. Utrzymywałyśmy kontakt przez Twittera i Facebooka, publikując tam zdjęcia z wakacji, wieczornych wyjść, a nawet z przymierzalni ekskluzywnych sklepów, kiedy szukałyśmy opinii na temat sukienki, którą właśnie miałyśmy na sobie. Nieustannie wysyłałyśmy sobie wiadomości tekstowe, mailowałyśmy plotki i przesyłałyśmy łańcuszkowe listy, ale to wszystko było bardzo powierzchowne. Rozmawiałyśmy o rzeczach, które się widzi i których można dotknąć, o niczym więcej. Ani słowa o uczuciach.

Pamiętnik pasował bardziej do Fiony – dziewczyny z naszej klasy, do której nie odzywał się nikt oprócz Sabriny, drugiej outsiderki. Fiona często opuszczała zajęcia z powodu migreny czy czegoś w tym stylu. Znajdowała sobie cichy kąt, w którym mogła być sama – czy to w klasie, kiedy nie było nauczyciela, czy pod drzewem na boisku w porze lunchu, i siedziała tam z nosem zanurzonym w książkę lub pracowicie zapisując coś w notatniku. Kiedyś się z niej śmiałam, ale najwyraźniej ten się śmieje, kto się śmieje ostatni. Nikt nie wiedział, o czym pisała Fiona.

Było tylko jedno miejsce, gdzie mogłabym zacząć pamiętnik. Wyciągnęłam go spod łóżka i zbiegłam na dół, krzycząc:

– Rosaleen, wychodzę... – Moje klapki waliły w podłogę. Kiedy z hurgotem pokonałam ostatni schodek i zeskoczyłam z niego z gracją słonia, Rosaleen wyrosła tuż przede mną. – Jezu, Rosaleen! – Chwyciłam się za serce.

Przyjrzała mi się badawczo, dostrzegła pamiętnik i spojrzała mi w twarz. Otoczyłam książkę ramionami, upewniając się, że połowa jej jest ukryta pod sweterkiem.

– Gdzie idziesz? – spytała cicho.

– A... tu i tam.

Znów rzuciła okiem na pamiętnik. Nie mogła się powstrzymać.

– Mogę ci dać jakiś prowiant? Zamorzysz się z głodu. Zamorzysz się z głodu. Gorące słońce. Długie pożegnanie. Kompletnie martwy.

– Mam ciemny chleb, kurczaka, sałatkę z ziemniaków, pomidorki...

– Nie, dziękuję, ciągle jeszcze jestem pełna po śniadaniu. – Ruszyłam w stronę drzwi.

– Może jakieś owoce? – spytała nieco głośniej. – Albo kanapka z szynką. Jest jeszcze resztka surówki coleslaw...

– Rosaleen! Dziękuję, nie.

– No dobrze. – Kolejne zranione spojrzenie. – Bądź ostrożna. Nie odchodź daleko. Zostań na terenach zamkowych, w zasięgu wzroku.

Pod jej czujnym spojrzeniem.

– Nie idę przecież na wojnę – roześmiałam się. – Tylko na... spacer po okolicy.

Po pobycie w zamkniętej przestrzeni domu, gdzie wszyscy wiedzieli, gdzie kto jest, chciałam mieć kilka godzin swojego własnego czasu i przestrzeni.

– No dobrze – powiedziała.

– Nie martw się tak.

– Po prostu nie jestem pewna... – Spojrzała na podłogę, rozłożyła ręce i wygładziła sukienkę. – Czy twoja mama by się na to zgodziła?

– Mama? Mama pozwoliłaby mi polecieć na księżyc, żeby mieć z głowy mnie i moje narzekanie.

Nie jestem pewna, czy to, co pojawiło się na twarzy Rosaleen, było wyrazem ulgi. Chyba bardziej zmartwienia. Nagle zrozumiałam parę rzeczy i rozluźniłam się. Rosaleen nie była matką, ale nagle w swoim cichym domu musiała zacząć matkować nie tylko mnie, ale też mojej mamie, która przełączyła się na stan uśpienia.

– Ach, rozumiem – powiedziałam łagodnie. Wyciągnęłam dłoń i dotknęłam Rosaleen. Zesztywniała tak bardzo, że szybko się wycofałam. – Nie musisz się o mnie martwić. Rodzice pozwalali mi chodzić i jeździć, gdzie tylko chciałam. Czasem przez cały dzień siedziałam u moich przyjaciółek. Raz nawet pojechałyśmy z jedną z nich do Londynu na cały dzień. Jej tata ma prywatny odrzutowiec, naprawdę super. Tylko sześć siedzeń, wszystko wyłącznie dla mnie i Emily. To ta dziewczyna, która ma samolot. Potem na siedemnaste urodziny jej rodzice pozwolili nam lecieć do Paryża. Chociaż wtedy pojechała z nami starsza siostra Emily, żeby mieć na nas oko. Miała dziewiętnaście lat, chodziła do college'u i w ogóle.

Rosaleen słuchała z natężeniem. Zbyt gorliwie, zbyt strachliwie, zbyt szybko i z niezwykłą desperacją.

– Och, czy to nie cudownie! – wykrzyknęła. Jej oczy były głodne słów, które wydobywały się z moich ust. Niemal widziałam, jak pochłania je w chwili, gdy je wypowiadałam. – Niedługo masz urodziny. Czy takich właśnie prezentów oczekujesz? – Rozejrzała się po korytarzu stróżówki, jakby mógł się tu ukryć jakiś samolot. – Nie sądzę, żebyśmy byli w stanie zapewnić ci...

– Nie, nie, to nie o to chodzi – uspokoiłam ją szybko. – Nie po to ci opowiedziałam tę historię. Po prostu... nieważne, Rosaleen. – Przepchnęłam się obok niej w kierunku wyjścia. – Lepiej już pójdę. I dzięki. – Ostatnią rzeczą, jaką zobaczyłam, zanim zamknęły się za mną drzwi, był jej zatroskany wzrok, jakby obawiała się, że powiedziała coś niewłaściwego. Może martwiła się o to, co mogą, a czego nie mogą mi zaoferować.

Moje dawne życie dało mi chyba więcej, niż sobie życzyłam. Niczym zdesperowany kochanek obiecywało mi gwiazdki z nieba, chociaż wiedziało, że nie będzie mi ich w stanie zapewnić. A ja głupio w to wierzyłam. Kiedyś myślałam, że lepiej jest mieć za dużo niż za mało. Teraz uważam, że jeżeli „za dużo" nigdy nie powinno należeć do ciebie, powinno się wziąć od życia tylko, co rzeczywiście jest twoje, i zwrócić całą resztę. Oddałabym wszystko za prostotę Arthura i Rosaleen. Gdybym była jak oni, nigdy nie musiałabym oddawać rzeczy, które kochałam.

Kiedy szłam przez ogród, zobaczyłam listonosza zbliżającego się do domu. Podekscytowana widokiem kogoś nowego, przywitałam go promiennym uśmiechem.

– Hej – zatrzymałam się na środku dróżki do drzwi stróżówki, blokując mu przejście.

– Witam, panienko.

Dotknął daszka czapki. Pomyślałam, że to bardzo staroświecki, ale niezwykle miły gest.

– Jestem Tamara – wyciągnęłam do niego rękę.

– Miło mi cię poznać, Tamaro. – Pomyślał, że chcę wziąć od niego pocztę, więc wsunął mi w dłoń kilka kopert. Za moimi plecami otworzyły się drzwi i z domu wybiegła Rosaleen.

– Dzień dobry, Jack – zawołała, maszerując dziarsko ścieżką. – Wezmę je. – Niemal wyrwała mi listy z ręki. – Dziękuję, Jack. – Spojrzała na niego surowo, wpychając koperty do kieszeni fartucha niczym matka kangurzyca.

– Ach. – Listonosz pochylił głowę, jakby przed chwilą go skarcono. – Te są naprzeciwko. – Podał jej kolejne kilka listów, a potem odwrócił się na pięcie, wskoczył na rower i odjechał.

– Nie zamierzałam ich zjeść – powiedziałam do Rosaleen, nieco urażona.

Roześmiała się i weszła do środka. To wszystko robiło się coraz ciekawsze.

Było tylko jedno miejsce, gdzie mogłam zacząć pisać pamiętnik. Kiedy wędrowałam w kierunku zamku, czułam rozgrzany asfalt pod cienkimi podeszwami klapek. Uśmiechnęłam się, kiedy drzewa rozstąpiły się przede mną niczym kurtyna, ukazując najważniejszą scenę.

– Witaj znowu – powiedziałam.

Spacerowałam po komnatach zamku z nowym szacunkiem. Nie mogłam uwierzyć, że pożar dokonał wszystkich tych zniszczeń. Nie było tu nic, absolutnie nic, co sugerowałoby, że ktoś tutaj mieszkał w ostatnim stuleciu. Żadnych kominków na ścianach, żadnej terakoty, tapet, tylko gołe cegły, chwasty i schody, które pięły się na nieistniejące drugie piętro. Pięły się do wysokiego błękitu, jakby jednym skokiem z nich można było sięgnąć chmur. Schody do nieba.

Usadowiłam się u ich stóp i położyłam pamiętnik na kolanach. Zaczęłam bawić się masywnym długopisem, który ukradłam z biurka Arthura. Wpatrywałam się w zamkniętą księgę, zastanawiając się, co w niej napisać. Pragnęłam, żeby moje pierwsze słowa coś znaczyły, nie chciałam popełnić błędu. Wreszcie wymyśliłam początek i otworzyłam pamiętnik.

Opadła mi szczęka. Na pierwszej stronie już coś było napisane... moim charakterem pisma.

Wstałam, przestraszona, zesztywniała. Pamiętnik zsunął mi się z kolan na kamienne schody, a potem na podłogę. Rozejrzałam się szybko, czując, jak wali mi serce. Czy to jakiś okrutny żart? Kruszące się ściany wpatrywały się we mnie w milczeniu. Nagle dostrzegłam poruszenie i usłyszałam odgłosy, które wcześniej do mnie nie docierały. Krzewy i wysokie chwasty szeleściły, kamienie przesypywały się ze stukotem, za plecami usłyszałam odgłosy kroków, ale nikt nie pojawił się w polu widzenia. To tylko twór mojej wyobraźni. Może wypełnione strony pamiętnika również sobie wyobraziłam.

Odetchnęłam głęboko kilka razy i schyliłam się po księgę. Skóra oprawy była zakurzona i ubrudzona. Wytarłam ją o spodenki. Pierwsza strona oddarła się podczas upadku, ale zapiski na niej nie były tworem mojego umysłu.

Nadal je widziałam, na pierwszej, drugiej i na kolejnych stronach, które nerwowo przerzucałam. Wszystkie zapisane moim charakterem pisma.

To niemożliwe. Porównałam datę na górze strony z datą na moim zegarku. Zapiski były z dnia jutrzejszego. Z soboty. Dzisiaj był piątek. Chyba zepsuł mi się zegarek. Natychmiast pomyślałam o Rosaleen, o tym, jak spojrzała dziś na pamiętnik. Czy to ona napisała to wszystko? Nie, nie mogła. Przecież ukryłam księgę pod łóżkiem. Poczułam zawroty głowy. Usiadłam na schodach i przeczytałam wstęp. Wzrokiem przeskakiwałam od słowa do słowa, panicznie, gorączkowo. Musiałam kilka razy wracać do początku, bo nic nie rozumiałam.

Sobota, 4 lipca

Drogi pamiętniku!
Czy to właśnie powinno się pisać na początku? Nie mam w tym względzie żadnego doświadczenia i czuję się wprost nieopisanie głupio. No dobrze, drogi pamiętniku. Nienawidzę swojego życia.
Oto esencja moich przemyśleń. Mój tata się zabił, straciliśmy dom i wszystko, co mieliśmy. Ja straciłam swoje dawne życie, a moja mama rozum. Teraz mieszkamy w zapadłej dziurze z dwojgiem socjopatów. Kilka dni temu spędziłam popołudnie z naprawdę przystojnym chłopakiem, Marcusem, który jest wiceprezesem firmy „Idioci Ltd", czyli biblioteki objazdowej. Dwa dni temu poznałam zakonnicę, która hoduje pszczoły i otwiera zamki wytrychem. Wczoraj większość dnia spędziłam, siedząc w ruinach...

Słowo „ruinach" zostało przekreślone, obok zaś widniało:

...zamku na schodach do nieba. Miałam ochotę wspiąć się na nie i wskoczyć na chmurę, która mogłaby mnie stąd unieść w dal. Teraz jest noc i siedzę w sypialni. Piszę ten idiotyczny pamiętnik, bo namówiła mnie do tego siostra Ignacjusz. Tak, to zakonnica, a nie transwestyta, jak myślałam na początku.

Westchnęłam i uniosłam wzrok znad zapisanej strony. Jak to możliwe? Rozejrzałam się w poszukiwaniu odpowiedzi. Chciałam pobiec do domu i opowiedzieć wszystko mamie, Rosaleen, zatelefonować do Zoey i Laury, ale kto by mi uwierzył? A jeśli nawet, to jak niby mieli mi pomóc?

Zamek trwał w tak kompletnym bezruchu, że perfekcyjnie krągłe, cherubinowo białe chmury wydawały się pędzić na niebie z prędkością stu kilometrów na godzinę. Od czasu do czasu słyszałam szelest roślin, w powietrzu unosiły się nasiona dmuchawców, drażniąc się ze mną, kusząc, żebym je złapała, dryfując blisko mnie, żeby za chwilę oddalić się z podmuchem wiatru. Zaczerpnęłam powietrza w płuca i uniosłam twarz ku gorącemu słońcu. Zamknęłam oczy i westchnęłam. Naprawdę uwielbiałam tutaj być. Otworzyłam oczy i wróciłam do lektury. Włosy zjeżyły mi się na karku.

Uwielbiam być w zamku. Powinien wydawać mi się brzydki, ale wcale nie jest. Zupełnie jak Jessie Stevens ze swoim złamanym nosem i uszami jak kalafiory od grania w rugby. Powinien wydawać się brzydki, ale wcale nie jest. Szkoda, że nie zaczęłam wcześniej tego cyrku z pisaniem pamiętnika. Nie mogłam się wypowiedzieć podczas pobytu u Zoey, bo obie z Laurą ciągle gadały o chodzeniu bez gaci. W każdym razie... mama nadal nie wyszła ze swojego pokoju. Ja, chociaż najchętniej zwinęłabym się w kłębek i umarła (po wczorajszym zmoknięciu dopadło mnie jakieś przeziębienie), postanowiłam zjeść śniadanie w ogrodzie za domem, pod dębem. Wiedziałam, że mama mnie tam zobaczy. Rozłożyłam błękitny kaszmirowy pled, który wzięłam z sypialni, i położyłam na nim miskę z kawałkami owoców. Smakowały jak tektura. Nie byłam głodna i całą energię poświęciłam próbie telepatycznego wyciągnięcia mamy na zewnątrz. Usiłowałam wyglądać beztrosko. Leżałam, podpierając się łokciami, ze skrzyżowanymi w kostkach nogami, rozglądając się, jakbym nie miała żadnych zmartwień. Próba zwabienia jej do ogrodu nie powiodła się. Pomyślałam, że gdyby zażyła nieco świeżego powietrza, rozejrzała się trochę, odwiedziła zamek, może zobaczyłaby to samo, co ja i obudziła się z transu. Jestem pewna, że nie chciałaby, aby życie przeciekało jej przez palce. Dopiero kiedy wyjdzie się na świat i poczuje, że czas ucieka, zaczyna się rozumieć, że trzeba się poddać biegowi rzeczy.

Nie wiem, dlaczego Rosaleen i Arthur nie robią więcej, żeby jej pomóc. Śniadanie, lunch i obiad nawet w tych olbrzymich porcjach nie uleczą jej, podobnie jak cisza. Powinnam znów o tym porozmawiać z Rosaleen, a może nawet z Arthurem. W końcu jest bratem mamy, powinien jej jakoś pomóc. Tymczasem poza dziwacznym przywitaniem, po naszym przyjeździe, nie powiedział do niej ani słowa. To bardzo dziwne.

Po wczorajszym deszczu...

W tej właśnie chwili uzyskałam pewność, że to jakiś idiotyzm. Był najpiękniejszy letni słoneczny dzień. Nie zanosiło się na żaden deszcz. Czytałam dalej, z uniesionymi niedowierzająco brwiami, wiedząc już, że ktoś sobie ze mnie robi żarty. W każdej chwili oczekiwałam, że zza pokruszonych kolumn wyskoczy Zoey lub Ashton Kutcher.

... jestem naprawdę przeziębiona. Rosaleen opatuliła mnie we wszystkie ciepłe rzeczy, jakie miała w domu, posadziła przed kominkiem i siłą wlała we mnie rosół z kury. Straciłam pół dnia na pocenie się przed paleniskiem i przekonywanie jej, że wcale nie umieram. Kazała mi okryć sobie głowę ręcznikiem i podetknęła pod nos miskę z gorącą wodą i kroplami Vick, żeby przeczyścić mi nos. Podczas inhalacji, chociaż głośno pociągałam nosem, daję słowo, że usłyszałam dzwonek do drzwi. Rosaleen zapewniła mnie, że tylko mi się zdawało. Powinnam się zgodzić na propozycję siostry Ignacjusz, żeby osuszyć się w jej domu. W końcu klasztor nie może być taki znowu straszny?

Jutro zamierzam uniknąć kolejnego ataku serca z przejedzenia i zamiast śniadania, znaleźć spokojne miejsce na spisanie wszystkiego. Pewnie skończę, opalając się na łące w kostiumie kąpielowym. Bażanty będą miały na co się pogapić. Może nie będzie aż tak źle. Wystarczy zamknąć oczy, żeby się znaleźć, gdzie tylko się wymarzy. Położę się na brzegu jeziora i wyobrażę sobie, że jestem przy basenie w Marbelli, a pluskanie łabędzi to odgłosy wydawane przez kąpiącą się mamę. Zawsze lubiła leżeć na brzegu basenu, koło filtrów, a nie tak, jak wszyscy inni, na leżaku. Dłoń opuszczała do wody i pluskała cicho wodą. Brzmiało to tak, jakby dziecko chodziło po płytkiej wodzie. Może chciała się w ten sposób ochłodzić, albo po prostu lubiła ten odgłos. Mnie też się podobał, chociaż z jakiegoś powodu zawsze mówiłam jej, żeby przestała. Cokolwiek, byle przerwać ciszę, sprawić, żeby otworzyła oczy i spojrzała na mnie.

Kto mógł to wiedzieć? Tylko mama.

Może zacznę się opalać na trawniku, kiedy Arthur będzie go kosił, w nadziei, że po mnie też się przejedzie. Jeżeli mnie nie zabije, oszczędzi mi przynajmniej bólu depilacji całego ciała.

Właściwie to Arthur wcale nie jest taki najgorszy. Nie mówi zbyt wiele i w ogóle nieczęsto reaguje, ale czuję od niego dobre wibracje. Rosaleen też nie jest zła, po prostu muszę ją jeszcze rozgryźć. Dzisiaj podczas obiadu (była zapiekanka pasterska, pychota!), kiedy oznajmiłam jej, że spędziłam czas z siostrą Ignacjusz, zareagowała bardzo nietypowo. Powiedziała, że zakonnica odwiedziła ją rano i nic nie wspomniała o spotkaniu. Pewnie rozmawiały ze sobą, kiedy brałam prysznic. Wiele bym dała, żeby usłyszeć tę konwersację. Potem Rosaleen co rusz wypytywała mnie, o czym rozmawiałam z siostrą Ignacjusz. Naprawdę, nie odpuściła ani na chwileczkę. Nawet Arthur się trochę zniecierpliwił. Czy Rosaleen uznała, że skłamałam? Naprawdę, to było bardzo dziwne. Żałowałam, że opowiedziałam jej, czego dowiedziałam się o zamku. Teraz już wiem, że jeśli będę chciała się czegoś dowiedzieć, informacja nie może pochodzić od niej. Przypuszczam, że Rosaleen i Arthur po prostu są inni. A może to ja jestem inna. Nigdy wcześniej nie myślałam o tym w ten sposób. Może zawsze to byłam ja.

W razie gdybym miała umrzeć z odwodnienia i ktoś znajdzie ten pamiętnik, powinnam wspomnieć, że co noc płaczę. Cały dzień (z wyjątkiem zdarzenia z muchą i epizodów w ruinach zamku) udaję prawdziwą twardzielkę, ale gdy wieczorem kładę się do łóżka i leżę nieruchomo w ciemności, świat zaczyna wirować wokół mnie. Wtedy płaczę, czasem bardzo długo, aż poduszka robi się mokra. Łzy staczają się z kącików oczu do uszu, na szyję i za piżamę. Pozwalam im. Jestem tak przyzwyczajona do płakania, że czasem w ogóle tego nie zauważam. Czy to ma sens? Przedtem płakałam, kiedy się przewróciłam i coś mnie zabolało albo dlatego, że pokłóciłam się z tatą. Czasem, kiedy kompletnie się upiłam i najgłupsza rzecz sprawiała mi przykrość. Teraz jest inaczej, płaczę, bo jestem smutna. Czasem zaczynam i przestaję, kiedy udaje mi się na chwilę przekonać samą siebie, że wszystko będzie dobrze. Potem jednak przekonuję się, że wcale sobie nie wierzę, i zaczynam od nowa.

Dużo śnię o tacie. Rzadko pojawia się jako on. Zazwyczaj stanowi mieszaninę twarzy innych ludzi. Najpierw jest sobą, a potem zmienia się w nauczyciela Zaca Efrona lub przypadkową osobę, którą widziałam może raz w życiu, jak na przykład w miejscowego księdza. Ludzie często mówią, że gdy śnią o ukochanej osobie, wydaje im się to bardzo realne, jakby ten człowiek rzeczywiście stał obok, mówił do nich albo ich przytulał. Mówi się, że sny są mglistą granicą między tym a tamtym światem, coś jak pokój odwiedzin w więzieniu. Obie osoby są w tym samym pomieszczeniu, ale jednocześnie po różnych stronach, w zupełnie innych światach. Kiedyś sądziłam, że ludzie, którzy opowiadają takie rzeczy, to szaleńcy albo dewoci. Teraz wiem, że to kolejna z wielu rzeczy, co do których się myliłam. Nie ma nic wspólnego z religią ani ze zdrowiem psychicznym. To zwykły ludzki instynkt, który nakazuje, aby nade wszystko mieć nadzieję. No, chyba że się jest cynicznym draniem. To się wiąże z miłością lub z utratą ukochanej osoby. Część osobowości zostaje wtedy rozdarta i człowiek czuje, że mógłby zrobić niemal wszystko, by na powrót stać się jednością. To nadzieja, że kiedyś znów zobaczy się ukochaną osobę, że będzie można poczuć jej bliskość. Taka nadzieja wcale nie czyni z nas słabych istot, chociaż kiedyś właśnie tak myślałam. To brak nadziei pozbawia siły. Nadzieja czyni nas silniejszymi, ponieważ przynosi ze sobą zrozumienie i cel. Nadzieja daje nam słowo „może". „Może pewnego dnia życie przestanie być takie okropne". I w ten sposób „może" natychmiast czyni życie lepszym.

Myślałam, że z wiekiem stajemy się bardziej cyniczni. Ja? Ja urodziłam się i od razu zaczęłam się rozglądać po szpitalnym pokoju, z niepokojem popatrzyłam na otaczające mnie twarze. Od razu wiedziałam, że ten nowy scenariusz jest całkowicie do dupy i lepiej by mi było z powrotem wewnątrz mamy. Od pierwszego dnia miałam takie nastawienie. Gdziekolwiek byłam, nie podobało mi się tam. Wszystkie inne miejsca, do których zawitałam w przeszłości, wydawały mi się o niebo lepsze. Dopiero teraz uderzyła mnie rzeczowość życia i zaczęłam spoglądać przed siebie. Na zewnątrz.

Naukowcy uważają, że zawsze spoglądają na zewnątrz problemu, ale to nieprawda. Sądzą, że tylko uczuciowi ludzie zwracają się do swojego wnętrza, ale to też nieprawda. Myślę, że najlepszymi naukowcami są ci, którzy umieją patrzeć w obu kierunkach.

Pomimo wszystkiego, co tu powiedziałam, wiem, że to nie tata pojawia się w moich snach. Nie ma żadnej tajnej wiadomości do przekazania ani też uczucia, które chce mi ofiarować. Nie czuję, że tata jest tu ze mną, w Kilsaney. Miewam zwykłe mgliste sny bez znaczenia i bez proroczych scen. Są odbiciem fragmentów mojego dnia, połamanych niczym układanka i rozrzuconych w powietrzu. Wiszą nad moją głową bezładnie, bezcelowo i bezsensownie. Zeszłej nocy śniłam o tacie, który zmienił się w mojego nauczyciela angielskiego, a ten z kolei w jakąś kobietę. Wszyscy mieliśmy darmowe zajęcia i musiałam zaśpiewać publicznie, ale kiedy otwierałam usta, nie wydobywał się z nich żaden dźwięk. Potem szkoła nagle przeniosła się do Ameryki, ale nikt nie mówił tam po angielsku i nie mogłam zrozumieć ani słowa. Na koniec zamieszkałam na łodzi. Dziwne. Obudziłam się, kiedy Rosaleen upuściła w kuchni garnek. Może siostra Ignacjusz miała rację? Może ten pamiętnik mi pomoże? Siostra Ignacjusz to zabawna kobieta. Od kiedy poznałam ją dwa dni temu, nie mogę przestać o niej myśleć.

Wczoraj. Poznałam ją zaledwie wczoraj.

Lubię ją. To pierwsza rzecz tutaj, jaką polubiłam... no dobrze, druga. Pierwszy był zamek. Wczoraj, kiedy go odwiedzałam, zaczęło padać. Widziałam Rosaleen idącą w moim kierunku z płaszczem w ręku i zrobiło mi się jej żal, ale musiałam pobiec w przeciwną stronę. Nie chciałam, żeby znalazła mnie w zamku. Nie chciałam, aby przekonała się, że zgadła, gdzie jestem. Nie życzyłam sobie, żeby cokolwiek o mnie wiedziała. Nie miałam pojęcia, dokąd biegnę. Padało naprawdę nieźle, żaden tam letni deszczyk, tylko porządna ulewa. Byłam przemoczona do suchej nitki, ale poruszałam się jak na autopilocie. Moje ciało po prostu przełączyło się na bieganie. Nagle uświadomiłam sobie, że bezwiednie skierowałam się do ogrodu za murem. Siostra Ignacjusz stała w cieplarni, czekając, aż przestanie padać. Dała mi zapasowy kombinezon pszczelarski. Powiedziała, że czuła, iż tu wrócę.

Ponieważ poprzedniego dnia zakłóciłam jej pracę, nie mogła później wrócić i dokończyć sprawdzania uli. Miała inne obowiązki: modlitwę i takie tam. Wczoraj pokazała mi wnętrze uli. Zaznaczyła królową markerem, żebym wiedziała, która to. Wskazała mi robotnice, trutnie, a potem zademonstrowała, jak używać podkurzacza. Obserwowanie tego wszystkiego wywołało u mnie zawroty głowy. Stało się ze mną coś dziwnego. Siostra Ignacjusz niczego nie zauważyła. Musiałam wyciągnąć rękę i oprzeć się o mur, żeby nie osunąć się na ziemię. Czułam się wtedy naprawdę dziwnie. Siostra Ignacjusz poprosiła mnie o pomoc w zbieraniu miodu w przyszłym tygodniu. Potem, kiedy miód powędrowałby do słoików, siostra miała zanieść je na targ. Byłam tak skoncentrowana na oddychaniu, że powiedziałam „nie". Chciałam się tylko stąd wydostać. Szkoda, że nie powiedziałam jej, że źle się czuję. Wydawała się bardzo rozczarowana i teraz jest mi z tego powodu przykro. Poza tym powinnam się wybrać na ten targ, zobaczyć jakieś nowe twarze. Dostaję tutaj kręćka, widując co dzień te same twarze. Poza tym chcę się przekonać, czy inni będą się wpatrywać w Rosaleen i Arthura tak, jak ci ludzie sprzed pubu. Musieli coś przeskrobać, żeby zasłużyć na takie spojrzenia. Może organizowali jakieś orgie seksualne. Obrzydliwe.

Siedzę teraz i piszę oparta o drzwi mojej sypialni, ponieważ nie chcę, żeby Rosaleen tu weszła. Im mniej wie o pamiętniku, tym lepiej. I tak usiłuje się dowiedzieć, co kombinuję. Nie mogę ryzykować, że pozna moje najintymniejsze myśli. Muszę ukrywać księgę. Przy fotelu w rogu pokoju jest interesująca luźna klepka. Może zbadam ją dokładniej pod wieczór.

Mama znowu się wyłączyła, zaraz po zjedzeniu obiadu. Przez ostatnie dwa dni dużo spała. Tym razem zdrzemnęła się na fotelu. Chciałam ją obudzić i położyć do łóżka, ale Rosaleen mi nie pozwoliła. Zamierzam pisać pamiętnik, dopóki nie usłyszę chrapania Arthura. Wtedy będę mogła bez ryzyka zobaczyć, co z mamą.

Skoro chwilowo znajduję się w bezpiecznych ścianach domu, chcę wspomnieć o dziwacznym wrażeniu, jakiego doznałam wczoraj rano, w zamku. Zupełnie jakby ktoś tam był, przyglądał mi się. To był bardzo słoneczny poranek, do chwili, kiedy ta idiotyczna deszczowa chmura pojawiła się nagle tuż nad moją głową. Siedziałam na schodach, trzymając pamiętnik na kolanach, i zastanawiałam się, co mam napisać na początku. Ponieważ nic nie przychodziło mi do głowy, zaczęłam się opalać. Nie wiem, jak długo miałam zamknięte oczy, ale żałuję teraz, że nie trzymałam ich otwartych. Ktoś tam był, wiem to.

Napiszę więcej jutro.

Skończyłam czytać i rozejrzałam się dookoła. Serce biło mi w piersi tak głośno, że aż słyszałam dudnienie w uszach. Oddychałam gwałtownie i płytko. To zdarzyło się teraz. Napisałam o mnie w tej chwili.

Nagle poczułam na sobie spojrzenie tysiąca oczu. Wstałam i zbiegłam ze schodów, potykając się o ostatni i wpadając na ścianę. Otarłam sobie wnętrze obu dłoni i prawe ramię. Pamiętnik znów upadł na ziemię. Zaczęłam go szukać na ślepo wśród chwastów. Kiedy go chwyciłam, coś miękkiego i futrzanego otarło się o moją dłoń. Wrzasnęłam i odskoczyłam. Ruszyłam biegiem do sąsiedniego pokoju. Nie było tu żadnych dodatkowych wyjść i wyjątkowo wszystkie cztery ściany stały nienaruszone. Poczułam na skórze kilka kropel, a potem więcej i więcej. Podeszłam do dziury w murze, która kiedyś była oknem, i zaczęłam się wspinać. Dostrzegłam Rosaleen idącą szybko drogą z płaszczem przeciwdeszczowym w ręku. Minę miała chmurną, a jedną dłoń trzymała nad głową, jakby to miało ochronić ją przed zmoknięciem.

Czym prędzej pobiegłam do drugiego okna wychodzącego na tyły zamku. Wspięłam się na kamienny parapet, ocierając sobie przy tym kolana. Zeskoczyłam na cementowe podłoże po drugiej stronie. Poczułam ból rozchodzący się od stóp na całe nogi. Dostrzegłam Rosaleen zbliżającą się do zamku. Odwróciłam się i zaczęłam biec.

Nie miałam pojęcia, dokąd zmierzam. Moje ciało poruszało się jak na autopilocie. Dopiero kiedy dotarłam do ogrodu za murem, przemoczona do suchej nitki, przypomniałam sobie opis z pamiętnika i przeszedł mnie dreszcz. Całe moje ciało pokryło się gęsią skórką.

Stałam w wejściu, przerażona i roztrzęsiona. Moją uwagę przyciągnął nagle biały kształt za matowym szkłem cieplarni. Potem drzwi do budynku otworzyły się i stanęła w nich siostra Ignacjusz z zapasowym kombinezonem pszczelarskim w ręku.

– Wiedziałam, że wrócisz – zawołała, spoglądając na mnie błyszczącymi zawadiacko niebieskimi oczami.

Rozdział 11

NIE MA DYMU BEZ OGNIA

Dołączyłam do siostry Ignacjusz w cieplarni. Stałam obok niej zesztywniała i wstrząśnięta, zgarbiona, jakbym chciała się schować w sobie, niczym żółw w skorupie. Ściskałam pamiętnik tak mocno, że aż pobielały mi kostki.

– Och, biedactwo – zawołała radośnie i beztrosko. – Wyglądasz jak zmokła kura. Niech cię wysuszę...

– Nie dotykaj mnie.

Odsunęłam się od niej szybko. Stałam teraz odwrócona do niej bokiem, ale od czasu do czasu rzucałam jej szybkie spojrzenia przez ramię.

– Co się stało, Tamaro?

– Nie udawaj, że nie wiesz.

Szybko spojrzałam na nią przez ramię. Jej oczy zwęziły się na chwilę, a potem rozszerzyły, jakby coś zauważyła albo zrozumiała. Wyglądała jak ktoś przyłapany na gorącym uczynku.

– Przyznaj się.

– Tamaro – zaczęła, a potem przerwała, jakby nie mogła znaleźć odpowiednich słów. – Tamaro, spójrz na mnie. Ja...

pozwól mi wyjaśnić... powinnyśmy pójść gdzieś indziej, żeby porozmawiać. Nie tutaj. Nie w cieplarni. Nie w twoim obecnym stanie.

– Nie. Najpierw chcę usłyszeć, że się do wszystkiego przyznajesz.

– Tamaro, naprawdę uważam, że powinnyśmy wejść do środka i...

– Przyznaj się, że to napisałaś! – wrzasnęłam.

Na jej twarzy natychmiast pojawił się wyraz całkowitego niezrozumienia.

– Nie rozumiem. Przyznać się do napisania czego?

– Pamiętnika – wybuchłam, podtykając go jej pod nos. Szaleńczo przerzucałam kolejne strony. – Zobacz, jest już zapisany. Ukryłam go w swojej sypialni i dzisiaj rano przyniosłam ze sobą do zamku, żeby zacząć pisać, tak jak mi poradziłaś. Popatrz. Jak to zrobiłaś?

Podetknęłam jej otwarty pamiętnik pod nos, mokrymi dłońmi rozmazując atrament na kolejnych stronach. Siostra Ignacjusz zamrugała gwałtownie, usiłując skoncentrować się na zapiskach.

– Tamaro, uspokój się, nic nie widzę, robisz to za szybko.

Zaczęłam kartkować książkę jeszcze szybciej. Siostra wyciągnęła ręce i chwyciła mnie za nadgarstki.

– Tamaro – powiedziała rozkazująco. – Przestań!

Podziałało. Odebrała mi pamiętnik i otworzyła na pierwszej stronie. Przeczytała kilka pierwszych linijek tekstu.

– Nie powinnam tego przeglądać. To twoje prywatne przemyślenia.

– To nie ja je napisałam.

Wiedziałam już wtedy, że ona też tego nie zrobiła. Nigdy nie potrafiłaby udać tak dobrze zdziwienia i niezrozumienia.

– W takim razie... kto?

– Nie wiem. Popatrz na datę na pierwszej stronie.

– Jutrzejsza.

– Niektóre z opisanych tutaj rzeczy mają się zdarzyć jutro.

Deszcz walił z mocą w szyby i wydawało się, że za chwilę rozbije którąś z nich.

– Skąd to wszystko wiesz, skoro dzień jutrzejszy jeszcze nie nadszedł?

Głos siostry złagodniał, jakby usiłowała przekonać pacjenta zakładu psychiatrycznego, żeby odłożył nóż. Może zresztą tak było, tyle że ja nie wzięłam noża sama. Ktoś włożył mi go w dłoń. To nie była moja wina.

– Może wstałaś w środku nocy i sama to napisałaś? Może byłaś bardzo zmęczona i nie pamiętasz, co zrobiłaś? Często, kiedy jesteśmy w półśnie, robimy dziwne rzeczy. Mnie na przykład zdarza się, że chodzę po domu, szukając różnych rzeczy, których nie mogłam wcześniej znaleźć, przestawiam rozmaite przedmioty i tym podobne. Potem, kiedy budziłam się nad ranem, zawsze znajdowałam to, czego szukałam. Taka już jestem pokręcona – zachichotała.

– To nie to samo – odparłam cicho. – Napisałam o rzeczach, które zdarzyły się dzisiaj, a ja nie mogłam o tym wiedzieć. Deszcz, Rosaleen i płaszcz, ty...

– Co ze mną?

– Napisałam, że tutaj będziesz.

– Zawsze tu jestem, Tamaro, wiesz o tym dobrze.

Siostra Ignacjusz mówiła i mówiła, usiłowała podać mi racjonalne wytłumaczenie, opowiedziała historię o tym, jak kiedyś w nocy poszła do pokoju siostry Mary, podobno szukając rękawiczek ogrodniczych, ponieważ śniło jej się, że sadziła rzepę. Przestraszyła siostrę Mary na śmierć. Wyłączyłam się. Jakim cudem zapisałam pięć stron i nic z tego nie pamiętałam? Jak mogłam przewidzieć deszcz i pojawienie się Rosaleen z płaszczem? Skąd wiedziałam, że siostra Ignacjusz czekała na mnie w cieplarni z zapasowym kombinezonem pszczelarskim?

– Czasem nasze umysły robią dziwne rzeczy, Tamaro. Kiedy czegoś szukamy, nasza myśl podąża wybraną przez siebie ścieżką. Możemy jedynie poddać się jej.

– Ale ja niczego nie szukam.

– Naprawdę? Ach, wreszcie przestało padać. Powiedziałam ci, że tak będzie. Może pójdziemy do domu, wysuszymy cię i nakarmimy czymś ciepłym? Wczoraj zrobiłam zupę z własnych warzyw. Doskonale się teraz przyda, jeżeli tylko siostra Mary nie wyssała całej przez słomkę. Wczoraj upadła jej na ziemię sztuczna szczęka, a siostra Piotr Regina niechcący na nią nadepnęła. Od tamtej chwili siostra Mary wszystko je przez rurkę. – Zakryła usta. – Przepraszam, nie powinnam się śmiać.

Zamierzałam zaprotestować, ale przypomniałam sobie moje komentarze z pamiętnika o przeziębieniu. Może zdołam zmienić to, co miało się zdarzyć? Ruszyłam za siostrą przez ogród i sad.

Dom siostry Ignacjusz był taki jak ona. Surowy, bez zbędnych ozdób, stary tak na zewnątrz, jak wewnątrz. Weszliśmy od tyłu na mały korytarzyk wypełniony kaloszami, płaszczami przeciwdeszczowymi, parasolkami, kapeluszami i wszelkimi innymi gadżetami na każdą pogodę. Korytarz z nierówną, popękaną kamienną podłogą prowadził do kuchni urządzonej jeszcze w latach siedemdziesiątych. Szafki z laminatu, linoleum na podłodze, plastikowe powierzchnie robocze, kolor awokado i przyciemniona pomarańcza w każdym możliwym miejscu. Żywcem wyjęte z epoki ogarniętej obsesją przenoszenia tego, co na zewnątrz, do wnętrza. Na środku stał długi sosnowy stół z dwiema ławkami po obu stronach. Pożywiłaby się przy nim cała rodzina Waltonów z serialu telewizyjnego. Z pokoju przyległego do kuchni dobiegała nas głośna muzyka. Brązowy dywan w dziwne zawijasy kończył się przed wielkim telewizorem na stelażu odstającym od ściany prawie na metr. Z jego szczytu, zasłaniając nieco ekran, opadała różowa koronkowa serwetka, na której stała figurka Matki Bożej. Na ścianie powyżej wisiał prosty drewniany krzyż. W domu pachniało starością. Stęchlizna mieszała się z wonią wielu ugotowanych tu obiadów i smrodem starego oleju do smażenia. Wyczuwałam też delikatny mydlany zapach talku, którego używała siostra Ignacjusz. Zupełnie jakby było tu gdzieś małe dziecko. Podobnie jak w domu Rosaleen i Arthura, tutaj też wyczuwało się obecność wielu pokoleń, dorastających dzieci, biegających z krzykiem po korytarzach, tłukących rzeczy, przynoszących coś do domu, zakochujących się i odkochujących. To nie mieszkańcy byli właścicielami tego miejsca, ale vice versa. W moim domu nigdy czegoś takiego nie czułam. Kochałam go, ale każdy jego najmniejszy kąt był codziennie pucowany przez sprzątaczki, które tym samym pozbawiały wszystkie pokoje zapachu historii, zastępując go wonią wybielacza. Co trzy lata wszystkie pokoje były odnawiane i urządzane w nowym stylu. Stare meble wyrzucano, a na ścianach pojawiały się nowe obrazy, pasujące do nowej sofy. Nie mieliśmy żadnej eklektycznej kolekcji gromadzonej przez lata, żadnego sentymentalnego bałaganu ociekającego tajemnicami z przeszłości. Wszystko było nowe, kosztowne i pozbawione duszy. To już zresztą przeszłość.

Siostra Ignacjusz w swoim kombinezonie pszczelarskim poruszała się szybko po kuchni. Wyglądała jak przerośnięty niemowlak z odstającą pieluchą. Zdjęłam sweter i powiesiłam go na kaloryferze. Moja bluzka prześwitywała i przylepiała się do ciała, klapki wydawały przy każdym kroku śmieszne cmokające dźwięki, ale nie chciałam ich zdjąć ze strachu, że brud wielu pokoleń przylepi mi się do stóp. Zbyt dużo tego co na zewnątrz zostało przyniesione przez wieki do wnętrza tego domu.

Siostra Ignacjusz wróciła z ręcznikiem i podkoszulkiem.

– Przepraszam, to wszystko, co mogłam dla ciebie zdobyć. Nie mamy w zwyczaju ubierać siedemnastolatek.

– Szesnastolatek – poprawiłam, przyglądając się różowej koszulce z maratonu.

– Biegałam co roku w latach sześćdziesiątych – wyjaśniła, włączając palnik, żeby podgrzać zupę. – To już przeszłość, niestety.

– Rany, ale siostra musiała być sprawna.

– A co myślisz? – Wyprężyła się w swoim kombinezonie i ucałowała napięty biceps. – Jeszcze się nie posypałam.

Roześmiałam się. Zdjęłam bluzkę i powiesiłam ją na kaloryferze. Potem włożyłam podkoszulek, który sięgał mi do połowy ud. Zdjęłam szorty i wykorzystałam pasek do przekształcenia podkoszulka w tunikę.

– Co siostra sądzi? – Przeszłam się w tę i z powrotem wybiegowym krokiem, na końcu przybierając pozę modelki.

Siostra roześmiała się i gwizdnęła z podziwem.

– No, no, wiele bym dała, żeby znowu mieć takie ładne nogi. – Cmoknęła i potrząsnęła głową.

Postawiła na stole dwie miski zupy. Rzuciłam się na swoją porcję.

Na dworze świeciło słońce i znów śpiewały ptaki. Było tak, jakby deszcz nigdy nie spadł, jakby był jedynie wytworem naszej wyobraźni.

– Jak się czuje twoja mama?

– W porządku, dziękuję.

Milczenie. Nigdy nie kłamcie zakonnicy.

– Nie czuje się dobrze. Siedzi całymi dniami w sypialni, wyglądając na ogród i uśmiechając się – dodałam.

– Może jest szczęśliwa?

– Albo szalona.

– Co o tym myśli Rosaleen?

– Że roczny zapas jedzenia spożyty w ciągu jednego dnia pomoże każdemu, nawet mamie.

Usta siostry Ignacjusz wykrzywiły się w uśmiechu, który jednak zwalczyła.

– Rosaleen twierdzi, że to żal po śmierci taty – ciągnęłam.

– Może ma rację.

– A jeśli mama nagle zdjęłaby z siebie ubranie i zaczęła tarzać się w błocie, śpiewając piosenki Enyi? Co wtedy? To też byłby żal po śmierci męża?

Siostra Ignacjusz uśmiechnęła się. Jej skóra pofałdowała się niczym zmięta kartka.

– Czy twoja mama zrobiła coś takiego?

– Nie, ale wcale nie jest tak daleka od zrobienia tego.

– Co o tym myśli Arthur?

– Czy Arthur w ogóle myśli? – odparłam, siorbiąc gorącą zupę. – Nie, przepraszam, odszczekuję moje słowa. Arthur z całą pewnością myśli. Arthur myśli, ale nie mówi. Co z niego za brat? Poza tym, albo tak kocha Rosaleen, że nic, co ona mówi, mu nie przeszkadza, albo nie może jej znieść tak bardzo, że nie chce sobie dupy zawracać rozmowami z nią. Nie mogę ich rozgryźć.

Siostra Ignacjusz spojrzała w bok, wyraźnie zakłopotana.

– Przepraszam za słownictwo – zreflektowałam się.

– Myślę, że jesteś niesprawiedliwa w stosunku do Arthura. Uwielbia Rosaleen. Myślę, że zrobiłby dla niej absolutnie wszystko.

– Łącznie z ożenieniem się z nią?

Spojrzała na mnie surowo i poczułam się, jakby wymierzyła mi policzek.

– No dobra, dobra, przepraszam. Po prostu Rosaleen jest taka... no, nie wiem... – zastanowiłam się nad właściwym słowem. – Zaborcza.

141

– Zaborcza. – Siostra się zamyśliła. – To interesujący wybór słowa.

Z jakiegoś powodu poczułam się zadowolona.

– Wiesz, co to oznacza, prawda?

– Tak, że zachowuje się, jakby wszystko powinno należeć do niej i być pod jej kontrolą przez cały czas.

– Hmmm.

– Rosaleen zajmuje się nami bardzo troskliwie i w ogóle. Karmi nas trzysta razy dziennie porcjami dla dinozaura. Po prostu chciałabym, żeby się trochę wyluzowała, odczepiła ode mnie na jakiś czas, dała mi odetchnąć.

– Chcesz, żebym z nią o tym porozmawiała?

– Nie! – spanikowałam. – Dowie się, że o niej plotkowałyśmy. Nie powiedziałam jej nawet, że się znamy. Siostra jest moją małą mroczną tajemnicą.

Siostra Ignacjusz się zaróżowiła.

– Cóż – odparła ze śmiechem. – Tym akurat jeszcze nie byłam.

Kiedy już minęło jej zakłopotanie, zapewniła mnie, że nie przyzna się przed Rosaleen do znajomości ze mną. Porozmawiałyśmy jeszcze o pamiętniku, o tym, dlaczego i w jaki sposób stało się to, co się stało. Zapewniła mnie, że nie powinnam się martwić. Mój umysł był pod dużą presją i pewnie napisałam to wszystko w półśnie, a potem o tym zapomniałam. Po naszej rozmowie natychmiast poczułam się lepiej, chociaż jednocześnie nieco zaniepokoił mnie mój stan umysłu. Skoro potrafiłam pisać pamiętnik we śnie, co jeszcze byłam w stanie zrobić? Siostra Ignacjusz potrafiła sprawić, że wszystkie dziwne rzeczy wydawały mi się normalne, świat był pełen cudów i nie warto było się stresować. Wierzyłam, że, koniec końców, odpowiedzi pojawią się same, chmury znikną, a skomplikowane sprawy nagle staną się proste. To, co dziwne, nabierze odcienia zwykłości. Wierzyłam jej.

– Spójrz za okno. – Wyjrzała na zewnątrz. – Słońce znowu świeci. Powinnyśmy szybko wrócić do ogrodu, zajrzeć do pszczół.

Już na miejscu, odziana w biały kombinezon, poczułam się jak maskotka Michelina.

– Daje siostra swoim pszczołom czas wolny? – spytałam, kiedy szłyśmy w kierunku pierwszego ula. – Ja dostawałam czas wolny w szkole. Kiedy się śpiewa w chórze, czasem nauczyciele zwalniają z zajęć, żeby można było wziąć udział w konkursach albo innych takich, jak na przykład śpiewanie na ślubie nauczycieli. Gdybym to ja była nauczycielką i chciała wyjść za mąż, nie życzyłabym sobie, żeby jakieś zafajdane siksy, które każdego dnia dają mi w kość, śpiewały w najszczęśliwszej chwili mojego życia. Pojechałabym na St Kitts albo na Mauritius. Albo do Amsterdamu. Tam szesnastolatki mogą legalnie pić. Tylko piwo. Nienawidzę piwa, ale skoro można je pić legalnie, nie odmówiłabym. Nie żebym chciała wyjść za mąż w wieku szesnastu lat. To chyba nawet nie jest legalne, co? Powinna siostra wiedzieć, w końcu siostra zna swojego szefa. – Skinęłam głową w kierunku nieba.

– Zatem śpiewasz w chórze? – spytała, jakby nie usłyszała ani słowa z tego, co przed chwilą powiedziałam.

– Tak, ale nigdy poza szkołą. Nie byłam na żadnym konkursie. Za pierwszym razem pojechaliśmy zamiast tego na narty do Verbier, za drugim miałam zapalenie krtani. – Mrugnęłam znacząco okiem. – Mąż przyjaciółki mamy jest lekarzem i zawsze wypisywał mi zwolnienia. Chyba podobała mu się moja mama. W życiu nie skompromitowałabym się występami na tych konkursach, chociaż podobno nasza szkoła jest całkiem niezła w te klocki. Zdobyliśmy pierwsze nagrody w ogólnokrajowych konkursach, w którymś tam przedziale wiekowym.

– A jakie utwory śpiewacie? Uwielbiam *Nessun dorma*.

– A czyje to?

– *Nessun dorma*? – Spojrzała na mnie wstrząśnięta. – To jedna z najpiękniejszych arii tenorowych z ostatniego aktu opery Pucciniego *Turandot*. – Zamknęła oczy, zanuciła fragment, kiwając się przy tym delikatnie. – Och, uwielbiam tę melodię. Najsłynniejsze wykonanie to wersja Pavarottiego, oczywiście.

– A tak, wiem, ten gruby facio, który śpiewał z Bono. Zawsze z jakiegoś powodu myślałam, że to jakiś znany kucharz, dopóki nie zobaczyłam go w wiadomościach w dniu jego pogrzebu. Chyba myliłam go z kimś innym. Wie siostra, z tym gościem, co wymyśla pizze z dziwnymi dodatkami, na kanale *Food Channel*. Z czekoladą i takie tam. Poprosiłam raz Mae, żeby mi taką zrobiła, ale mało co nie zwymiotowałam, kiedy ją spróbowałam. Nie, nie śpiewaliśmy niczego takiego. Już raczej *Shut up and let me go* Ting Tingsów, ale w nowej aranżacji brzmiało to zupełnie inaczej, poważnie, jak w operze.

– *Food Channel*. Nie mamy go tutaj.

– Wiem, to program satelitarny. Rosaleen i Arthur też go nie mają. Pewnie by się siostrze nie podobał, ale na satelicie mają też *God Channel*. Ten pewnie by siostrze przypadł do gustu, bo cały dzień gadają tam o Bogu.

Siostra Ignacjusz znów się uśmiechnęła, objęła mnie, przytuliła i powędrowałyśmy przez ogród w kierunku cieplarni.

– No dobrze, a teraz do rzeczy – powiedziała, kiedy dotarłyśmy do uli. – Najważniejsza sprawa, o co pewnie powinnam zapytać cię już dawno. Czy jesteś uczulona na jad pszczeli?

– Nie mam pojęcia.

– Użądliła cię kiedyś pszczoła?

– Nie.

– Hmmm. No dobrze. Niezależnie od zabezpieczeń, pszczoła i tak może cię użądlić. Zdarza się to rzadko, ale jednak. Och, nie patrz tak na mnie, Tamaro. Skoro tak, to uciekaj do Rosaleen. Jestem pewna, że przygotowała już dla ciebie smakowity udziec wołowy na przekąskę, zanim poda obiad.

Milczałam.

– Nie umrzesz od jednego użądlenia – ciągnęła siostra. – Chyba że jesteś uczulona, ale jest to ryzyko, na które jestem przygotowana. Taka już jestem odważna. – Jej oczy znów zalśniły łobuzersko. – W miejscu użądlenia pojawi się zaczerwienienie i lekka opuchlizna, a później swędzenie.

– Jak przy ukąszeniu komara.

– Właśnie. To jest podkurzacz. Nadmucham teraz dymu do ula, zanim zajrzę do środka.

Z dyszy urządzenia zaczął wydobywać się dym. Już wcześniej poczułam się nieco dziwnie, widząc, że wszystko, co przeczytałam w pamiętniku dziś rano, naprawdę się spełnia, niczym sztuka odgrywana na bieżąco ze scenariusza. Siostra Ignacjusz trzymała dyszę tuż nad ulem.

– Jeżeli rój jest zagrożony, pszczoły strażniczki wydzielają lotny feromon zwany octanem izopentylu, czyli zapachem ostrzegawczym. Wtedy pszczoły w średnim wieku, które mają najwięcej jadu, przygotowują się do obrony ula, a jak wiadomo, najlepszą obroną jest atak. Kiedy jednak na początku podkurzymy ul, pszczoły strażniczki instynktownie najadają się miodem. To instynkt przetrwania, gdyby nagle musiały opuścić rój i odtworzyć go gdzie indziej. Najedzone, stają się bardzo powolne i spokojne.

Przyglądałam się dymowi dryfującemu do domu pszczół. Potem nagle poczułam panikę. Ogarnęła mnie fala mdłości. Wyciągnęłam rękę, żeby oprzeć się o mur.

– Będę podbierała miód w przyszłym tygodniu. Ten kombinezon jest dla ciebie, jeżeli chcesz się przyłączyć. Byłoby miło mieć towarzystwo. Siostry nie są zainteresowane pszczelarstwem. Ja z kolei lubię być sama, ale wiesz, od czasu do czasu miło jest z kimś porozmawiać.

Kręciło mi się w głowie. Wyobraziłam sobie dym w ulu, pszczoły napychające się miodem, czystą i absolutną histerię całej tej sytuacji. Chciałam wrzasnąć na siostrę Ignacjusz, kazać jej, żeby się zamknęła, powiedzieć, że wcale nie interesuje mnie podbieranie miodu w jej towarzystwie. Ton jej głosu, podekscytowanie, radość z towarzystwa powstrzymały mnie od tego. Przypomniałam sobie, że w pamiętniku napisałam, że chciałabym cofnąć czas i zachować się inaczej. Ugryzłam się w język i pokiwałam głową, osłabiona. To ten dym.

– A przynajmniej mieć przy sobie kogoś, kto udaje, że to go cieszy. Jestem stara, mało rzeczy mnie wzrusza. Cieszę się jednak, że się zgodziłaś. Myślę, że środa będzie najlepszym dniem. Muszę sprawdzić prognozę pogody, upewnić się, że będzie ładnie. Nie chcę, żebyśmy znowu zmokły, tak jak dzisiaj...

Gadała tak i gadała, aż poczuła mój wzrok na sobie. Nie widziała mojej twarzy, ani ja jej, gdyż ukryta była pod gęstą siatką zwisającą z kapelusza.

– Co się dzieje, kochanie?

– Nic.

– Nic nigdy nie jest niczym. Zawsze jest czymś. Czy to sprawa pamiętnika cię martwi?

– No... tak, pewnie. To znaczy... tak, ale nie o to chodzi. To nic wielkiego.

Milczałyśmy przez chwilę, a potem zapytałam:

– Czy w zamku ktoś był, kiedy wybuchł pożar?

Siostra przestała pracować, zanim odpowiedziała.

– Tak, niestety ktoś tam był.

– Po prostu... przyglądam się temu dymowi. Wyobrażam sobie panikę, bardzo przerażonych ludzi. – Znów oparłam się o ścianę.

Siostra Ignacjusz spojrzała na mnie z troską.

– Czy ktoś umarł? – spytałam.

– Tak, niestety tak, Tamaro. Kiedy pożar zniszczył to domostwo, pochłonął też życie wielu ludzi. Nie masz nawet pojęcia.

To domostwo. Dom. Jeszcze bardziej tajemniczy, skoro ktoś określił go tym mianem. To znaczy, że kiedyś tam, dla jakichś ludzi, był bardzo ważnym miejscem.

– Gdzie oni teraz mieszkają? Ci, którzy ocaleli.

– Wiesz co, Tamaro? Arthur i Rosaleen mieszkają pod zamkiem o wiele dłużej niż ja. Powinnaś ich o to spytać. Możesz mi zadać pytanie i nigdy nie skłamię, rozumiesz? Ale naprawdę powinnaś zagadnąć ich o tę sprawę. Zrobisz to?

Wzruszyłam ramionami.

– Rozumiesz mnie? – Wyciągnęła dłoń i chwyciła mnie za ramię. Poczułam jej siłę przez gruby materiał kombinezonu. – Ja nigdy nie skłamię.

– Tak, tak, rozumiem.

– W takim razie zapytasz ich, tak?

Wzruszyłam ramionami.

– Powiedzmy.

– Powiedzmy, powiedzmy, co to za język? Podniosę teraz dach ula i pokażę ci mieszkańców pszczelego imperium.

– No, no! Jak siostra zdołała tyle ich tam upchnąć?

– To akurat było proste. Jak my wszyscy, rój zawsze aktywnie szuka domu. A teraz wiesz, jak rozpoznamy królową?

– Trzeba ją oznaczyć flamastrem.

– Skąd o tym wiedziałaś?

– Napisałam to w pamiętniku, podobno we śnie. Dobrze zgadłam, prawda?

– Hmmm.

Kiedy wróciłam do domu, było już późno. Cały dzień spędziłam na dworze. Arthur właśnie nadchodził po pracy, w swojej koszuli drwala. Zatrzymałam się i zaczekałam na niego.

– Hej, Arthurze!

Skinął mi głową.

– Dobry dzień?

– Uhm.

– Wspaniale. Arthur, czy mogłabym z tobą zamienić słowo, zanim wejdziemy do środka?

Zatrzymał się.

– Czy wszystko w porządku?

Nigdy wcześniej nie widziałam wyrazu niepokoju na jego twarzy.

– Tak, to znaczy nie. Chodzi o mamę...

– Ach, tu jesteście. – W drzwiach stanęła Rosaleen. – Pewnie wygłodnieliście. Właśnie wyjęłam obiad z pieca, gorący i gotowy do spożycia.

Spojrzałam na Arthura, a on na żonę. Nastąpiła dziwaczna chwila, ponieważ Rosaleen nie chciała nas zostawić samych. Wreszcie Arthur się poddał i powędrował do domu. Rosaleen cofnęła się do środka, żeby go przepuścić, a potem zerknęła na mnie i poszła do kuchni dopilnować obiadu. Kiedy już siedzieliśmy przy stole, Rosaleen przygotowała porcję dla mamy i postawiła ją na tacce, gotowa do zabrania jedzenia na górę. Zaczerpnęłam powietrza w płuca.

– Może powinniśmy namówić mamę, żeby zeszła i zjadła tutaj, z nami?

Milczenie. Arthur spojrzał na Rosaleen.

– Nie, dziecko. Mama potrzebuje spokoju.

Nie jestem dzieckiem. Nie jestem dzieckiem. Nie jestem dzieckiem.

– Miała dzisiaj mnóstwo spokoju. Dobrze by jej zrobiło towarzystwo.

– Jestem pewna, że woli zostać sama.

– A skąd niby masz tę pewność?

Rosaleen zignorowała mnie i ruszyła na górę z tacką. Za chwilę mieliśmy zostać sam na sam z Arthurem. Jakby odgadując moje myśli, Rosaleen cofnęła się do kuchni. Spojrzała na Arthura.

– Arthur, czy mógłbyś przynieść butelkę wody z garażu? Tamara nie pije kranówki.

– O nie, nie ma sprawy. Właściwie wolę kranówkę – odparłam szybko, powstrzymując Arthura.

– Nie ma potrzeby. Arthur, rusz się.

Wstał.

– Nie chcę wody w butelce – powiedziałam twardo.

– Skoro nie chce, Rosaleen... – Arthur powiedział to tak cicho, że ledwie go słyszałam.

Spojrzała na niego, potem na mnie i wreszcie szybkim krokiem poszła na górę. Miałam wrażenie, że będzie to jej najkrótsza wyprawa schodami na piętro.

Przez moment siedzieliśmy z Arthurem w milczeniu.

– Arthur – powiedziałam szybko. – Musimy coś zrobić z mamą. To nie jest normalne.

– Nic, przez co przeszła, nie jest. Jestem pewien, że woli zjeść sama.

– Co takiego? – Wyrzuciłam ramiona w górę. – Co się z wami dzieje? Dlaczego macie taką obsesję na punkcie trzymania mamy pod kluczem?

– Nikt jej nie trzyma pod kluczem.

– Dlaczego z nią nie porozmawiasz?

– Ja?

– Tak, ty. Jesteś jej bratem. Na pewno są rzeczy, o których możecie porozmawiać, i z pewnością pomoże to przywołać ją do rzeczywistości.

Arthur zakrył usta i odwrócił wzrok.

– Arthurze, musisz z nią pogadać. Ona potrzebuje rodziny.

– Tamaro, przestań – syknął.

Zrobiło mi się bardzo nieprzyjemnie.

Przez chwilę wyglądał na zranionego. W jego oczach pojawił się głęboki smutek. Potem jednak, jakby odnalazł w sobie odwagę, szybko spojrzał na drzwi kuchenne, a potem na mnie. Pochylił się ku mnie i otworzył usta.

– Posłuchaj, Tamaro...

– No dobrze, jestem już. Twoja mama czuje się doskonale – powiedziała zasapana Rosaleen, wkraczając do kuchni szybkim krokiem.

Arthur nie spuszczał z niej wzroku, dopóki nie usiadła z nami przy stole.

– Co? – spytałam Arthura, z wrażenia niemal podskakując na krześle. Co zamierzał mi powiedzieć?

Głowa Rosaleen obróciła się niczym radar wychwytujący sygnał.

– O czym rozmawialiście?

Tym razem charknięcie Arthura bardzo się przydało. Rosaleen uznała to za satysfakcjonującą odpowiedź.

– Jedzcie – powiedziała żwawo, przysuwając miski z warzywami i podając nam łyżki do nakładania.

Arthur nie spieszył się z posiłkiem. Zjadł zresztą mało.

Tej nocy usiadłam na łóżku i wpatrzyłam się w pamiętnik. Trwałam tak przez kilka godzin. Trzymałam go otwarty na kolanach, czekając na chwilę, kiedy pojawią się słowa. Zmorzyło mnie przed północą. Kiedy obudziłam się koło pierwszej, pamiętnik nadal leżał otwarty na moich kolanach. Cała strona wypełniona była zapiskami moim charakterem pisma. Wczorajsza przepowiednia zniknęła, a zamiast tego pojawił się inny wpis z datą jutrzejszą.

Niedziela, 5 lipca

Nie powinnam opowiadać Weseleyowi o tacie.

Przeczytałam to zdanie kilka razy. Kim, do diabła, był Weseley?

Rozdział 12

Napis na ścianie

Zapewne to, co przyśniło mi się tej nocy, było nieuniknione. Leżąc w łóżku, bezskutecznie ponawiałam próby zmuszenia się do snu. Bez końca myślałam o notatce, którą przeczytałam wcześniej podczas wizyty w zamku, a która teraz zniknęła, robiąc miejsce dla następnej. Dzięki Bogu przeczytałam pierwszy wpis tyle razy, że niemal znałam go na pamięć. Wszystko, co w nim było, spełniło się. Zastanawiałam się, czy dzień jutrzejszy również przyniesie takie paranormalne rezultaty, czy może okaże się, że ktoś postanowił zabawić się okrutnie moim kosztem. A jeśli siostra Ignacjusz miała rację i byłam lunatyczką, a moje „dzieła" okażą się w końcu bezsensownym trzy po trzy?

Słyszałam o tym, co ludzie potrafią wyprawiać we śnie. Atak epilepsji, odbywanie dziwacznych stosunków seksualnych, sprzątanie, a nawet morderstwo. Było kilka słynnych przypadków, kiedy ktoś zabił, a potem twierdził, że zrobił to we śnie. Dwóch takich morderców uniewinniono i nakazano im spać za zamkniętymi na klucz drzwiami. Nie wiem, czy pamiętam to z filmów dokumentalnych,

152

które oglądała Mae, czy z odcinka *Perry'ego Masona* zatytu-
łowanego *Siostrzenica lunatyka*. Tak czy siak, skoro takie
rzeczy były możliwe, przypuszczam, że i ja mogłam napisać coś we śnie i w ten sposób przepowiedzieć przyszłość.
Chociaż bardziej wierzyłam w możliwość zabicia człowieka w podobnym stanie.

Wiedząc, co mi się przyśni – według Tamary z Przyszłości – mój umysł usiłował na wszelkie sposoby zmienić wątek, powstrzymać tatę od przemiany w nauczyciela angielskiego, zatrzymać go na miejscu, żebyśmy mogli pogadać.
Usiłowałam wymyślić specjalny kod, który zrozumieliby-
śmy tylko my dwoje – słowa, które wypowiedziane przeze
mnie przywołałyby go jakoś z tamtego świata, żeby mógł
ze mną porozmawiać. Tak bardzo się na tym skupiałam, że
oczywiście w końcu przyśniło mi się dokładnie to, co napisałam wcześniej: tata, którego twarz zmieniła się w mojego anglistę, przeprowadzka szkoły do Ameryki, gdzie nie
znałam miejscowego języka, a wreszcie zamieszkanie na
łodzi. Jedyną różnicą było to, że studenci raz po raz prosili
mnie, abym coś zaśpiewała. Niektórzy z nich występowali
w High School Musical. Kiedy usiłowałam otworzyć usta,
nie wydobywał się z nich żaden dźwięk z powodu zapalenia krtani, w które nikt teraz nie wierzył, ponieważ wcześniej skłamałam na ten temat.

Drugą różnicą, dużo bardziej niepokojącą, był tłok na wy-
glądającej jak Arka Noego łodzi, na której mieszkałam. Peł-
no tam było ludzi, jak pszczół w ulu. Po korytarzach snuł się
dym, ale nikt tego nie zauważał z wyjątkiem mnie, bo wszyscy obżerali się bez pamięci, siedząc przy długich stołach
bankietowych. Wyglądało to jak scena z *Harry'ego Pottera*.
Dym wypełniał powoli pomieszczenie i tylko ja byłam w stanie to dostrzec, ale nikt mnie nie słyszał, ponieważ zapalenie krtani odebrało mi głos. Pomyślałam przy tym o bajce
o chłopcu, który wołał o pomoc dla żartów.

Można powiedzieć, że pamiętnik miał rację. Ktoś bardziej cyniczny zasugerowałby, że za bardzo skoncentrowałam się na szczegółach czegoś, co wcześniej opisałam, w ten sposób niejako narzucając sobie samej tę senną fabułę. Tak jak w przepowiedni, obudziłam się na dźwięk upuszczonego przez Rosaleen garnka i jej głośny okrzyk.

Zrzuciłam prześcieradła i uklękłam na podłodze. Wczoraj w nocy poszłam za sugestią mojego wieszczego głosu i ukryłam pamiętnik pod obluzowaną klepką. Jeżeli Tamara z Przyszłości czuła, że to ważne, zamierzałam jej posłuchać. Nie wiadomo wprawdzie, dlaczego ona – albo ja – zamierzała zadać sobie tyle trudu, żeby ukryć głupiutkie przemyślenia nabuzowanej hormonami nastolatki? Może Rosaleen rzeczywiście przyszła tu węszyć, a wieszczka Tamara o tym nie napisała. Ostatnie kilka nocy spędziłam za drzwiami zablokowanymi drewnianym krzesłem. Nie powstrzymałoby to wprawdzie Rosaleen od wejścia, ale jej przybycie z pewnością by mnie obudziło. Po pierwszej nocy nie pojawiła się jednak u mnie, a przynajmniej nic o tym nie wiedziałam.

Siedziałam na podłodze obok drzwi sypialni, odczytując jeszcze raz zapiski z ostatniej nocy, kiedy usłyszałam kroki na schodach. Spojrzałam przez dziurkę od klucza i zobaczyłam Rosaleen, prowadzącą mamę na górę. Niemal podskoczyłam i zatańczyłam z radości. Kiedy Rosaleen zamknęła drzwi za mamą, zapukała do mnie.

– Dzień dobry, Tamaro. Wszystko w porządku? – zawołała.

– Em, tak, dziękuję, Rosaleen. Czy coś się stało na dole?

– Nie, po prostu upuściłam garnek.

Klamka zaczęła się przekręcać.

– Eeeee, nie wchodź! Jestem naga! – rzuciłam się, żeby zamknąć drzwi.

– Ach, no dobrze... – Rozmowy o ciele, zwłaszcza nagim, zdawały się ją zawstydzać. – Śniadanie będzie gotowe za dziesięć minut.

– Dobrze – odparłam cicho. Dlaczego skłamała? Zejście mamy na dół było przecież ogromnym wydarzeniem. Może nie dla każdego, ale dla mnie tak.

Wtedy właśnie dotarła do mnie waga każdego słowa zapisanego w pamiętniku. Były okruszkami chleba, którymi znaczyłam drogę z mojego starego domu aż tutaj. Były wskazówkami do zrozumienia czegoś, co działo się tuż pod moim nosem. Kiedy napisałam, że obudziłam się, bo Rosaleen narobiła hałasu, upuszczając garnek, powinnam się w tym dopatrzyć czegoś więcej. Powinnam wiedzieć, że normalnie nie zrobiłaby czegoś takiego. Musiało zdarzyć się coś, co wytrąciło ją z równowagi. Dlaczego skłamała o mamie? Żeby mnie chronić? A może chronić siebie?

Usadowiłam się z powrotem na podłodze, oparta plecami o drzwi, i zaczęłam czytać wpis, który odkryłam w nocy.

Niedziela, 5 lipca

Nie powinnam opowiadać Weseleyowi o tacie. Nie podobało mi się jego spojrzenie, pełne litości. Jeżeli mnie nie lubił, to trudno. Samobójstwo taty nie mogło zmienić mnie w milszą osobę – chociaż wygląda na to, że może się mylę, ale jakim cudem Weseley mógłby o tym wiedzieć? To pewnie hipokryzja z mojej strony, ale naprawdę nie chcę, żeby ludzie usiłowali mnie polubić tylko z powodu tego, co zrobił mój tata. Zawsze sądziłam, że byłam inna, że użyłabym każdego sposobu, byle tylko wydoić z ludzi całą sympatię, jaką mogli mi dać. Żeby przyciągnąć ich uwagę. Wtedy mogłabym być tym, kim bym chciała.

Kiedyś myślałam, że będzie mi to odpowiadać. Z wyjątkiem pierwszego miesiąca – to w końcu ja znalazłam tatę, więc ludzie zadawali mi mnóstwo pytań, częstowali herbatą i poklepywali po plecach, kiedy powtarzałam na okrągło swoje zeznania policji, no i poza pobytem u Barbary, która poleciła Lulu spełniać każdą moją zachciankę (czyli gorącą czekoladę z ptasim mleczkiem co godzinę), nikt nie poświęcał mi uwagi. Chyba że to, co się tu dzieje, to objaw specjalnego zainteresowania ze strony Arthura i Rosaleen i w przyszłym miesiącu zostanę awansowana na dziewkę od palenia w kominku.

W mojej klasie była kiedyś dziewczyna Susie. Nie znosiłam jej, ale potem dowiedziałam się, że jej brat grał w rugby dla Leinster. Nagle zaczęłam siadać obok niej na lekcjach matematyki i odwiedzać ją co weekend w domu – i tak przez miesiąc, dopóki jej brata nie zawieszono za skakanie po czyimś samochodzie, kiedy wypił zbyt wiele koktajli z wódki i red bulla. Brukowce nie zostawiły na nim suchej nitki, chłopak stracił sponsora – firmę produkującą szkła kontaktowe. Nikt nie chciał mieć z nim do czynienia, przez przynajmniej tydzień. A potem przyszła pora na mnie.

Nie mogę uwierzyć, że to napisałam. Bleee.

W każdym razie Weseley zupełnie się zmienił, kiedy wspomniałam mu o samobójstwie taty. Powinnam powiedzieć coś innego, na przykład, że zginął na wojnie, albo, no nie wiem, wybrać jakiś inny, bardziej popularny rodzaj śmierci. Czy byłoby dziwne, gdybym powiedziała: „Tak przy okazji, ta sprawa z samobójstwem to był tylko żart. Tak naprawdę tata umarł na atak serca, ha, ha, ha".

Może jednak nie powinnam.

Kim do diabła był Weseley? Spojrzałam na datę. Znowu jutrzejsza. Czyli gdzieś między chwilą obecną a jutrem poznam Weseleya. Absolutnie niemożliwe. Zamierza się wspiąć po murze Fortu Rosaleen, żeby się ze mną przywitać?

Po nocy pełnej dziwacznych snów obudziłam się bardziej zmęczona niż poprzedniego dnia. Wcale nie odpoczęłam i marzyłam tylko o tym, żeby cały poranek – właściwie to cały dzień – przeleżeć w łóżku. Oczywiście nic z tego. Chodząca zegarynka zapukała do moich drzwi, a potem, nie czekając na zaproszenie, weszła do środka.

„Tamaro, jest wpół do dziesiątej. Idziemy na mszę o dziesiątej, a potem na targ".

Przez chwilę nie rozumiałam, o czym mówi, ale w końcu wymamrotałam, że ja nie chodzę na msze. Czekałam na wiadro zimnej święconej wody, ale Rosaleen wcale nie zamierzała wygłaszać mi kazań. Rozejrzała się szybko po pokoju, sprawdzając, czy nie rozsmarowałam kupy po ścianach, a potem powiedziała, że nie ma sprawy, mogę zostać w domu i przypilnować mamy.

Alleluja!

Usłyszałam, jak samochód odjeżdża sprzed domu. Wyobraziłam sobie Rosaleen w dwuczęściowej garsonce z broszką i w kapeluszu zdobnym w kwiaty, chociaż widziałam, że nie miała nic na głowie. Wyobraziłam sobie też Arthura w cylindrze, prowadzącego cadillaca z opuszczanym dachem, i świat w odcieniach beżu i sepii. Byłam niesamowicie szczęśliwa, że pozwolili mi zostać. Nie pomyślałam, że może Rosaleen nie chciała się ze mną pokazywać na mszy i na targu. Kiedy wreszcie przyszło mi to do głowy, dziwnie mnie zabolało. Potem zasnęłam. Obudziłam się za jakiś czas na odgłos klaksonu. Zignorowałam go i usiłowałam z powrotem zapaść w sen, ale ktoś trąbił coraz głośniej i dłużej. Wygrzebałam się z łóżka i otworzyłam okno, gotowa obrzucić intruza inwektywami. Zamiast tego zaczęłam się śmiać, bo zobaczyłam siostrę Ignacjusz i trzy inne zakonnice upchnięte w żółtym fiacie cinquecento. Siostra Ignacjusz siedziała z tyłu, wychylona do połowy przez okno, zupełnie jakby postanowiła wyrosnąć w kierunku słońca.

– Witaj, Romeo! – krzyknęłam, otwierając szerzej okno. – Wyglądasz, jakby piorun strzelił w szczypiorek.

Siostra Ignacjusz usiłowała namówić mnie na pójście do kościoła. Na próżno. Potem jedna z zakonnic zaczęła ją wciągać do środka. Siostra Ignacjusz się poddała i mały fiat natychmiast odjechał, nie zatrzymując się ani nie włączając kierunkowskazu, kiedy skręcał za róg. Zobaczyłam, jak z okna oddalającego się samochodu wychyla się machająca ręka i usłyszałam: „Dziękuję za książkeeeeeeeę".

Drzemałam jeszcze kilka godzin, ciesząc się przestrzenią i wolnością. Mogłam się lenić bez wysłuchiwania sugestywnego stukotu garnków czy rytmicznego uderzania szczotki odkurzacza w moje drzwi. Kiedy się obudziłam, zaczęłam się zastanawiać nad tym, co Rosaleen powiedziała poprzedniej nocy. O tym, że zarzuciła mamie kłamstwo. Czy mama i Arthur byli skłóceni? Dzisiaj jednak wydawała się cieszyć na jego widok. Co się zmieniło, jeżeli w ogóle cokolwiek się stało? Musiałam znaleźć chwilę sam na sam z Arthurem i poważnie z nim porozmawiać.

Sprawdziłam, jak czuje się mama. O jedenastej nadal jeszcze spała. Dość nietypowe. Podetknęłam jej rękę pod nos i upewniłam się, że jeszcze oddycha. Przy łóżku stała tacka ze śniadaniem, które przyniosła tu rano Rosaleen.

Zjadłam trochę owoców z kuchni, powłóczyłam się po domu, biorąc do ręki różne przedmioty i przyglądając się fotografiom w dużym pokoju. Arthur z gigantyczną rybą, roześmiana Rosaleen w pastelowym ubraniu, trzymająca kapelusz na wietrze. Rosaleen i Arthur razem, niczym dwójka dzieci zmuszonych pozować do zdjęcia po pierwszej komunii: stali obok siebie, z rękoma zwieszonymi wzdłuż tułowia albo złożonymi z przodu, z niewinnymi minami.

Usiadłam w dużym pokoju i wróciłam do lektury książki, którą dała mi Fiona. Dokładnie o pierwszej po południu, kiedy Arthur i Rosaleen przyjechali do domu, poczułam dziwny ciężar na duszy. Mój czas się skończył, przestrzeń domu zostanie wypełniona, znów zaczną się gierki i ukrywanie tajemnic.

Co ja sobie myślałam?

Powinnam wszystko wybadać. Włamać się do garażu i zobaczyć, ile naprawdę mają miejsca, bo myślę, że Rosaleen kłamie w tej sprawie. Powinnam zadzwonić do lekarza i poprosić go o zbadanie mamy. Powinnam sprawdzić bungalow, a przynajmniej zajrzeć do ogrodu. Powinnam zrobić wiele rzeczy, a zamiast tego zostałam w domu, użalając się nad sobą. Na następną taką okazję będę musiała czekać cały tydzień.

Co za strata dnia.

Uwaga dla samej siebie: na drugi raz nie bądź idiotką i zostaw otwarte okno.

Napiszę więcej jutro.

Schowałam pamiętnik pod podłogę i umieściłam klepkę na miejsce. Wyjęłam z szafki świeży ręcznik z szafki i butelkę mojego dobrego szamponu. Zapas prawie się już skończył, a nie mogłam zdobyć więcej, z powodu trudności spedycyjnych oraz – po raz pierwszy w życiu – ze względu na koszt. Właśnie miałam iść pod prysznic, kiedy przypomniałam sobie fragment wspominający o dzisiejszej porannej wizycie siostry Ignacjusz. Doskonała sposobność, żeby przetestować pamiętnik. Odkręciłam wodę w prysznicu, sama zaś stanęłam na podeście i czekałam.

Zadźwięczał dzwonek do drzwi i nie wiem dlaczego, ale bardzo się wystraszyłam.

Rosaleen otworzyła drzwi i zanim się odezwała, wiedziałam, że za progiem stoi siostra Ignacjusz.

– Dzień dobry, siostro.

Wychyliłam się nieco zza rogu i zobaczyłam plecy Rosaleen. Dzisiejsza sukienka sponsorowana była przez Fyffes*: cała w kiście bananów. Rosaleen wcisnęła się bokiem w wąską szczelinę, jaka powstała po uchyleniu drzwi. Zupełnie jakby nie chciała, żeby siostra Ignacjusz zajrzała do środka. Pewnie gdyby w tej właśnie chwili nie zaczęło padać, nie sądzę, żeby biedna kobiecina zdołała zmniejszyć dystans między nami. Teraz jednak obie stanęły w przedpokoju i siostra Ignacjusz się rozejrzała. Dostrzegła mnie, zaczajoną na schodach. Nasze spojrzenia się spotkały. Uśmiechnęłam się i znowu ukryłam.

– Proszę, niech siostra wejdzie do kuchni – powiedziała Rosaleen ponaglająco, jakby za chwilę miał im się zwalić na głowę sufit.

– Nie, nie trzeba. Nie przyszłam na długo. – Zakonnica nie ruszyła się z miejsca. – Chciałam tylko sprawdzić, jak się wszyscy miewacie. Nie widziałam cię ani nie rozmawiałam z tobą od kilku tygodni.

– Ach, tak, tak, cóż, przepraszam. Arthur był strasznie zajęty pracą na jeziorze, a ja... wszystko tu musiałam trzy-

---

* Irlandzki importer owoców, zwłaszcza bananów (przyp. tłum.).

mać pod kontrolą. Wejdzie siostra do kuchni, dobrze? – mówiła cicho, jakby gdzieś w pobliżu spało dziecko.

Ukrywasz u siebie matkę i jej dziecko, Rosaleen. Wyspowiadaj się, i to już.

Z sypialni mamy dobiegł nas odgłos przesuwania krzesła po podłodze. Siostra Ignacjusz spojrzała w górę.

– Co to było?

– Nic. Pewnie już niedługo zacznie się sezon na miód, co? Zapraszam, zapraszam do kuchni. – Rosaleen usiłowała chwycić zakonnicę za ramię, odciągnąć ją od schodów i usunąć z korytarza.

– Będę podbierała miód w środę, jeżeli pogoda na to pozwoli.

– Jak Bóg zechce.

– Ile chcesz słoików?

W pokoju mamy coś upadło. Siostra Ignacjusz stanęła w pół kroku. Rosaleen pociągnęła ją za sobą, nie przestając nawijać o głupotach. Ten i ten umarł, ten i ten chory, Mavis z miasta została potrącona przez samochód w Dublinie, gdzie pojechała kupić bluzkę na trzydzieste urodziny swojego siostrzeńca Johna. Umarła. Kupiła tę bluzkę i w ogóle. Taka przykrość, zwłaszcza że jej brat umarł w zeszłym roku na raka odbytnicy. Ich ojciec został sam i musiał przenieść się do domu starców. Od kilku tygodni jest chory. Wzrok mu się bardzo zepsuł, a przecież, czy kiedyś nie był mistrzem gry w strzałki? No i oczywiście te trzydzieste urodziny, to była smutna zabawa, bo wszyscy bardzo przeżywali śmierć Mavis. Gadu, gadu o niczym. Ani razu nie wspomniała o mnie ani o mamie. Zamiotła słonia pod dywan.

Po wyjściu siostry Ignacjusz Rosaleen oparła na moment czoło o drzwi i westchnęła. Potem wyprostowała się i odwróciła, spoglądając na górę. Schowałam się szybko, a kiedy po jakimś czasie wyjrzałam za róg, drzwi do sypialni Rosaleen były uchylone, ona zaś mignęła mi w środku.

Nie mogłam znieść myśli o śniadaniu w towarzystwie wujostwa. Wolałabym być wszędzie, tylko nie w ich kuchni wypełnionej zapachem smażeniny, który wywoływał u mnie mdłości. Oczywiście wiedziałam, co zaraz zrobię. Poszłam do pokoju mamy.

– Mamo, wyjdź ze mną, bardzo proszę. – Chwyciłam jej dłoń i delikatnie pociągnęłam.

Pozostała nieruchoma jak skała.

– Mamo, proszę. Wyjdź na świeże powietrze. Możemy pospacerować sobie w lesie, nad jeziorem, popatrzeć na łabędzie. Założę się, że nigdy nie zwiedzałaś tutejszych okolic. Jest tu piękny zamek i wiele bardzo ładnych ścieżek, a nawet ogród za murem.

Spojrzała na mnie, jej źrenice rozszerzyły się, kiedy usiłowała skupić na mnie wzrok.

– Tajemniczy ogród – powiedziała i uśmiechnęła się.

– Tak, mamo. Byłaś tam kiedyś?

– Róża.

– Tak, jest tam dużo róż.

– Hmmm. Piękna – powiedziała cicho, a potem nagle dorzuciła: – Piękniejsza niż róża. – Mówiąc to, wyglądała przez okno. Potem jednak spojrzała na mnie i palcem wskazującym powiodła po mojej twarzy. – Piękniejsza niż róża.

– Dziękuję, mamo – uśmiechnęłam się.

– Była tam już, prawda? – wykrzyknęłam, wbiegając do kuchni, czym przestraszyłam Rosaleen. Podniosła palec do ust. Arthur rozmawiał przez telefon, stary aparat przytwierdzony był do ściany.

– Rosaleen – szepnęłam. – Rozmawiała ze mną.

Rosaleen przestała wałkować ciasto i spojrzała na mnie.

– Co powiedziała?

– Powiedziała, że ogród za murami to tajemniczy ogród i że jestem tak piękna jak róża. – Rozpromieniłam się. – Właściwie to piękniejsza niż róża.

162

Rysy twarzy Rosaleen stwardniały.

– Ach, to miłe, kochanie.

– Miłe? To miłe? Co ty pieprzysz? – wybuchnęłam.

Oboje mnie uciszyli.

– Tak, to była Tamara – powiedział Arthur do słuchawki.

– Kto dzwoni?

– Barbara – odparła Rosaleen. Wokół twarzy zwisały jej luźno kosmyki włosów. Zaczynała się pocić, bo strasznie zawzięcie wałkowała teraz ciasto.

– Mogę z nią porozmawiać? – spytałam.

Arthur skinął głową.

– W porządku, dobrze. Coś wykombinujemy. Tak. W porządku. Rzeczywiście. W porządku. Do widzenia. – Odłożył słuchawkę.

– Powiedziałam przecież, że chcę z nią porozmawiać.

– Och, Barbara się spieszyła.

– Pewnie sypia z gościem od czyszczenia basenów. Zawsze zajęta – powiedziałam uszczypliwie. Nie mam pojęcia, skąd mi się to wzięło. – Po co zadzwoniła?

Arthur spojrzał na Rosaleen.

– Niestety, muszą sprzedać magazyn, gdzie trzymałyście wszystkie swoje rzeczy, więc trzeba je stamtąd zabrać.

– My tu nie mamy miejsca – odparła natychmiast Rosaleen, odwracając się w kierunku blatu i rozsiewając mąkę na jego powierzchni.

Zabrzmiało znajomo.

– Co z garażem? – spytałam. Teraz już rozumiałam wpis do pamiętnika.

– Nie ma miejsca.

– Zrobimy miejsce – obiecał mi Arthur.

– Nie zrobimy, bo go nie ma. – Rosaleen chwyciła następny kawałek ciasta, rzuciła je na blat i zaczęła wygniatać, uderzać i formować.

– Jest miejsce – powiedział Arthur.

Rosaleen przerwała wyrabianie ciasta, ale się nie odwróciła.

– Nie ma.

Spoglądałam od jednego do drugiego, początkowo zaintrygowana tą pierwszą publiczną niezgodą.

– Co trzymacie w garażu? – spytałam.

Rosaleen wałkowała w milczeniu.

– Będziemy musieli zrobić miejsce, Rosaleen. – Arthur powiedział to bardzo stanowczo. – Nie mamy innego pomieszczenia – dodał podniesionym głosem, kiedy otworzyła usta. Zamknęła je zaraz.

Koniec.

Miałam nieprzyjemne wrażenie, że rozmowa o naszej przeprowadzce do ich domu przebiegła bardzo podobnie.

Nie sprzeciwiali się, kiedy wyniosłam do ogrodu koc oraz talerz owoców i usiadłam pod drzewem. Trawa nie wyschła jeszcze po wczorajszym deszczu, ale nie zamierzałam się stąd ruszać. Powietrze pachniało świeżością, a słońce raz po raz wychylało się zza chmur. Z miejsca, w którym siedziałam, widziałam mamę wyglądającą przez okno. Bardzo chciałam, żeby wyszła na dwór, dla swojego, ale też dla mojego dobra. Oczywiście nic takiego nie nastąpiło.

Rosaleen krzątała się po kuchni, Arthur siedział przy stole, słuchając radia na pełny regulator i przeglądając gazetę. Obserwowałam, jak Rosaleen wychodzi z kuchni z tacą i minutę później pojawia się w pokoju mamy. Przyglądałam się jej zwyczajowej krzątaninie. Okno, stół, pościel, sztućce.

Rosaleen postawiła tacę na stole, a potem wyprostowała się i spojrzała na mamę. Usiadłam wyprężona. To było nietypowe, chociaż nie wiedziałam, co robiła. Jej usta otwierały się i zamykały. Mówiła coś. Mama spojrzała na nią, odpowiedziała, a potem odwróciła wzrok. Wstałam nieświadomie, obserwując je. Potem wbiegłam do domu, niemal przewracając po drodze Arthura, i pognałam na górę. Otworzyłam drzwi do pokoju mamy. Usłyszałam okrzyk i brzęk talerzy, kiedy drzwi uderzyły w Rosaleen wychodzącą z tacą. Wszystko spadło na podłogę.

– Ojej! – Rosaleen przykucnęła i zaczęła w popłochu zbierać śniadanie z podłogi. Jej sukienka podsunęła się do góry. Miała naprawdę ładne nogi. Mama odwróciła się w swoim fotelu, żeby zobaczyć, co się stało. Dostrzegła mnie, uśmiechnęła się, a potem wróciła do wyglądania przez okno. Usiłowałam pomóc Rosaleen, ale mi nie pozwoliła. Odganiała mnie i pospiesznie chwytała każdy przedmiot, w kierunku którego wyciągałam rękę. Poszłam za nią na dół, jak psiak, niemal depcząc jej po piętach.

– Co ona powiedziała? – usiłowałam mówić cicho, tak żeby mama nie usłyszała, że o niej rozmawiamy.

Pobladła Rosaleen, nadal w szoku po moim ataku, trzęsła się cała. Chwiejnym krokiem weszła do kuchni z tacą w rękach.

– No więc? – spytałam, idąc tuż za nią.

– No więc co?

– Co to był za hałas? – spytał Arthur.

– Co ona powiedziała?

Rosaleen spojrzała wielkimi zielonymi oczami na Arthura i na mnie. Źrenice miała tak małe, że niemal niewidoczne.

– Taca mi upadła – odpowiedziała Arthurowi. – Nic – dodała na mój użytek.

– Dlaczego kłamiesz?

Jej twarz zapłonęła natychmiast takim gniewem, że pożałowałam swoich słów. To tylko moja wyobraźnia, zmyśliłam wszystko, chciałam zwrócić na siebie uwagę... nie wiem, sama już nie wiem.

– Przepraszam – wyjąkałam. – Nie chciałam cię oskarżyć o kłamstwo. Po prostu wyglądało, jakby powiedziała coś do ciebie, to wszystko.

– Powiedziała, że dziękuje, a ja odparłam, że nie ma sprawy.

Zmusiłam się do przypomnienia sobie ruchu ust mamy.

– Powiedziała „przepraszam" – wyrzuciłam z siebie.

Rosaleen zamarła. Arthur uniósł głowę znad gazety.

– Powiedziała, że przeprasza, prawda? – spytałam, spoglądając to na jedno, to na drugie. – Czy to coś wam mówi? Dlaczego powiedziała, że przeprasza?

– Pewnie czuje się tu ciężarem – pospieszyła z odpowiedzią Rosaleen, uprzedzając Arthura. – Ale wcale nie jest. Nie przeszkadza mi gotowanie dla niej. Zupełnie nie przeszkadza.

– Och!

Arthur wyraźnie nie mógł się doczekać wyjścia. Gdy tylko opuścił dom, dzień powrócił do zwykłego porządku.

Chciałam się rozejrzeć w garażu, kiedy Rosaleen nie będzie w pobliżu. Nauczyłam się już, że w takim przypadku najlepszą rzeczą będzie udawać, że wcale nie chcę się jej stąd pozbyć. W ten sposób nigdy nie nabierze podejrzeń.

– Mogę ci pomóc zanieść rzeczy do bungalowu?

– Nie – odparła nerwowo.

Nadal była na mnie zła.

– Och, w porządku, bardzo ci dziękuję za ofertę pomocy, Tamaro – wywróciłam oczami.

Wyjęła świeżo upieczony chleb i placek z jabłkami, naczynie żaroodporne i kilka plastikowych pudełek. Znów szykowała porcję jedzenia, która wystarczyłaby na cały tydzień.

– Kto tam mieszka?

Milczenie.

– Daj spokój, Rosaleen. Nie wiem, co się z tobą działo w poprzednim wcieleniu, ale nie jestem z Gestapo. Mam szesnaście lat i pytam tylko dlatego, że nie mam tu nic do roboty. Może chociaż tam jest ktoś, z kim mogłabym pogadać, a kto nie wybiera się wkrótce na tamten świat.

– Moja mama – odparła wreszcie.

Czekałam na resztę. Moja mama powiedziała mi, żebym pilnowała swojego nosa. Moja mama powiedziała mi, żebym zawsze ubierała się w sukienki. Moja mama powiedziała mi, żebym nigdy nie zdradziła jej przepisu na placek jabłkowy. Moja mama powiedziała mi, że nie powinnam odczuwać przyjemności z seksu.

Dalszy ciąg jednak nie nastąpił.

Jej mama. W bungalowie mieszkała mama Rosaleen.

– Dlaczego wcześniej o tym nie wspomniałaś?

Wyglądała na nieco zażenowaną.

– Och, no wiesz...

– Nie. Wstydzisz się jej? Moi rodzice czasami potrafili narobić mi obciachu.

– Nie, ona... jest stara.

– Starzy ludzie są słodcy. Mogę ją poznać?

– Nie, Tamaro. Jeszcze nie. – Złagodniała. – Nie jest zdrowa. Nie może się ruszać i boi się nowych ludzi.

– To dlatego zawsze kursujesz między domem a bungalowem? Biedna Rosaleen, musisz się wszystkimi opiekować.

Poczuła się chyba wzruszona.

– Ma tylko mnie. Muszę się nią zająć.

– Jesteś pewna, że nie mogę ci pomóc? Nie będę z nią rozmawiała, jeśli nie chcesz.

– Nie, dziękuję, Tamaro. Dziękuję, że spytałaś.

– Czy twoja mama przeprowadziła się tutaj, żebyś mogła się nią zajmować?

– Nie. – Włożyła do żaroodpornego naczynia kurczaka i sos pomidorowy.

– W takim razie ty przeprowadziłaś się bliżej niej, żeby móc się nią zajmować?

– Nie. – Umieściła dwie torebki z ryżem w plastikowym pudełku. – Zawsze tu mieszkała.

Zastanowiłam się nad tym przez chwilę, obserwując Rosaleen.

– Chwileczkę, to znaczy, że się tu wychowałaś?

– Tak – odparła po prostu, stawiając wszystko na tacy. – To dom, w którym mieszkałam jako dziecko.

– Czyli nie przeprowadziłaś się zbyt daleko, prawda? Czy wprowadziliście się tu z Arthurem po ślubie?

– Tak, Tamaro. A teraz wystarczy tych pytań. Wiesz, że ciekawość to pierwszy stopień do piekła. – Uśmiechnęła się przelotnie i wyszła z kuchni.

– Lepsze to niż ta piekielna nuda w waszym domu – wyrzuciłam z siebie, kiedy zamknęły się za nią drzwi.

Powlokłam się do dużego pokoju, jak co rano, i zaczęłam obserwować, jak Rosaleen szybkim truchtem przebiega na drugą stronę szosy, niczym ogarnięty lekką paranoją chomik, który boi się ataku krążącego nad nim jastrzębia.

Upuściła ścierkę. Oczekiwałam, że się zatrzyma i ją podniesie, ale nie zrobiła tego. Chyba w ogóle nie zauważyła, co się stało. Szybko wyszłam na zewnątrz, powędrowałam ścieżką ogrodową do bramy i stanęłam przy niej niczym posłuszne dziecko, oczekując, że Rosaleen za chwilę wróci szybkim krokiem. Potem odważnie wyszłam za bramę. Kiedy przekroczyłam niewidoczny próg, ruszyłam w stronę furtki do ogrodu przed bungalowem, oczekując, że do tej pory ciotka już na pewno dostrzegła brak ścierki. Uwaga, uwaga, placek jabłkowy będzie zimny.

Bungalow zbudowano z czerwonej cegły. Nie był to ciekawy budynek, dwa zasłonięte gęstymi białymi firankami okna, niczym para oczu dotkniętych zaćmą, rozdzielone drzwiami w kolorze zielonego smarka. Same okna wydawały się pociemniałe, jakby – chociaż tak nie było – zostały wykonane z barwionego szkła. Odbijały światło z zewnątrz, ukrywając doskonale wszelkie ślady życia wewnątrz. Podniosłam kraciastą ściereczkę z drogi, po której prawie nigdy nikt nie jeździł. Furtka prowadząca do ogródka przed domem była tak niska, że wystarczyło unieść nogę, żeby nad nią przejść. Powoli szłam ścieżką w stronę drzwi i zajrzałam do środka przez okno po prawej stronie. Przycisnęłam twarz do szyby, usiłując dostrzec cokolwiek przez tę okropną firankę. Nie wiem sama, co spodziewałam się zobaczyć. Wielki sekret, szaloną sektę, trupy, komunę hipisów, jakąś dziwaczną grę erotyczną z kluczami do samochodów w popielniczce... nie wiem. Cokolwiek, byle nie piecyk elektryczny w miejscu kominka, otoczony starymi brązowymi kafelkami i gzymsem, zielony dywan i powyginane ze starości krzesła z drewnianymi podłokietnikami oraz siedzeniami obitymi zielonym atłasem. Tak naprawdę był to smutny widok. Zupełnie jak w poczekalni u dentysty. Poczułam się nieswojo. Rosaleen niczego nie ukrywała. No niezupełnie; usiłowała nie pokazać światu najgorszego fiaska w dziedzinie wystroju wnętrz w tym stuleciu.

Zamiast zadzwonić, obeszłam dom dookoła. Gdy tylko skręciłam za róg, zobaczyłam mały ogródek z ogromną szopą, taką samą jak ta przy stróżówce na końcu ogrodu. Coś od czasu do czasu stamtąd błyskało. Najpierw pomyślałam, że to flesz kamery, ale potem zrozumiałam, że cokolwiek mnie oślepiało na krótką chwilę, odbijało po prostu promienie słońca. Poczułam, że bardzo chcę się dowiedzieć, co było za następnym rogiem.

Nagle tuż przede mną wyrosła Rosaleen. Podskoczyłam, a mój krzyk odbił się echem w wąskim przejściu z boku domu. Potem się roześmiałam.

Rosaleen natychmiast mnie uciszyła. Wyglądała na zdenerwowaną.

– Przepraszam – uśmiechnęłam się. – Mam nadzieję, że nie przestraszyłam twojej mamy. Upuściłaś ścierkę na drodze. Przyszłam, żeby ci ją dać. Co to za światło?

– Jakie światło? – odsunęła się nieco w bok. Moje oczy były teraz chronione, ale jednocześnie zasłoniła mi widok.

– Dzięki – potarłam powieki.

– Lepiej, żebyś wróciła do domu – wyszeptała.

– Daj spokój, nie mogę się chociaż przywitać? To wszystko za bardzo trąci mi Scooby-Doo. No, wiesz, duchami i tajemnicami.

– Nie ma tu żadnej tajemnicy. Moja mama nie czuje się dobrze w towarzystwie obcych ludzi. Może kiedyś przyjdzie do nas na obiad, jeżeli jej się polepszy.

– Super. – Kolejna staruszka na mojej liście znajomych.

Zamierzałam zapytać ją jeszcze raz, widząc, że złagodniała, ale usłyszałam nadjeżdżający drogą samochód i pomyślałam, że to Marcus. Zasalutowałam więc Rosaleen, odwróciłam się i pobiegłam.

Gdyby nawet okazało się, że to nie Marcus, te pięć sekund nadziei byłoby zdecydowanie najbardziej ekscytującą rzeczą, jaka wydarzyła się tego dnia. Jednak miałam rację, to był on. Stał na ganku stróżówki, przygładzając włosy i spoglądając na swoje odbicie w lustrze.

– Odstaje ci jeden włos za uchem – zawołałam od bramy.

Odwrócił się z uśmiechem.

– Goodwin. Dobrze, że cię widzę.

– Wróciłeś po książkę?

– Emm... taaaak, oczywiście, po książkę. Nie mogłem przestać myśleć o... książce.

– W zasadzie z książką jest problem.

– Coś ci się stało?

– Nie, mam na myśli prawdziwą książkę.

– Zgubiłaś ją?

– Nie, nie zgubiłam...

– Nie wierzę ci. Wiesz, jaka jest za to kara?

– Spędzenie całego dnia z tobą?

– Nie, Goodwin. Jeżeli popełnisz przestępstwo, musisz swoje odsiedzieć. Zabieram twoją kartę członkowską.

– Nie! Wszystko, tylko nie moją kartę.

– Właśnie tak. Dalej, oddaj mi ją. – Podszedł bliżej i zaczął mnie przeszukiwać. – Gdzie ona jest? Tutaj? – Jego dłonie były wszędzie, w kieszeniach moich dżinsów, na brzuchu.

– Nie oddam – roześmiałam się. – Serio, Marcus, nie zgubiłam książki, ale nie mogę ci jej oddać.

– Nie rozumiesz chyba zasad działania biblioteki objazdowej. Widzisz, to jest tak: pożyczasz książkę, czytasz ją albo tańczysz wokół niej, jeżeli to cię uszczęśliwia, a następnie zwracasz ją przystojnemu bibliotekarzowi.

– Ale widzisz, ktoś sforsował zamek i odkrył, że to nie książka, tylko pamiętnik. Absolutnie niezapisany. – Absolutnie niezapisany. Kompletnie martwy. – I ten ktoś zaczął w nim pisać.

– Aaaach... ktoś. Bo pewnie nie ty?

– Nie, nie ja. Nie wiem kto. – Uśmiechnęłam się, chociaż mówiłam całkiem poważnie. – To tylko kilka pierwszych stron. Mogłabym je wyrwać i oddać ci resztę, ale...

– Dlaczego po prostu nie powiedziałaś, że ją zgubiłaś? Tak byłoby prościej.

– Poczekaj tutaj chwileczkę.

Wbiegłam do domu, prosto na górę, do mojej sypialni. Zdjęłam klepkę i wyciągnęłam pamiętnik z dziury w podłodze. Wyniosłam go na ganek, tuląc do piersi.

– Nie powinieneś czytać tego, co tam jest napisane, ale proszę, oto dowód, że wcale nie zgubiłam książki. Zapłacę ci, czy co tam trzeba... po prostu nie mogę jej oddać.

Zrozumiał, że mówię poważnie.

– Nie, nie przejmuj się. Jedna książka mniej czy więcej nie zrobi różnicy. Mogę zobaczyć? Jest tam coś o mnie?

Zaśmiałam się i odsunęłam pamiętnik poza zasięg jego ręki. Był jednak zbyt dobry, zbyt wysoki i zdołał ją chwycić. Przestraszyłam się. Otworzył księgę na pierwszej stronie, a ja czekałam zawstydzona. Za chwilę miał się dowiedzieć o tym, że mój tata się zabił.

– „Nie powinnam opowiadać Weseleyowi o tacie" – odczytał na głos. – Kim jest Weseley? – spytał, spoglądając na mnie.

– Nie mam pojęcia. – Usiłowałam zabrać mu pamiętnik. Już się nie śmiałam. – Oddaj to, Marcus.

Posłuchał mnie.

– Przepraszam, nie powinienem tego czytać, ale chyba pomyliły ci się daty. Tu jest jutrzejsza.

W odpowiedzi tylko potrząsnęłam głową. Przynajmniej wiedziałam, że to nie wytwór mojej wyobraźni. Pamiętnik był całkiem prawdziwy.

– Przepraszam za wtrącanie się w prywatne sprawy.

– Nie, w porządku, nie napisałam tego.

– Może w takim razie któryś z Kilsaneyów?

Zadrżałam i zamknęłam pamiętnik. Zapragnęłam, żeby natychmiast jeszcze raz go przeczytać.

– Och, tak przy okazji, znalazłam siostrę Ignacjusz!

– Żywą, mam nadzieję?

– Mieszka po drugiej stronie posiadłości. Pokieruję cię.

– Nie, Goodwin, nie ufam ci. Ostatnia rezydencja, do której mnie wysłałaś, okazała się zrujnowanym zamkiem.

– Tym razem pojadę z tobą. Dalej, bibliotekarzu, wskakuj do bibliotekomobilu. – Pognałam ścieżką w kierunku autobusu i wskoczyłam do niego. Marcus podążył za mną ze śmiechem.

Zatrzymaliśmy się obok domu sióstr. Nacisnęłam klakson.

– Tamara, tak się nie robi. To zakon.

– Daję ci słowo, że to nie jest typowy zakon. – Zatrąbiłam jeszcze raz.

W drzwiach stanęła kobieta ubrana w czarną spódnicę i sweter, białą koszulę ze złotym krzyżem oraz biało-czarny woal. Była starsza niż siostra Ignacjusz i wyraźnie rozzłoszczona. Wyskoczyłam z autobusu.

– Co to za hałasy?

– Szukamy siostry Ignacjusz. Chciała pożyczyć książkę.

– Teraz jest pora modlitwy. Nie można jej przeszkadzać.

– Och, w takim razie niech siostra chwilkę zaczeka. – Zaczęłam szperać na tyłach autobusu. – Czy może siostra jej to dać i powiedzieć, że to od Tamary? Przesyłka specjalna. Zamówiła to w zeszłym tygodniu.

– Dobrze, zrobię to. – Zakonnica przejęła książkę i natychmiast zatrzasnęła drzwi.

– Tamara – zaczął Marcus surowo. – Jaką książkę dałaś siostrze Ignacjusz?

– *Noce z tureckim milionerem*. Jeden z bestsellerów Millsa i Boona.

– Tamara! Przez ciebie wyleją mnie z pracy!

– Jakby cię to obchodziło. Naprzód, bibliotekarzu! Zabierz mnie stąd!

Pojechaliśmy do miasta, gdzie zatrzymaliśmy się, żeby ludzie mogli skorzystać z biblioteki. Tak naprawdę jednak tego dnia udaliśmy się do Maroka, a pod piramidami z Gizy Marcus zdołał mnie nawet pocałować.

* * *

– Co robiłaś przez ostatnie kilka dni? – spytała radośnie Rosaleen, nakładając trzy tysiące kalorii na mój talerz.

Pamiętnik się nie mylił. Zapiekanka pasterska.

Rosaleen dopadła mnie zaraz, gdy wróciłam do domu. Miałam tylko tyle czasu, żeby ukryć pamiętnik na górze i wrócić do kuchni. Nie chciałam jej mówić, że cały dzień byłam z Marcusem, na wypadek gdyby próbowała mi zabronić dalszych z nim spotkań. Nie mogła jednak narzekać na to, że spędziłam czas z zakonnicą, prawda?

– Przez większość dnia byłam z siostrą Ignacjusz.

Rosaleen upuściła łyżki do naczynia z zapiekanką, a potem wyciągnęła je stamtąd niezgrabnie.

– Z siostrą Ignacjusz? – spytała.

– Tak.

– Ale... kiedy ją poznałaś?

– Kilka dni temu. Jak się dzisiaj czuje twoja mama? Przyjdzie do nas niedługo na obiad?

– Nigdy nie wspominałaś, że kilka dni temu spotkałaś siostrę Ignacjusz.

Odpowiedziałam jej tylko spojrzeniem. Zareagowała identycznie, jak opisałam to w pamiętniku. Miałam ją przeprosić? Czy powinnam zapobiec tej rozmowie? Nie wiedziałam, co zrobić, jak wykorzystać informacje, które otrzymywałam. Jaki był tego wszystkiego cel?

– Nigdy nie wspomniałam też, że we wtorek zaczął mi się okres, chociaż tak się stało – odpowiedziałam.

Arthur westchnął. Twarz Rosaleen stwardniała.

– Powiedziałaś, że poznałaś ją kilka dni temu, tak? Jesteś pewna?

– Oczywiście, że jestem pewna.

– Może to było dopiero dzisiaj?

– Nie.

– Siostra wie, gdzie mieszkasz?

– Oczywiście.

– Rozumiem – odparła bez tchu. – Ale... ale przecież była tu dzisiaj rano i nie wspominała nic o tym, że cię zna.

– Naprawdę? A wspomniałaś o mnie choćby jednym słowem?

Ton głosu potrafi wiele zmienić, wiem o tym doskonale. Czasem w wiadomościach tekstowych ludzie nie odbierają różnych niuansów, albo odwrotnie – dopatrują się czegoś, czego tam nie ma. Przechodziłam przez niezliczone kłótnie z Zoey na temat tego, co, jej zdaniem, miałam na myśli w tekście złożonym z pięciu słów. Zdaniu, które wypowiedziałam przed chwilą, nadałam jednak bardzo uważnie dobrany ton. Rosaleen doskonale zrozumiała, a ponieważ nie była głupia, domyśliła się, że słyszałam jej rozmowę z siostrą Ignacjusz. Kiedy stała z nią w korytarzu, słyszała prysznic, tylko że ja, zamiast stać pod nim, podsłuchiwałam.

– Przeszkadza ci coś w tym, że przyjaźnię się z siostrą Ignacjusz? Uważasz, że będzie miała na mnie zły wpływ? Że przyłączę się do jakiejś dziwnej sekty i zacznę się nosić na czarno? O nie, chwileczkę, może to zrobię! W końcu jest zakonnicą! – Roześmiałam się i spojrzałam na Arthura, który piorunował wzrokiem Rosaleen.

– O czym rozmawiacie? – Wyczułam w jej głosie panikę.

– Czy to ważne, o czym rozmawiamy?

– Przecież jesteś jeszcze młodą dziewczyną. O czym możesz rozmawiać z zakonnicą? – Uśmiechnęła się, usiłując ukryć popłoch.

W tym momencie powinnam opowiedzieć o zamku, o pożarze i o tym, że, o dziwo, ktoś zamieszkiwał go jeszcze niedawno. Miałam zapytać Rosaleen o to, kto umarł i gdzie byli pozostali, kiedy przypomniałam sobie wpis z pamiętnika. *„Żałowałam, że opowiedziałam jej, czego dowiedziałam się o zamku"*. O czym nie powinnam wspominać?

Rosaleen wpatrywała się we mnie, kiedy zastanawiałam się nad odpowiedzią. Włożyłam do ust duży kęs zapiekanki, żeby dać sobie więcej czasu do namysłu.

– No, wiesz... rozmawiamy o różnych rzeczach...

– Jakich rzeczach?

– Rosaleen – powiedział Arthur ostrzegawczym tonem. Rosaleen spojrzała w jego kierunku niczym łania, którą nagle przestraszyło echo odległego wystrzału.

– Obiad ci wystygnie. – Skinął w kierunku jej talerza, na którym leżało nietknięte jedzenie.

– Och, tak – chwyciła widelec i nadziała na niego marchewkę, ale nie włożyła jej do ust. – Mów dalej, dziecko.

– Rosaleen – westchnęłam.

– Pozwól jej zjeść obiad – powiedział Arthur cicho. Spojrzałam na niego z wdzięcznością, ale on utkwił wzrok w talerzu, z którego zgarniał duże kęsy prosto do ust. Nastała niewygodna cisza, przerywana jedynie odgłosami przeżuwania i brzękiem sztućców.

– Przepraszam, muszę iść do łazienki – odezwałam się, nie mogąc tego dłużej znieść.

Wyszłam z kuchni, ale zatrzymałam się zaraz za drzwiami, podsłuchując.

– O co ci chodziło? – warknął Arthur.

– Ciiii, mów ciszej.

– Będę mówił tak głośno, jak mi się podoba – syknął Arthur, zdecydowanie ciszej.

– Siostra Ignacjusz była tu dziś rano i nie wspomniała ani słowem o Tamarze – szepnęła Rosaleen.

– I co?

– I to, że zachowywała się, jakby nic o niej nie wiedziała. Jeżeli rzeczywiście spotkała się z Tamarą, na pewno by coś o tym powiedziała. Siostra Ignacjusz nie należy do ludzi, którzy trzymają takie rzeczy w tajemnicy. Po co zresztą miałaby to robić?

– Sugerujesz, że Tamara kłamie?

Szczęka mi opadła. O mały włos nie wbiegłam z powrotem do kuchni, ale powstrzymała mnie odpowiedź Rosaleen, wypowiedziana z ogromną goryczą:

– Oczywiście, że kłamie. Jest taka sama, jak jej matka.

Nastąpiło długie milczenie. Arthur nic nie odpowiedział.

Rozdział 13

NADMUCHIWANY ZAMEK

Leżałam w łóżku, usiłując zapomnieć o słowach Rosaleen, które na okrągło dźwięczały mi w głowie. Zdarzyło się coś, o czym nie wiedziałam, to było pewne. W tej chwili jednak nie mogłam nic zrobić, chociaż chciałam się dowiedzieć, co Rosaleen miała na myśli. Wczorajszy dzień był zamkniętym rozdziałem, ale jutrzejszy – to zupełnie inna historia. Przeczytałam kilkakrotnie zapiski z pamiętnika, czując rosnące podniecenie. Musiałam zaplanować wiele rzeczy. Leżałam w łóżku, tworząc listę spraw, które powinnam jutro załatwić. Rosaleen i Arthur wrócą do domu punktualnie o pierwszej po południu, więc nie będę miała zbyt wiele czasu. Świadomość tego nie pomogła mi się rozluźnić.

Była parna lipcowa noc. Albo zanosiło się na burzę, albo na upał od rana. Otworzyłam okno, żeby wpuścić trochę świeżego powietrza, i zrzuciłam kołdrę. Leżałam w błękitnym świetle księżyca, przyglądając się połyskującym na niebie gwiazdom.

Gdy tak wsłuchiwałam się w ciszę, nagle zaczęły mnie dobiegać odgłosy wsi, do których zdążyłam się już przyzwyczaić: pohukiwanie sowy, od czasu do czasu muczenie krów i pobekiwanie owiec. Co jakiś czas czułam lekki powiew wiatru, który przynosił ze sobą cichy szelest liści, tak jak ja wdzięcznych za chłodniejszy podmuch. Wreszcie zrobiło mi się zimno. Wstałam, żeby zamknąć okno, i nagle zdałam sobie sprawę, że dźwięki, które brałam za świergotanie ptaków, były głosami ludzi. Kto wie, jak daleko się znajdowali, ale dobiegła mnie melodia rozmowy, śmiech i chyba dźwięki muzyki. Potem nagle przestał wiać wiatr i zapadła cisza. Zdołałam jednak ustalić, że odgłosy dochodziły od strony zamku.

Było wpół do dwunastej w nocy. Ubrałam się w dres i adidasy. Podłoga trzeszczała pod moimi stopami, kiedy podchodziłam do drzwi. Przy każdym skrzypnięciu zamierałam na chwilę w oczekiwaniu, że śpiąca olbrzymka się obudzi. Odsunęłam krzesło od drzwi. Najlepiej by było dostać się na dół, a potem na zewnątrz, nie wyrywając przy tym ze snu pani domu. Usłyszałam, jak Rosaleen kaszle, i natychmiast wycofałam się do pokoju. Nigdy przedtem nie słyszałam, żeby kasłała. Odebrałam to jako ostrzeżenie.

Żeby uniknąć chodzenia po skrzypiącej podłodze, wskoczyłam do łóżka i czołgając się po nim, dotarłam do okna. Stare sprężyny jęczały, ale brzmiało to dokładnie tak, jakbym przekręcała się z boku na bok. Wyciągnęłam z szuflady przy łóżku latarkę i otworzyłam szerzej okno. Byłam pewna, że się przez nie przecisnę. Moja sypialnia mieściła się bezpośrednio nad gankiem, który miał spadzisty dach. Wiedziałam, że jeżeli się postaram, zdołam na niego zeskoczyć. Stamtąd będzie już łatwo zsunąć się po drewnianej balustradzie na ziemię. Proste.

Nagle drzwi do sypialni Rosaleen i Arthura otworzyły się i usłyszałam szybkie kroki na korytarzu. Zanurkowałam pod kołdrę, przykrywając się po uszy tak, żeby ukryć dres, adidasy i latarkę. Zacisnęłam powieki w chwili, gdy drzwi do mojego pokoju się otworzyły. Odgłosy zabawy w zamku wydały mi się naraz tak głośne, że byłam przekonana, że Rosaleen natychmiast odgadnie moje intencje.

Serce waliło mi w piersi. Poczułam czyjąś obecność w pokoju. Podłoga zaskrzypiała pod stopami nieoczekiwanego gościa. Rosaleen. Poznałam to po sposobie, w jaki wstrzymywała oddech, i po jej zapachu. Skrzypienie ucichło. Przyglądała mi się. Pilnowała mnie.

Walczyłam ze sobą, żeby nie otworzyć oczu. Próbowałam rozluźnić mięśnie twarzy i nie poruszać zbyt często gałkami ocznymi. Oddychałam głośniej niż zazwyczaj, usiłując sprawić wrażenie, że jestem pogrążona w głębokim śnie. Poczułam, że Rosaleen pochyla się nade mną, i cała zesztywniałam w oczekiwaniu, że ściągnie ze mnie kołdrę i zobaczy, że jestem gotowa do wyjścia. Po chwili usłyszałam zamykane okno i zrozumiałam, że Rosaleen sięgnęła tylko do niego nad łóżkiem. Zastanawiałam się przez chwilę, czy nie otworzyć oczu i nie zrobić awantury za to, że wchodzi do mojego pokoju bez pytania, ale co bym na tym zyskała?

– Rosaleen – usłyszałam szept dochodzący z ich sypialni. – Co ty wyprawiasz?

– Sprawdzam, czy wszystko z nią w porządku.

– Oczywiście, że wszystko w porządku. Nie jest już dzieckiem. Wracaj do łóżka.

Poczułam na policzku dłoń. Palce Rosaleen delikatnie wsunęły opadający mi na czoło kosmyk włosów za ucho, tak jak to robiła mama. Czekałam na poprawienie kołdry i, naturalnie, odkrycie mojego stroju, ale nic takiego nie nastąpiło. Zamiast tego poczułam jej oddech na twarzy i usta Rosaleen musnęły moje czoło w delikatnym pocałunku. Potem wyszła, zamykając za sobą drzwi.

Nie jest już dzieckiem.

Po jej wyjściu odczekałam, aż z ich sypialni znów rozległo się chrapanie Arthura. Wyszłam z łóżka, otworzyłam okno i nie zastanawiając się wiele, wyskoczyłam na zewnątrz, lądując miękko na spadzistym dachu. Dopiero kiedy byłam już na ziemi i spojrzałam na dom, zrozumiałam wiadomość, którą zostawiłam dla siebie w pamiętniku, żeby nie zamykać okna.

Korzystając z latarki, ruszyłam za głosami w stronę zamku. Widziałam tylko kilkadziesiąt centymetrów drogi przede mną, wszystko inne pogrążone było w ciemności. Drzewa wydawały się jeszcze bardziej tajemnicze niż za dnia. Szeptały do siebie liśćmi jakieś sekrety, którymi nie chciały się ze mną podzielić. Gdy podeszłam bliżej zamku, głosy stały się wyraźniejsze, poczułam dym, usłyszałam muzykę i brzęk szkła. Z korytarza przy głównym wejściu i z jedynego pokoju, który zachował wszystkie okna, wydobywało się światło. Reszta pokojów po lewej stronie i z tyłu budowli była nadal pogrążona w mroku. Wyłączyłam latarkę i ruszyłam w kierunku tylnej części zamku, mijając po drodze dwa pokoje z widokiem na jezioro i prowadzące nad jego brzeg schody. Dotarłam do pokoju z oknem, przez które wcześniej uciekałam przed Rosaleen, i zaczęłam nasłuchiwać.

Gwiazdy tworzyły na ścianie świetlne wzory. Myślałam, że nikogo tu nie ma, i zajrzałam do środka, żeby popatrzeć na żółtawe cętki, bawiące się w berka na ścianie, chociaż gwiazdy widoczne przez okno po drugiej stronie pokoju sprawiały dużo większe wrażenie. Myślałam, że jestem jedyną osobą podziwiającą żywe wzory na murze, dopóki nie usłyszałam wilgotnego odgłosu pocałunku, po którym rozległ się krzyk. Natychmiast rozpoczęła się bieganina, uciszanie, głośne przewracanie puszek i butelek i teatralne szeptanie. Poczułam, że ktoś chwyta mnie za włosy, a potem za kark i ciągnie do głównej części zamku.

– Hej, puszczaj! – Kopnęłam w powietrzu. – Zabieraj swoje cholerne łapska!

Zaczęłam walić w ręce obejmujące mnie w talii. Należały do jakiegoś mężczyzny, który na pół mnie ciągnął, a na pół niósł. Podziękowałam Rosaleen za jej dietę pełną węglowodanów i w związku z tym dodatkowe kilka kilogramów wagi, jakie zyskałam. Inaczej nieznajomy z łatwością przerzuciłby mnie sobie przez ramię. W końcu znaleźliśmy się w środku i nieznajomy postawił mnie dość niedelikatnie na ziemi. Nie przestał obejmować mnie w talii. Odwróciłam się i zobaczyłam brzydala ze zmierzwioną brodą, a potem jeszcze sześć osób, przyglądających mi się ciekawie. Niektórzy siedzieli na schodach, inni na skrzynkach ustawionych na podłodze. Miałam ochotę nawrzeszczeć na nich, żeby wynosili się z mojego domu.

– Podglądała nas – odezwała się autorka okrzyku, pojawiając się w progu i dysząc, jakby przed chwilą przebiegła maraton.

– Nie podglądałam. – Wykrzywiłam się. – To obrzydliwe.

– Amerykanka – powiedział jeden z mężczyzn.

– Nie jestem Amerykanką.

– Mówisz jak Amerykanka – odezwał się kolejny.

– Hej, to Hannah Montana. – Ostatnie zdanie zostało przywitane wybuchem śmiechu.

– Jestem z Dublina.

– Niemożliwe, na pewno nie jest.

– Owszem, jestem.

– Do Dublina jest bardzo daleko.

– Przyjechałam tu na lato.

– Na wakacje – powiedział ktoś i wszyscy się roześmiali.

W progu, za krzykaczką, stanął kolejny mężczyzna. Słuchał przez chwilę, jak usiłowałam się bronić piskliwym głosem, nad którym nie miałam żadnej kontroli. Zastanawiałam się, jakim cudem stałam się nagle najbardziej niepopularną osobą w pokoju pełnym prostaków.

– Gary, puść ją – powiedział mężczyzna stojący w drzwiach.

Kudłaty Gary odsunął się ode mnie natychmiast. Zatem ten w progu był ich przywódcą. Uwolniona z uścisku, natychmiast się opanowałam.

– Czy są jeszcze jakieś pytania? Może pan w kraciastej koszuli i martensach? Chciałby pan zadać pytanie o dni, w których Guns n'Roses byli wciąż znani i lubiani?

Ktoś parsknął śmiechem, dostał kuksańca i krzyknął z bólu. Kudłaty Gary, nadal stojąc za moimi plecami, szturchnął mnie boleśnie.

– Usłyszałam was wszystkich z mojego pokoju. Byłam w łóżku. – Zdałam sobie sprawę, że w tej chwili jawię się jak wkurzające dziecko, które właśnie przerwało zabawę rodzicom.

– Mieszkasz tu niedaleko?

– Ona kłamie.

– A co, myślisz, że przyleciałam z Los Angeles na przechadzkę o północy?

– Mieszkasz w stróżówce?

– W królewskiej stróżówce – dodał ktoś i znów zaczęli się śmiać.

No dobrze, może nie był to pałac Buckingham, ale i tak wyglądał o niebo lepiej niż te obskurne wiejskie chałupy na okolicznych gruntach. Przenosiłam wzrok od jednej twarzy do drugiej, zastanawiając się nad odpowiedzią. Czy wyznanie, gdzie mieszkam, byłoby wielką głupotą z mojej strony?

– O nie, ja mieszkam w oborze i sypiam ze świniami, tak jak wy wszyscy – odpysknęłam. – Nie wiem, o co wam chodzi. On też nie wygląda na tubylca.

Miałam na myśli ciemnoskórego przywódcę gangu, który nadal stał w drzwiach, wpatrując się we mnie. W sytuacjach podbramkowych uderzaj w lidera, pozbądź się go.

Tak naprawdę to nie najlepszy pomysł.

Wszyscy spojrzeli po sobie z oburzeniem. Usłyszałam wielokrotnie powtórzone słowo „rasistka".

– To żaden rasizm. – Wywróciłam oczami. – Nosi dżinsy Dsquared. Na takim zadupiu, jak to, nie sprzedaje się Dsquared.

Nie było to zbyt dobre zagranie. Widziałam *Uwolnienie*. Wiem, do czego można zmusić człowieka. Zdążyłam już oskarżyć ich o spanie ze świniami, co nie było najlepszym początkiem czegoś, co najprawdopodobniej powinno być przeprosinami. Widziałam, jak na twarzy przywódcy gangu pojawił się uśmiech. Zaraz potem zakrył usta dłonią. Pozostali otoczyli mnie, celując we mnie palcami i wyzywając mnie od rasistki, chociaż przecież wyraźnie wytłumaczyłam, co, moim zdaniem, wyróżniało go wśród innych. Mężczyzna przy drzwiach powiedział im, żeby przestali, usiłował przemówić do rozsądku krzykaczce i kilku pijanym członkom grupy, aż wreszcie chwycił mnie za rękę i wyciągnął z pokoju, prowadząc na tyły zamku, w miejsce, w którym wszystko się zaczęło, pod okno, przez które podobno go szpiegowałam.

– Czy zamierzasz mnie wypuścić, a potem udawać, że mnie zabiłeś? – spytałam lekko nerwowo. Bardzo nerwowo. No dobrze, myślałam, że mnie pobije.

Uśmiechnął się.

– Tamara, prawda?

Opadła mi szczęka ze zdziwienia.

– Skąd ty... – A potem zaskoczyłam. – Jesteś Weseley.

Teraz to on wyglądał na zaskoczonego.

– Arthur ci powiedział?

– Arthur? Em, tak, oczywiście, że tak. Mówi o tobie przez cały czas.

Moje słowa wyraźnie go zdezorientowały.

– Mnie też o tobie opowiadał.

– Naprawdę?

Nie przypuszczałam, że Arthur w ogóle z kimkolwiek rozmawia. Nie umiałam sobie tego wyobrazić. Zresztą, co miałby niby do powiedzenia?

– Papierosa?

Wyciągnął jednego i zapalił zapałką. Kiedy zbliżył ją do twarzy, mogłam lepiej mu się przyjrzeć. Miał skórę w kolorze mlecznej czekolady, naprawdę piękny odcień, wielkie brązowe oczy z tak długimi rzęsami, że przez chwilę poczułam zazdrość. W moim „poprzednim" życiu wydałam małą fortunę na sztuczne rzęsy z brokatem. Usta duże, soczyste, zęby idealnie proste i białe oraz pięknie zarysowaną szczękę i policzki. Wyglądał tak ładnie, że naprawdę mu pozazdrościłam. Był wyższy ode mnie przynajmniej o głowę. Zapałka spaliła się niemal całkowicie, więc rzucił ją na ziemię. On też mi się przyglądał. Przypalił mojego papierosa nową zapałką. Zaciągnęłam się. Dawno tego nie robiłam.

– Dzięki.

– Nie ma sprawy.

– Co ty do diabła robisz, Wes? Co, palisz sobie z nią papieroska? Jest spokrewniona z tą rodziną dziwaków. Mam nadzieję, że zdajesz sobie z tego sprawę.

Zza rogu wynurzyła się krzykaczka w asyście jakiejś innej kobiety. Podeszła do nas chwiejnym krokiem, wypełniając powietrze zapachem prosto z koszyka reklamowego Body Shopu.

– Uspokój się, Katie.

– Nie, nie zamierzam się uspokoić, do jasnej... – rozpoczęła przemowę pełną pijackiego bełkotu, a potem zaczęła bić Weseleya torebką. Jej towarzyszka odciągnęła ją na bezpieczną odległość.

– Dobra. – Katie strząsnęła z siebie dłonie koleżanki, po czym chwyciła ją, żeby się nie przewrócić. Omal nie pociągnęła jej za sobą w dół. – Skoro tak, to idę do domu.

– Och! – Spojrzałam na Weseleya.

– Nie bolało.

– Podróbka Louisa Vuittona? Chyba żartujesz. Czułam ból od samego patrzenia.

– Jesteś snobką – uśmiechnął się.

– A ty kiepskim narzeczonym.

– Ona nie jest moją dziewczyną.

– Jasne.

– Chcesz się napić?

Pokiwałam głową chyba zbyt entuzjastycznie. Roześmiał się, a potem ruszył do pokoju, w którym bawili się pozostali, a ja za nim.

– Hej, Weseley, chyba nie zamierzasz podzielić się z Hannah Montaną naszymi zapasami, co?

Weseley zignorował Gary'ego i podał mi puszkę. Wróciliśmy do komnaty z oknami.

– Co to jest?

– Diamond White.

– Nigdy o tym nie słyszałam.

– Jak ci to najłatwiej wytłumaczyć... – Zamyślił się. – Pomyśl o tym jako o szampanie, ale zrobionym z jabłek.

Skrzywiłam się.

– Jeżeli sądzisz, że pijam szampana, to w ogóle mnie nie znasz.

– Cóż, w zasadzie to rzeczywiście cię nie znam. To cydr. Amerykanie nazywają to mocnym cydrem.

– Nie jestem Amerykanką.

– Nie mówisz jak Irlandka.

– A ty nie wyglądasz na Irlandczyka. Może nasz kraj się po prostu zmienił. – Udałam, że nagle mnie olśniło. – O mój Boże, powinniśmy komuś o tym powiedzieć?

– Moja mama ma rude włosy i piegi.

– Czyli musi być Szwedką.

Roześmiał się, a potem wskazał na skrzynkę za moimi plecami. Usiadłam, on zajął miejsce naprzeciwko mnie.

– Skąd pochodzi twój tata?

– Z Madagaskaru.

– Super. Jak w tym filmie?

– Tak, dokładnie jak w kreskówce Disneya – odparł ostro.

– Bywasz tam?

– Nie.

– Dlaczego twój tata się tu przeprowadził?

– Bo tak.

– Ach – pokiwałam głową. – To dobry powód.

Oboje się roześmieliśmy.

Ktoś z pokoju obok znów skomentował coś na temat mojego rasizmu.

– Naprawdę miałam na myśli twoje ciuchy – powiedziałam cicho. – Jesteś ubrany znacznie lepiej niż Mały John z sąsiedniego pokoju i Mary Ellen, która powędrowała gdzieś w podróbkach Uggów, otoczona oparami Dewberry.

Roześmiał się, wydychając dym z papierosa. Nie spuszczał ze mnie wzroku.

– Nie jest moją dziewczyną.

– Powiedziałeś to już, chociaż moje superszpiegowskie okulary zarejestrowały coś zupełnie innego.

– Ach, no tak, cóż... To było tylko... – Przydusił papierosa butem i wrzucił niedopałek do słoika. Byłam mu za to wdzięczna. Czułam się niczym rodzic, który wrócił do domu i zobaczył, że dzieci zrujnowały mu dom. – Jeżdżą tu autobusy, wiesz? – dodał. – Duże pojazdy na kółkach, które wożą ludzi do stolicy.

– Skąd odchodzą?

Myślę, że zareagowałabym z podobnym entuzjazmem, gdyby oznajmił, że wynalazł lekarstwo na raka. Sposób na wydostanie się stąd...

– Dunshaughlin. Mniej niż trzydzieści minut drogi stąd samochodem.

– Jak ty tam docierasz?

– Tata mnie podrzuca.

Cóż, mój tata nie żyje.

– Tak przy okazji, to twoje?

Sięgnął do swojej torby i wyciągnął długopis, ten sam, który ukradłam z biurka Arthura i upuściłam na ziemię wczoraj, kiedy byłam w zamku i wpadłam w panikę.

„Ktoś tam był. Wiem to".

– Byłeś tutaj wczoraj?

– Hmmm... – zamyślił się.

– Nie powinieneś się zastanawiać nad odpowiedzią – warknęłam.

– Nie wiem. Nie. Tak. Nie, nie wiem, czy byłem. Znalazłem ten długopis dzisiaj w nocy, jeżeli o to pytasz.

– Nie było cię tutaj wczoraj, kiedy przyszłam do zamku?

– Większość dni spędzam z Arthurem. – Nadal nie odpowiedział na pytanie.

– Naprawdę?

– Przecież muszę.

– Dlaczego?

– Bo z nim pracuję.

– Ach tak.

– Myślałem, że Arthur ci powiedział.

– Ooo... no tak. Rosaleen o tym wie?

Pokiwał głową.

– Nie sądzę, żeby jej się to podobało, ale Arthur ma problemy z kręgosłupem i potrzebuje pomocy.

– Jak długo z nim pracujesz?

Zamyślił się, wpatrzony w przestrzeń.

– Och, niech pomyślę. Długo, naprawdę długo. Jakieś... trzy tygodnie.

Zaczęłam się śmiać.

– Przeprowadziliśmy się tutaj dopiero w zeszłym miesiącu – wyjaśnił.

– Naprawdę? – Poczułam dziwną nadzieję w sercu. Mieliśmy ze sobą coś wspólnego. – Skąd?

– Z Dublina.

– Ja też! – Moje podekscytowanie było zbyt widoczne. Zaczerwieniłam się. – Przepraszam. – Chyba za bardzo się ucieszyłam ze spotkania drugiego przedstawiciela mojego gatunku. – Jak to się stało, że tak szybko zostałeś przywódcą miejscowego gangu? Rzuciłeś na nich zaklęcie? Pokazałeś im, jak się rozpala ogień?

– Okazuje się, że dzięki uprzejmości wiele można zdziałać. Szpiegowanie, wpraszanie się na prywatne zabawy czy ubliżanie ludziom nie jest dobrym sposobem na przyłączenie się do jakiejkolwiek grupy.

– Nie chcę się przyłączać – odparłam ponuro. – Chcę się stąd wydostać.

Umilkliśmy.

– Wiesz, co się tutaj kiedyś stało? W tym zamku? – spytałam.

– Masz na myśli Normanów i takie tam?

– Nie, nie to. Niedawne wydarzenia. Co się stało z mieszkającą tu rodziną?

– Był pożar czy coś w tym stylu, a potem się wyprowadzili.

– No, no. Powinieneś pisać książki historyczne.

– Dopiero co tu przyjechaliśmy. – Uśmiechnął się. – Dlaczego chcesz wiedzieć?

– Z ciekawości.

Przyglądał mi się przez chwilę.

– Możemy ich zapytać, jeśli chcesz. To znaczy, resztę grupy.

Doszedł nas wybuch śmiechu. Chyba grali w „zakręć butelką".

– Nie, nie trzeba.

– Siostra Ignacjusz pewnie wszystko pamięta. Znasz ją, prawda?

– Skąd to wiesz?

– Powiedziałem ci, że tu pracuję. Nie jestem ślepy.

– Ale ja cię nigdy nie widziałam.

Wzruszył ramionami.

– Kazała mi zapytać Arthura i Rosaleen – wyjaśniłam.

– Powinnaś. Wiesz o tym, że Rosaleen mieszkała przez całe życie w bungalowie przy zamku? Jeżeli ktokolwiek coś wie, to ona. Pewnie mogłaby ci opowiedzieć ze szczegółami wszystko, co się tutaj wydarzyło przez ostatnie dwieście lat.

Nie mogłam mu wyznać, że pamiętnik wyraźnie ostrzegł mnie, że nie powinnam jej o nic pytać.

– Nie wiem... nie sądzę, żeby chcieli o tym rozmawiać. Rosaleen jest taka skryta. Chyba znali tych ludzi i jeżeli ktoś umarł, nie chcę jej zmuszać do smutnych wspomnień. Pewnie dalej znają tę rodzinę. Arthur przecież nie pracuje tu za darmo – strzeliłam palcami. – Właśnie. Kto ci płaci?

– Arthur. Gotówką.

– Och.

– Dlaczego tu jesteś?

– Powiedziałam ci już. Usłyszałam was z okna mojej sypialni.

– Chodzi mi o Kilsaney.

– Och.

Umilkłam. Myślałam intensywnie. Cokolwiek, tylko nie prawda. Nie chciałam jego współczucia.

– Sądziłam, że Arthur ci o mnie opowiedział.

– Zasłużyłbym chyba na jakąś specjalną nagrodę, gdyby udało mi się z niego wyciągnąć coś więcej. Powiedział tylko, że mieszkasz u nich z mamą.

– Wiesz, musiałyśmy się przeprowadzić. Nie na długo. Najprawdopodobniej tylko na lato. Sprzedałyśmy nasz dom i czekamy, żeby kupić nowy.

– Nie ma tu twojego taty?

– Nie, on... zostawił mamę dla kogoś innego.

– O kurczę, przykro mi.

– E, bez przesady. Ona jest dwudziestoletnią modelką. Słynną. Można obejrzeć jej zdjęcia w kolorowych magazynach. Zabiera mnie czasem ze sobą do klubów.

Zmarszczył czoło i spojrzał na mnie. Poczułam się jak idiotka.

– Widujesz się z nim?

– Nie, teraz już nie.

Podążałam tylko za wskazówkami pamiętnika. „Nie powinnam opowiadać Weseleyowi o tacie". Nie czułam się jednak z tego powodu lepiej. I tak okłamałam już Marcusa, co w pewnym sensie było usprawiedliwione, bo cała ta historia z nim była jednym wielkim łgarstwem. Nie chciałam jednak oszukiwać Weseleya. Poza tym i tak dowie się wszystkiego od Arthura, tyle że za dziesięć lat.

– Weseley, przepraszam cię, skłamałam. – Potarłam twarz. – Mój tata... umarł.

Wyprostował się.

– Co? Jak?

Powinnam powiedzieć coś innego, na przykład, że zginął na wojnie, albo, no nie wiem, wybrać jakiś inny, bardziej popularny rodzaj śmierci.

– Em, na raka. – Chciałam, żebyśmy przestali o tym rozmawiać. Nie mogłam już dłużej wytrzymać. Chciałam, żeby przestał zadawać mi pytania. – W jądrach.

– Och!

To zakończyło temat.

Zaraz potem podziękowałam mu i ruszyłam do domu, wychodząc z zamku przez okno. W połowie drogi zatrzymałam się, odwróciłam i pobiegłam z powrotem.

– Weseley – szepnęłam lekko zadyszana, stojąc przy oknie. Właśnie sprzątał puste puszki i niedopałki leżące na parapecie.

– Zapomniałaś czegoś?

– Em... tak – szepnęłam.

– Dlaczego mówimy tak cicho?

Też ściszył głos. Uśmiechając się, podszedł do okna i pochylił się, opierając na łokciach o parapet.

– Bo ja... em... nie chcę powiedzieć tego na głos.

– Aha... – Przestał się uśmiechać.

– Pomyślisz, że jestem dziwna.

– Już tak myślę.

– Bo... Mój tata nie umarł na raka.

– Nie?

– Nie. Powiedziałam to, bo uznałam, że tak będzie łatwiej. Chociaż ta część z jądrami nie była prosta do wypowiedzenia. Fuj!

Uśmiechnął się.

– Jak umarł twój tata?

– Zabił się. Połknął całą butelkę proszków i specjalnie popił whisky. A ja go znalazłam. – Przełknęłam głośno ślinę.

Dokonało się. Ten wyraz twarzy, o którym napisałam. Spojrzenie pełne czystego współczucia. Miła mina, na potrzeby okropnej osoby, takiej jak ja.

Milczał.

– Nie chciałam skłamać.

– W porządku. Dzięki za to, że mi powiedziałaś.

– Nigdy tego nikomu nie mówiłam.

– Zatrzymam to dla siebie.

– Dzięki. Teraz już naprawdę sobie pójdę.

Skrzywienie ust.

– Dobranoc.

Wychylił się bardziej za okno.

– Do zobaczenia, Tamaro – zawołał.

– Jasne, do zobaczenia. – Chciałam stąd zniknąć.

Imprezowicze stojący w korytarzu zamku zaczęli gwizdać i śmiać się. Zniknęłam w ciemnościach.

Tej nocy nauczyłam się czegoś ważnego. Nie powinno się dążyć do stworzenia idealnej przeszłości. Czasem człowiek powinien się poczuć dziwnie, obnażyć duszę przed drugim człowiekiem. To wszystko droga do poznania siebie. Droga do następnego dnia. Pamiętnik nie zawsze ma rację.

Rozdział 14

PIERWSZA GODZINA

Pamiętnik powiedział, że mam czas do pierwszej po południu.

To było dość niezwykłe. Poranek przebiegł dokładnie tak, jak to przeczytałam. Rosaleen obudziła mnie, powiedziała, że mogę zostać w domu, i naprawdę wydało mi się oczywiste, że nie chciała, aby jej mały światek dowiedział się o moim istnieniu. Wyobraźcie sobie tylko grozę i wstyd, gdyby musiała się przyznać do tego, że mieszkamy u nich z mamą i że mój ojciec odebrał sobie życie. Największy grzech ze wszystkich. Oczywiście rozzłościła mnie ta myśl i musiałam zwalczyć w sobie pragnienie, aby zmusić ich do zabrania mnie ze sobą. Udało mi się jednak zostać w łóżku. Kiedy przysłuchiwałam się odjeżdżającemu samochodowi, wiedziałam, że w tym momencie mój dzień zaczął się różnić od opisanego w pamiętniku. Niesamowite. Przeżywałam coś, co w pewnym sensie już się zdarzyło. Chyba zaczęłam się już do tego przyzwyczajać.

Zamiast położyć się znowu spać, ubrałam się i zbiegłam na dół. Kiedy na drodze pojawiło się żółte cinquecento z opuszczonym oknem, siedziałam już na murku otaczającym ogród przed domem.

– Ach! – Oczy siostry Ignacjusz się rozjaśniły. – Właśnie ciebie szukałam. Chcesz iść na mszę?

Spojrzałam na samochód ciasno wypakowany zakonnicami.

– Och, możesz usiąść na kolanach siostry Piotra Reginy – zaproponowała żartobliwie. Usłyszałam ironiczne parsknięcie z wnętrza fiata. – Śpiewamy na porannych mszach. Skoro należysz do chóru, powinnaś się do nas przyłączyć, oczywiście jeżeli nie masz zapalenia krtani.

„Nie mogę" powiedziałam bezgłośnie, chwytając się za gardło i zamykając usta.

– Przepłucz sobie gardło solą i wszystko będzie dobrze. – Spojrzała na mnie surowo, a potem się rozjaśniła. – Dziękuję za książkę.

– Nie ma za co – odezwałam się. – Wybrałam ją specjalnie dla siostry.

– Tak myślałam – zachichotała. – Wiesz, na początku mi się nie podobała. Mówię o Marilyn Mountrothman. Była nadęta i zbyt wiele oczekiwała. Koniec końców jednak ją pokochałam, zupełnie jak Tariq. Nie wydawali się najlepiej dobraną parą, ale on zawsze wiedział, co ona myśli. Zwłaszcza kiedy płakała z powodu wiadomości od ojca, chociaż nie chciała o niczym powiedzieć Tariqowi. Och, muszę przyznać bez bicia, że to mnie naprawdę wzruszyło. A on wszystkiego się domyślił. Wiedział, że Marilyn go kocha. Mądry facet! Przypuszczam, że w ten sposób człowiek staje się milionerem i potentatem w przemyśle rafineryjnym. Podobały mi się zdjęcia ich dwojga na okładce. Pomogło mi to wyobrażać sobie ich podczas lektury. On, z włosami zaczesanymi gładko do tyłu, umięśniony...

– Naprawdę siostra przeczytała tę książkę?

– Oczywiście, że tak. Teraz kolej siostry Konceptuy.

Kobieta siedząca na miejscu pasażera z przodu odwróciła się w naszym kierunku.

– Nie mów mi, co się zdarzyło – poprosiła. – Właśnie dotarłam do miejsca, w którym wynajął prywatny samolot do Istambułu.

– Och, najlepsze jeszcze przed tobą. – Siostra Ignacjusz klasnęła w dłonie. – Dwa słowa: turecki przysmak – dodała.

– Prosiłam o coś! – krzyknęła siostra Konceptua. – Wszystko wygadasz.

– Musimy jechać – warknęła siostra Mary zza kierownicy. – Spóźnimy się.

– Pomyśl o wybraniu się z nami w przyszłą niedzielę – poprosiła całkiem poważnie siostra Ignacjusz.

– Dobrze. – Kiwnęłam głową. – Teraz rozważam powrót do łóżka. Jeżeli zobaczysz Rosaleen, powiedz jej to, dobrze?

– To prawda? – Spojrzała na mnie podejrzliwie.

– Tak. Naprawdę o tym myślę.

– Rozumiem. Co ty knujesz?

– Musimy już jechać. – Siostra Mary włączyła silnik.

– Zaczekajcie. – Spojrzałam na siostrę Ignacjusz lekko spanikowana. – Potrzebuję czegoś od siostry. Nazwiska.

Chwilę później obserwowałam, jak znikają za rogiem. Siostra Ignacjusz pomachała do mnie zza szyby, zupełnie jak w pamiętniku.

Była dziesiąta rano.

Teraz najważniejsza była sprawa mamy. Przerzuciłam kilka kartek w książce telefonicznej, aż znalazłam nazwisko, które podała mi siostra Ignacjusz. Telefon zadzwonił raz, drugi, trzeci i kiedy włączyła się automatyczna sekretarka, wreszcie odebrał jakiś mężczyzna.

– Halo? – zachrypiał. – Chwileczkę – usłyszałam, że dyszy, jakby biegł. Przez chwilę walczył z automatyczną sekretarką, usiłując ją wyłączyć.

Chrząknęłam. Dorosła Tamara miała sprawę do załatwienia.

– Halo, chciałabym się umówić na wizytę z doktorem Gedadem.

– Och, nie ma go tu. – Miał zaspany głos. – Mogę odebrać wiadomość?

– Em... nie. Czy doktor wróci przed pierwszą po południu?

– Klinika jest zamknięta w niedzielę.

Przerwałam. Jego głos wydał mi się bardzo znajomy.

– Właściwie to chodzi o wizytę domową.

– Czy to nagły wypadek?

Wstrzymałam oddech.

– Weseley, czy to ty?

– Tak. Kto mówi?

Skłam, Tamara. Skłam. Zmyśl jakieś imię.

– Tamara. Przepraszam, że cię obudziłam.

– Tamara? – Wydawał się już bardziej rozbudzony. – Wszystko w porządku? Potrzebujesz lekarza? To mój tata.

– Och... nie, to nie dla mnie, dla mojej mamy. Nic nagłego. Myślisz, że twój tata wróci przed pierwszą?

– Nie wiem. Zwykle chodzą na mszę, a potem na targ. Wracają w okolicach pierwszej.

– O co do diabła chodzi z tą cholerną mszą i targiem?

– No właśnie. Wszyscy uwielbiają to robić. – Ziewnął. – Myślę, że tata chodzi tam tylko po to, żeby wcisnąć swoją wizytówkę każdemu, kto kichnął lub zakaszlał.

Roześmiałam się.

– Długo zostałeś w zamku wczoraj w nocy?

– Może jeszcze z godzinę. Nie słyszałaś nas?

– Pół godziny spędziłam na wspinaniu się z powrotem do sypialni. Przez pomyłkę zamknęłam okno przy wychodzeniu. Zniszczyłam sobie paznokcie, usiłując je otworzyć.

Zachichotał.

– Powinnaś po mnie wrócić. Pomógłbym ci się dostać do środka. Wiem, gdzie Arthur trzyma swój prywatny zestaw narzędzi. Chcesz, żebym poprosił tatę o wizytę u was po powrocie?

– Nie, dzięki. Gdyby to było przed pierwszą, to tak.

– Co z dniem jutrzejszym?

Będę musiała poczekać do przyszłego tygodnia, żeby Arthur i Rosaleen wyszli z domu, chyba że... miałam nikłą szansę, kiedy Rosaleen odwiedzała swoją mamę.

– Może między dziesiątą a jedenastą?

– Porozmawiam z nim o tym. Poproszę, żeby do ciebie zadzwonił.

– Nie – odparłam szybko. – Nie może tu zadzwonić.

– A może masz komórkę?

– Nie.

– W porządku – westchnął. – Jest zdecydowanie za wcześnie na myślenie. Daj mi chwilę.

Czekałam, gdy on się zastanawiał.

– No dobrze, rozumiem, że nie chcesz, żeby Rosaleen i Arthur się o tym dowiedzieli. Kiedy ojciec wróci do domu, dowiem się, czy jutro może was odwiedzić. Spotkajmy się w zamku o drugiej. Wtedy ci powiem, na czym stoimy.

Uśmiechnęłam się. Równie dobrze mógł zadzwonić, ale chciał się ze mną zobaczyć. Odłożyłam słuchawkę, pełna energii. Jedna rzecz prawie załatwiona.

Druga misja to sprawdzenie bungalowu, a przynajmniej ogrodu za domem. Nie chciałam wystraszyć starszej pani na śmierć. Wymyśliłam odpowiedni powód odwiedzin. Wsypałam jagody do miseczki, zagotowałam wodę na herbatę, zrobiłam kilka tostów, usmażyłam jajecznicę – bardzo kiepsko zresztą, bo część przypaliłam. Zalałam patelnię wodą, już teraz bojąc się wyrazu twarzy Rosaleen, kiedy zobaczy zniszczone naczynie. Umieściłam wszystko na tacy i przykryłam ściereczką, tak jak Rosaleen każdego ranka. Czułam dumę z mojej pierwszej i zapewne ostatniej próby przyrządzenia śniadania. Wyszłam z domu i bardzo powoli, żeby nie rozlać herbaty, ruszyłam w stronę bungalowu. Przejście przez furtkę okazało się dość karkołomne, jako że obie ręce miałam zajęte trzymaniem tacy. Ściereczka cała nasiąkła herbatą, ale brnęłam dalej. Minęłam zasłonięte gęstymi firankami okna dużego pokoju i weszłam w przejście z boku domu. Znów oślepił mnie odblask czegoś w okolicach szopy. Zacisnęłam mocno powieki i oparłam jeden bok tacki o ścianę, żeby drugą ręką potrzeć oczy. O mały włos nie upuściłam całego jedzenia. Talerze i miski zagrzechotały. Kiedy wrócił mi wzrok, ruszyłam dalej, ze spuszczonymi oczami. Gdy weszłam do ogrodu, byłam przygotowana na niespodziankę. Myślałam, że zobaczę kruchą staruszkę pielącą grządki, wielkie grzyby, skrzydlate wróżki, jednorożce i inne istoty z magicznego świata, który ukrywała przede mną Rosaleen. Tymczasem nie było nic oprócz długiego trawnika, po jego jednej stronie rosły drzewa. Mama Rosaleen zdecydowanie nie miała smykałki do ogrodnictwa.

Od tyłu bungalow wyglądał na równie niezamieszkany, jak od przodu. Tutaj też każde okno zasłonięte było gęstymi firankami. Jedno z nich na pewno prowadziło do kuchni. Byłam pewna, że dostrzegam w głębi kran i zlew. Drzwi wyglądały na stosunkowo nowe. Były brązowe z żółtym szklanym okienkiem. Drugie okno skrywało coś przede mną.

Przeniosłam wzrok na szopę, gdzie tajemniczy obiekt lśnił raz po raz, przyciągając moje spojrzenie. Zignorowałam dom i ruszyłam w stronę budynku. W połowie drogi zdałam sobie sprawę, że powinnam odstawić tacę, ale brnęłam dalej. Po bliższej inspekcji lśniący przedmiot okazał się skręconym w spiralę kawałkiem szkła zawieszonym na kawałku wstążki. Zwężał się elegancko i płynnie niczym kiść winogron. Miał około dwudziestu centymetrów. Wirował poruszany podmuchami wiatru, sprawiając wrażenie, że opada spiralnie w dół, co rusz od jego powierzchni odbijało się na wszystkie strony światło słoneczne. Hipnotyzujące.

Wpatrywałam się w szklane dzieło sztuki, gdy nagle coś przyciągnęło moją uwagę. Ruch. Myślałam, że to tylko cień na trawie. Odwróciłam się, żeby zobaczyć, kto za mną stoi, ale nie zobaczyłam nikogo, jedynie drzewa poruszające gałęziami na wietrze. Przez chwilę myślałam, że tylko mi się wydawało, ale znów to zobaczyłam. W szopie ktoś był. Przysunęłam się bliżej, usiłując nie hałasować przy tym naczyniami na tacce. Jajecznica i herbata z pewnością już wystygły, a tost zrobił się miękki i wilgotny. Parapet okna szopy znajdował się na wysokości moich ramion. Stanęłam z boku i wspięłam się na palce, żeby zajrzeć do środka. Nie śmiałam dobrze się rozejrzeć. Utkwiłam wzrok w mamie Rosaleen na wypadek, gdyby mnie zobaczyła i zaatakowała ostrym kawałkiem szkła.

Widziałam tylko jej plecy, sylwetkę otuloną długim brązowym swetrem. Stała pochylona nad blatem stołu. Miała długie wiotkie włosy, bardziej brązowe niż siwe. Wyglądały tak, jakby nie czesała ich od miesiąca. Przyglądałam się jej przez chwilę, zastanawiając się, czy zapukać w okno. Nie znałam jej imienia ani nazwiska. Wreszcie zebrałam się na odwagę i zastukałam cicho w szybę.

Kobieta podskoczyła. Miałam nadzieję, że nie dostała przeze mnie ataku serca. Odwróciła się powoli, sztywno. Bok twarzy zwrócony w moją stronę zakrywały włosy. Oczy miała zasłonięte wielkimi goglami, zakrywającymi połowę jej czoła i uciskającymi policzki. Włosy i okulary ochronne, zupełnie jak jakiś zwariowany profesor.

Oparłam tacę o uniesione kolano. Talerze i miseczki chybotały się, ich zawartość wylewała się na tacę. Pomachałam szybko, uśmiechając się najbardziej promiennie jak potrafiłam, żeby wiedziała, że nie zamierzam jej zabić. Wpatrywała się we mnie bez wyrazu, zupełnie jakby nie do końca zarejestrowała, że tu jestem. Podniosłam tackę tak wysoko, jak mogłam, a potem ponownie oparłam ją o kolano i uczyniłam gest jedzenia. Nadal żadnej reakcji. Zrozumiałam wtedy, że wpakowałam się w niezłe kłopoty. Nie poszło mi zgodnie z założeniem. Rosaleen miała rację: jej matka nie była gotowa na poznanie obcych ludzi, a nawet jeżeli tak, to powinnam zaczekać, aż zostaniemy sobie przedstawione. Odsunęłam się na kilka kroków.

– Zostawiam to tu dla pani – powiedziałam głośno.

Miałam nadzieję, że mnie słyszy. Postawiłam tacę na trawie i zaczęłam się wycofywać. Przypadkiem zerknęłam wtedy za szopę. Otworzyłam szeroko usta ze zdumienia i zrobiłam kilka kroków w bok, żeby lepiej się przyjrzeć temu, co tam zobaczyłam. W ogrodzie za budynkiem było chyba ze dwadzieścia linek, z każdej zwisały tuziny szklanych tworów o różnych kształtach. Powykręcane i powyciągane kawałki szkła, czasem gładkie, czasem o poszarpanych brzegach, tańczące na wietrze, odbijające światło, migoczące i drżące. Szklane pole.

Ominęłam szopę i weszłam między szklane rzeźby. Były wystarczająco daleko od siebie, żeby nie uderzać jedna o drugą. Gdyby powieszono je choćby odrobinę ciaśniej, z pewnością by się potłukły. Linki były bardzo napięte, przyczepione do muru otaczającego ogród, a z drugiej strony do wbitych w ziemię pali. Szklane rzeźby wisiały wysoko i patrząc na nie, musiałam cały czas zadzierać głowę. Poprzez taflę szkła widziałam niebo. Szklane figury były piękne. Nigdy czegoś takiego nie widziałam. Niektóre wyglądały, jakby ściekały w dół niczym soczyste krople rosy albo wielkie łzy, które zamiast spaść na ziemię, zatrzymały się zamrożone w pół drogi. Inne były mniej pokręcone, gniewne, ostre, niczym sople lodu albo oręż. Przy każdym powiewie wiatru kiwały się na boki. Wędrowałam między nimi, od czasu do czasu zatrzymując się, żeby przyjrzeć się jakiejś szklanej kreacji. Nigdy czegoś takiego nie widziałam. Były takie piękne, czyste, nietknięte. W niektórych widziałam zatopione w szkle bąbelki powietrza, inne były czyste. Wyciągnęłam dłoń i spojrzałam na nią przez szkło. Przy każdym ruchu robiła się niewyraźna lub zniekształcona, to znów widziałam ją bardzo ostro.

Fascynujące i piękne szklane twory, niektóre powyginane i niepokojące, inne piękne i delikatne, jakby najlżejsze dotknięcie mogło je rozbić.

Chciałam iść dalej, przyjrzeć się wszystkiemu, ale kiedy odwróciłam się, żeby sprawdzić, czy jestem nadal sama, zobaczyłam matkę Rosaleen przysuwającą się nagle do okna. Patrzyła na mnie, z dłonią przyciśniętą do szyby. Przerwałam wędrówkę i stanęłam pomiędzy dwiema linkami. Uśmiechnęłam się do starszej kobiety, zastanawiając się, jak długo już mi się przyglądała. Usiłowałam dostrzec rysy jej twarzy, ale okazało się to niemożliwe. Widziałam tylko zarys sylwetki, długie włosy opadające na ramiona, nie były siwe, lecz raczej mysiego koloru z białymi kosmykami. Kobieta wydawała się nie mieć wieku ani twarzy. Była jeszcze bardziej tajemnicza niż wtedy, kiedy ją spotkałam.

Opuściłam szklane pole, usiłując zapamiętać na zawsze to, co ujrzałam. Pewnie nigdy już nie będę mogła tu wrócić. Za karę, że wtargnęłam bez pytania. Stojąc w głównej części ogrodu, spojrzałam jeszcze raz na szopę. Matka Rosaleen nadal mi się przyglądała, chociaż teraz odsunęła się od okna w głąb pomieszczenia.

Pomachałam jej jeszcze raz, pokazałam palcem tackę i uczyniłam gest jedzenia. Czas karmienia zwierząt w zoo.

Kobieta nie zmieniła pozycji, nie zareagowała. Czułam się bardzo dziwnie i niezbyt przyjemnie. Odwróciłam się na pięcie i szybko odeszłam, nie oglądając się za siebie. Miałam wrażenie, że jestem znów małą dziewczynką i biegnę od mojej przyjaciółki do domu, myśląc, że ściga mnie zła wiedźma.

Dwunasta.

Już w stróżówce, zaczęłam przechadzać się w tę i we w tę po dużym pokoju. Siadałam, wstawałam, ruszałam do pokoju mamy, zatrzymywałam się i wracałam do salonu. Wyginałam dłonie, spoglądałam raz po raz za okno, spodziewając się w każdej chwili widoku matki Rosaleen, pędzącej tu w fotelu na kółkach i trzaskającej z bicza. Jednocześnie oczekiwałam pojawienia się samochodu z Arthurem i Rosaleen, która z pewnością zastawiła wszędzie pułapki, a ja potknęłam się o linkę, zmieniłam położenie źdźbła trawy, przerwałam strumień światła z lasera i uruchomiłam alarm w jej torebce. Teraz przywiąże mnie do łóżka, połamie mi nogi młotkiem i zmusi do napisania powieści specjalnie dla niej. Nie mogłam do tego dopuścić. Ledwo udawało mi się prowadzić pamiętnik. Czułam, że wszystko się może zdarzyć. W moim domu cały czas łamałam zasady. Tutaj wszystko było inaczej: tradycyjne, niezmienne, jakbym mieszkała na wykopalisku. Wszyscy poruszali się ostrożnie, omijali niektóre miejsca, rozmawiali cicho, żeby nie naruszyć fundamentów, używali małych pędzelków i narzędzi, żeby oczyścić wierzchnią warstwę i usunąć kurz, nigdy jednak w nic się nie zagłębiając. Ja weszłam w sam środek buciorami, z łopatą i młotkiem w ręku, niszcząc wszystko na swojej drodze.

Teraz będę musiała wrócić do bungalowu i zabrać stamtąd tackę, inaczej Rosaleen dowie się, co zrobiłam. Miałam nadzieję, że nie otrułam jej mamy. O Boże, a jeśli tak?! Jajka mogą być niebezpieczne, poza tym zapomniałam wypłukać jagody. Czy zakażenie salmonellą może być śmiertelne? O mały włos nie zadzwoniłam znów do Weseleya, ale jakoś się powstrzymałam. Po bardzo długim czasie spędzonym na zamartwianiu się, zdałam sobie sprawę, że raczej nic się nie stanie, a w każdym razie nie od razu, i że tak naprawdę nie zrobiłam nic złego. Usiłowałam być miła dla starszej kobiety. To chyba dobrze, prawda? Mam nadzieję, że smakowała jej moja jajecznica.

Uspokoiłam się.

Następny na liście był garaż na końcu ogrodu. Otworzyłam drzwi, które prowadziły z kuchni na zewnątrz, przebiegłam przez trawnik i przeskoczyłam długą grządkę z warzywami. Spojrzałam w okno pokoju mamy. Pusto. Pewnie nadal spała.

Garaż Arthura i Rosaleen był naprawdę bardzo porządny. Zbudowany z takiego samego piaskowca, jak dom, wyglądał dużo lepiej niż budowlane projekty mojego taty. Mówię to z największym szacunkiem do ojca, który zawsze był bardzo dumny z tego, co zbudował. Po prostu nie sądzę, żeby dbał o piękno architektoniczne. Chodziło mu zawsze o przestrzeń, żeby dać jej ludziom jak najwięcej. Garaż rozciągał się prawie na całą szerokość ogrodu, mniej więcej dwadzieścia pięć metrów. Po prawej stronie domu, tuż za skrupulatnie przyciętym żywopłotem, widniały ślady traktora. Kolejna ścieżka na zamkowych włościach. Zauważyłam jej odgałęzienie wiodące do podwójnych drzwi garażu. Nigdy nie widziałam, żeby Arthur wjeżdżał tam traktorem. Może Rosaleen miała rację i rzeczywiście w garażu nie było miejsca na nasze rzeczy. Wybrałam tę drogę, ponieważ wiedziałam, że nie będzie mnie widać z domu. Miałam teraz do sforsowania większe drzwi i zamek. Zajrzałam do środka przez okna, ale niczego nie dostrzegłam. Były zakryte czarnymi workami. Spróbowałam najpierw otworzyć pojedyncze drzwi, które okazały się zamknięte na cztery spusty. Podeszłam więc do podwoi. Pchałam i ciągnęłam, kopałam w nie i waliłam. Wzięłam kamień, którym zaczęłam stukać w zamek, ale nic to nie dało.

Kiedy wróciłam do domu, nadal nie wiedząc, co jest w garażu, było już wpół do pierwszej. Umyłam ręce, zmieniłam ubranie zabrudzone od prób włamania się do środka. Sprawdziłam, co z mamą, która wreszcie się obudziła i poszła pod prysznic. Nie spieszyłam się z ubieraniem, wiedząc dokładnie, ile mam czasu, zanim Arthur i Rosaleen wrócą do domu. Usiadłam na łóżku i spojrzałam przez okno na bungalow. Coś przyciągnęło mój wzrok.

Na słupku obok furtki stała tacka. Wstałam, spojrzałam na ogród i na dom. Nikogo nie dostrzegłam. Sprawdziłam, czy Rosaleen jeszcze nie wróciła, ale nigdzie nie dostrzegłam samochodu. Za dziesięć pierwsza. Zbiegłam na dół i pognałam na drugą stronę szosy. Na tacce leżała ściereczka, dokładnie w takiej pozycji, w jakiej ją położyłam. Pod nią nie było jednak jedzenia, a filiżanka była pusta. Naczynia lśniły, jakby ktoś je przed chwilą wypucował. Na talerzu leżała miniaturowa wersja jednej ze szklanych rzeźb, którym wcześniej się przyglądałam. Była delikatna, gładka niczym łza. Idealnie mieściła się w dłoni. Nic więcej, żadnej kartki. Nic, co by mówiło, że szklana błyskotka jest dla mnie. Czekałam przez chwilę, ale mama Rosaleen się nie pojawiła. Była już prawie pierwsza i musiałam wrócić do domu. Nie mogłam ryzykować, że Rosaleen zastanie mnie tutaj z tacą i szklaną łzą w dłoni. Włożyłam ją do kieszeni i przebiegłam drogę tak szybko, jak potrafiłam, bez potłuczenia przy tym naczyń. Kiedy zamknęłam za sobą drzwi, usłyszałam zbliżający się samochód. Trzęsąc się cała, odstawiłam naczynia i tackę na miejsce, chwyciłam książkę zostawioną w salonie, pobiegłam do pokoju mamy i wskoczyłam na jej łóżko. Mama, która właśnie wychodziła z łazienki, spojrzała na mnie zaskoczona. Kilka sekund później otworzyły się drzwi i do pokoju zajrzała Rosaleen.

– Och, przepraszam – powiedziała, widząc mamę owijającą się ciaśniej ręcznikiem.

Odsunęła się od drzwi tak, że widziała tylko mnie.

– Tamara, wszystko w porządku?

– Tak, dzięki.

– Co robiłaś przez cały poranek?

Nie było to wścibstwo, ale zaniepokojenie. Niestety nie o moje samopoczucie.

– Siedziałam tutaj z mamą i czytałam książkę.

– Och, to doskonale. – Zatrzymała się na chwilę, jak zawsze, gdy miała wyjść z pokoju. – Jestem na dole, jeżeli czegoś będziesz potrzebowała. – Zamknęła drzwi.

Spojrzałam na mamę, która przyglądała mi się z uśmiechem. Zachichotała i pokręciła głową. W tej chwili byłam bliska odwołania wizyty doktora Gedada. Potem drzwi znowu się otworzyły i Rosaleen spojrzała na tackę ze śniadaniem mamy.

– Jennifer, znowu nic nie zjadłaś.

– Och. – Mama spojrzała na nią, owijając się w kaszmirowy szlafrok. – Tamara za mnie zje. – Uśmiechnęła się słodko do Rosaleen.

– Nie, nie! – Rosaleen weszła pospiesznie do środka i chwyciła tacę. – Zabiorę tackę na dół.

Mama przyglądała jej się lśniącymi oczami.

– Tamara, niedługo lunch – powiedziała Rosaleen nerwowo i wycofała się z sypialni.

Spojrzałam na mamę zdezorientowana, oczekując wyjaśnienia, ale ona zniknęła znowu, schowała się w swojej skorupie. Żółwie chowają się pod pancerzem albo ze strachu, albo dla ochrony przed zbliżającym się niebezpieczeństwem. Od chwili, gdy ich pancerz twardnieje, staje się ich nieodłączną częścią.

Tego lata, gdy ludzie starali się mnie przekonać, że mama nigdy już nie będzie taka jak przed śmiercią taty – niektórzy rzeczywiście to sugerowali – zawsze przypominały mi się żółwie. Mama już do końca życia będzie nosiła skorupę, którą obrosła w ciągu kilku ostatnich miesięcy. Nie oznaczało to jednak, że miała się w niej na zawsze schować. Dzisiaj widziałam dowód na to, że nie zniknęła w niej bezpowrotnie. Pamiętam dokładnie chwilę, w której znów ją zobaczyłam. Była pierwsza.

Jej pierwsza godzina.

Rozdział 15

RZECZY ODNALEZIONE W SPIŻARNI

Rosaleen wyglądała dzisiaj zupełnie inaczej. Wystroiła się w związku z mszą niedzielną i wycieczką na targ. Ubrana była w beżową spódnicę do kolan, z małym rozcięciem z tyłu. Do tego miała kremową lekko przezroczystą bluzkę z poduszkami na ramionach i kokardą pod szyją. Spod bluzki prześwitywał koronkowy stanik, chociaż wątpię, żeby Rosaleen zdawała sobie z tego sprawę. Właściwie to wyglądała naprawdę dobrze. Do tego włożyła dopasowany odcieniem beżowy płaszcz z piórem pawia przypiętym do wyłogu, a na nogi cieliste skórzane buciki z odkrytymi palcami i niewysokim obcasem. Wyglądała finezyjnie. Rozjaśniła się i zaróżowiła, kiedy jej to powiedziałam.

– Dziękuję.

– Gdzie kupiłaś te rzeczy?

– Och. – Wydawała się zawstydzona rozmową na swój temat. – W Dunshaughlin. Pół godziny drogi stąd jest takie miejsce, które lubię. Mary jest naprawdę bardzo dobra, niech Bóg błogosławi jej duszę...

Z zapartym tchem wysłuchałam tragicznej opowieści o Mary i zmarłym mężu, przetykanej licznymi błogosławieństwami.

Usiłowałam zacząć rozmowę na inny temat.

– Masz jakieś rodzeństwo?

– Siostrę Helen, mieszka w Cork. Jest nauczycielką. I brata, Briana, w Bostonie.

– Często cię odwiedzają?

– Od czasu do czasu. Ostatnio nie. Zazwyczaj mama jeździła do nich, a przynajmniej do Heleny, do Cork, żeby zmienić otoczenie, ale teraz nie może. – Spojrzała na mnie. – Stwardnienie rozsiane. Wiesz, co to jest?

– Mniej więcej. Coś z mięśniami odmawiającymi posłuszeństwa.

– Blisko. Pogorszyło się jej w ciągu ostatnich lat. Ma przez to sporo problemów. Dlatego tak często zaglądam na drugą stronę szosy. Potrzebuje mnie.

Wyglądało na to, że Rosaleen jest potrzebna wielu ludziom. Pomyślałam jednak, że przy tak wielu osobach uzależnionych od jednej kobiety ona najwyraźniej potrzebuje być potrzebna. Ja osobiście nigdy nie chciałabym się znaleźć w sytuacji, kiedy Rosaleen byłaby mi niezbędna.

Jej mama nigdy nie pojawiła się w stróżówce, żeby się na mnie poskarżyć. Wybiła za to godzina druga. Wymknęłam się z domu niepostrzeżenie, kiedy Rosaleen zajęła się robieniem placków z jabłkami. Dowiedziałam się, że te tysiące ciast, które piekła w ciągu tygodnia, żywiły nie tylko nas i jej mamę, ale również pozostałych mieszkańców wioski, którym sprzedawała je na niedzielnym targu wraz z domowymi konfiturami i warzywami z własnego ogródka. Położyła na stole portmonetkę wypchaną banknotami, monetami i stertą karteluszek, odwróciła się na chwilę, żeby coś wyjąć, a potem wcisnęła mi do ręki dwadzieścia euro. Byłam tak szczerze wzruszona, że odmówiłam przyjęcia pieniędzy, ale Rosaleen nie chciała o tym słyszeć.

Kiedy dotarłam do zamku, Weseley siedział na schodach – moich schodach. Miał na sobie niebieskie dżinsy, czarny podkoszulek z błękitną czaszką oraz niebieskie adidasy. W świetle dnia też wyglądał super.

Spojrzał na mnie i wyjął z uszu słuchawki.

– Tata powiedział, że może przyjść jutro o dziesiątej. Żadnego przywitania, nic. Byłam trochę zawiedziona.

– Och. Świetnie, dzięki. – Oczekiwałam, że wstanie i odleci niczym gołąb pocztowy, który wykonał swoje zadanie. Został. – Właściwie to czy mógłby przyjść kwadrans po, na wypadek gdyby Rosaleen wyszła później?

– Jasne, powiem mu.

– Och. Świetnie, dzięki – powtórzyłam.

Nadal nie odchodził, więc podeszłam bliżej i oparłam się o mur naprzeciwko niego.

– Znasz kobietę, która mieszka w bungalowie?

– Mamę Rosaleen? Widziałem ją raz, zaraz po przeprowadzce. Nie wychodzi zbyt często. Jest stara i chyba ma alzheimera albo coś w tym stylu.

– Byłeś kiedyś w jej domu?

– Podrzuciłem tam kilka razy różne rzeczy na prośbę Arthura. Drwa do kominka, węgiel, jakieś meble i tym podobne. Rosaleen zawsze chodzi tam ze mną – uśmiechnął się. – Choć w środku nie było nic wartego ukradzenia, jeżeli o to się martwiła.

– Nie wiem, czy o to, ale na pewno jest coś, co ją niepokoi. Czyli Arthur nigdy nie chodzi osobiście do bungalowu... Pewnie nie układa się między nimi. Zastanawiam się dlaczego.

– Proszę, proszę, jesteś jak Nancy Drew. A może po prostu uznał, że skoro ma chłopca na posyłki, któremu płaci, grosze bo grosze, ale jednak, za wykonywanie wszelkich robót, nie będzie się sam fatygował z targaniem mebli do domu teściowej.

– Ale on jej nigdy nie odwiedza.

– Naprawdę chcesz się doszukać jakiejś tajemnicy, prawda?

Przypomniało mi się, co powiedziała siostra Ignacjusz. Kiedy usiłujemy coś znaleźć, nasz umysł wyczynia najprzeróżniejsze rzeczy. Wiedziała, że za czymś węszę, jeszcze zanim ja sobie to uświadomiłam.

– Po prostu... – zastanawiałam się głośno. – Szczerze mówiąc, nudzę się tu okropnie. – Roześmiałam się. – Gdybym prowadziła jakieś życie, miała przyjaciół, kogoś, z kim mogłabym porozmawiać, może nie węszyłabym na prawo i lewo. Nie obchodziłyby mnie tajemnice Rosaleen.

– Jakie tajemnice? – prychnął. – Rosaleen nie ma żadnych tajemnic. Po prostu nie rozumie sztuki konwersacji. Jest tak przyzwyczajona do spędzania czasu samotnie, że chyba zapomniała, na czym polega dialog.

– Wiem, myślałam już o tym, ale...

– Ale co?

Nie wiem dlaczego, nagle zaczęłam opowiadać mu wszystko, co zdarzyło się w ciągu ostatnich kilku dni. Dziwne rozmowy, zaginiony album fotograficzny, dziwny komentarz Arthura, że mama nie chce go widzieć. O tym, że Rosaleen nie mogła znieść myśli o tym, że zostanę w czyimś towarzystwie bez jej nadzoru. O tym, że nie wspomniała o mnie w rozmowie z siostrą Ignacjusz, że zarzuciła mamie kłamstwo, że chciała ją trzymać na górze przez cały czas. O jej tajemniczym wymykaniu się do bungalowu, niechęci do tego, żebym jej tam towarzyszyła. O tym, co widziałam w ogrodzie za bungalowem, o tacce pozostawionej na murku i o kłótni na temat miejsca w garażu.

Weseley słuchał cierpliwie, zachęcając mnie dyskretnie do wygadania się.

– No dobrze... – powiedział, kiedy skończyłam. – To rzeczywiście brzmi nieco dziwnie. Rozumiem teraz, dlaczego jesteś taka podejrzliwa, chociaż pewnie to wszystko da się wyjaśnić. Choćby tym, że Rosaleen jest dziwaczką. Bez obrazy – dodał szybko. – Wiem, że to twoja ciotka.

– Nie ma sprawy.

– Nie mieszkam tu wystarczająco długo, żeby wszystkich dobrze znać, ale Rosaleen nie rozmawia z ludźmi z miasteczka. Kiedy mama ją mija, Rosaleen zawsze spuszcza wzrok. Nie wiem, czy to z nieśmiałości, czy co? Co do tego, jak cię traktuje, to co ona może wiedzieć o byciu matką? Oczywiście nie twierdzę, że nie masz racji, Tamaro. Może jest coś, czego ci nie mówią. Nie mam pojęcia co, ale jeżeli zdarzy się jeszcze coś dziwnego, powiedz mi.

– Coś bardzo dziwnego dzieje się przez cały czas. – Serce waliło mi jak młotem. Nie mogłam uwierzyć, że chciałam mu wyjawić tajemnicę pamiętnika. Tak bardzo pragnęłam, żeby mi uwierzył.

– Powiedz mi.

– Pomyślisz, że jestem stuknięta.

– Nie pomyślę.

– Po prostu proszę cię, uwierz mi, że mówię prawdę.

– W porządku. Mów. – Zaczynał się niecierpliwić.

Więc zrobiłam to.

Kiedy skończyłam, Weseley odsunął się ode mnie, skrzyżował ramiona na piersi. Język ciała był odpowiednikiem wyłączenia komputera. O Boże, patrzył teraz na mnie zupełnie inaczej! Tamto spojrzenie, gdy powiedziałam mu o moim tacie, to to było nic. Teraz poważnie myślał, że zwariowałam.

– Weseley – zaczęłam, ale nie miałam pojęcia, co tak naprawdę powiedzieć.

– Juuuhuuu! – zawołał nagle ktoś.

Weseley otrząsnął się z transu i spojrzał w kierunku wejścia, w którym pojawiła się piękna blondynka. Spojrzała na niego, nie dostrzegając mnie pod ścianą.

– Ashley – powiedział zaskoczony. – Przyszłaś wcześniej.

– Wiem, przepraszam. To z radości, że cię zobaczę. Przyniosłam koc.

Potrząsnęła koszykiem przewieszonym przez ramię. Podbiegła do niego, rzuciła kobiałkę na ziemię, objęła go za szyję i pocałowała, wcale nie po siostrzanemu. Poczułam dziwne ukłucie zazdrości, które natychmiast od siebie odepchnęłam. Jakby wyczuwając to, Ashley dostrzegła mnie w końcu, opartą o ścianę, z założonymi rękoma i wyrazem nudy na twarzy.

– Bardzo to słodkie, ale mało ciekawe. Mogę już iść?

Weseley uwolnił się z uścisku dziewczyny i spojrzał na mnie z uśmiechem.

– Kim jesteś? – Ashley skrzywiła się, jakbym śmierdziała. – Kim ona jest? – powtórzyła, spoglądając na Weseleya.

– Jestem jego sekretną kochanką. Uwielbiamy to robić w starych zamkach, całkiem ubrani, ja oparta o ścianę, a on, siedząc na schodach po drugiej stronie pomieszczenia. To trudne, ale lubimy wyzwania. Taki rodzaj perwersji. Do zobaczenia, kochanku. – Mrugnęłam do niego, ruszając w stronę wyjścia.

– To Tamara – usłyszałam, wychodząc z zamku. – To tylko moja przyjaciółka.

To tylko moja przyjaciółka. Cztery słowa, które mogłyby zabić każdą kobietę, ale sprawiły, że się uśmiechnęłam. Moje dziwaczne, absurdalne wyznanie nie sprawiło, że rzucił się na mnie z płonącą pochodnią, pragnąc mnie spalić na stosie. Przeciwnie – gdzieś pomiędzy tym stałam się jego przyjaciółką.

Zamek był moim świadkiem.

– Tamara! – usłyszałam jego wołanie.

Przed sobą widziałam już dom. Cofnęłam się parę kroków i przysunęłam w pobliże drzew, żeby wścibska Rosaleen nie zobaczyła nas rozmawiających.

Podbiegł zadyszany.

– Słuchaj, w sprawie tego pamiętnika...

– Tak, wiem, przepraszam. Zapomnij o tym...

– Chcę ci wierzyć, ale nie potrafię.

Był to jednocześnie komplement i obraza.

– Jeżeli jednak powiesz mi, co się stanie jutro, i rzeczywiście tak będzie, wtedy ci uwierzę. To chyba ma sens, co?

Pokiwałam głową.

– Jeżeli to wszystko prawda, pomogę ci, cokolwiek zechcesz zrobić.

Uśmiechnęłam się.

– Jeżeli jednak zmyślasz – potrząsnął głową i spojrzał na mnie dziwnie – wtedy wiesz...

– Tak, wiem, wtedy chciałbyś zostać moim chłopakiem. Rozumiem.

Roześmiał się.

– No więc? Co się jutro wydarzy?

– Nie przeczytałam tego jeszcze.

Wczoraj wyszłam z domu w nocy, zanim pojawił się kolejny wpis, a przez cały poranek byłam tak zajęta wypełnianiem rozlicznych misji, że nie miałam czasu zajrzeć do pamiętnika.

Weseley spoglądał na mnie z powątpiewaniem. Rozumiałam go. Nawet ja sama ledwie sobie wierzyłam, chociaż wiedziałam, że nie kłamię.

– Przeczytam go, kiedy wrócę do domu, a potem do ciebie zadzwonię. A może nie będzie cię w domu? Nie chcę przeszkadzać tobie i Juuuhuuu.

Znów się roześmiał.

– W porządku, zadzwoń później. – Odwrócił się, żeby odejść. – Tak przy okazji, ona nie jest moją dziewczyną.

– Jasne, że nie – zawołałam.

W domu poszłam prosto do dużego pokoju, gdzie spędziłam jakiś czas w towarzystwie Arthura i Rosaleen, udając, że czytam książkę od Fiony. Kiedy nie mogłam już dłużej wytrzymać, ziewnęłam, przeciągnęłam się, przeprosiłam obecnych i poszłam na górę. Wyciągnęłam pamiętnik spod podłogi, zablokowałam drzwi krzesłem i otworzyłam księgę bardziej z nadzieją niż z oczekiwaniem. Nowy wpis powinien się już pojawić.

Gdy tylko spojrzałam na ostatnie zapiski, zobaczyłam, że słowa z opisu poprzedniego dnia zniknęły, jakby ktoś wyssał z kartki cały tusz. Na ich miejscu ładnym charakterem pisma – moim ładnym charakterem pisma – zaczęły pojawiać się kolejne słowa, tak szybko, że ledwo za nimi nadążałam. Pierwsza linijka mnie zdenerwowała.

Poniedziałek, 6 lipca.

Co za tragedia!

Dziś rano przyszedł do nas doktor Gedad, dokładnie jak to zaplanowałam. Rosaleen wyszła planowo o dziesiątej, żeby nakarmić „zwierzęta w zoo". Obserwowałam ją, żeby się upewnić, że niczego nie upuściła i nie będzie musiała wracać. Doktor Gedad pojawił się punktualnie piętnaście po dziesiątej. Modliłam się, żeby Rosaleen nie wyjrzała przez okno i nie zobaczyła jego samochodu, ale nie miałam na to wpływu. Musiałam go tylko wprowadzić do domu, a potem wyprowadzić tak szybko, jak tylko to możliwe. Czekałam na niego przy drzwiach. Wydał mi się ciepłym, przemiłym człowiekiem. Nie powinnam się dziwić, bo przecież Weseley jest jego synem. Staliśmy właśnie w korytarzu, kiedy drzwi wejściowe otworzyły

215

się i do środka weszła Rosaleen. Kiedy zobaczyła lekarza, miała taki wyraz twarzy, jakby złapała ją policja. Doktor Gedad zdawał się niczego nie zauważać. Był bardzo przyjacielski i przedstawił się jej uprzejmie, ponieważ nigdy się jeszcze nie spotkali. Rosaleen wpatrywała się w niego, jakby w jej domu pojawił się nagle obcy z kosmosu. Zaczęła pleść coś nerwowo o placku z jabłkami. Ponoć spróbowała go i okazało się, że dodała soli zamiast cukru. Po raz pierwszy się jej to zdarzyło. Wydawała się bardzo zdenerwowana, jakby była to najgorsza rzecz, jaka kiedykolwiek się jej przytrafiła. Wróciła więc do domu po inny placek, który zrobiła dla nas na obiad. Była pewna, że Arthur i ja zrozumiemy, dlaczego wzięła go dla swojej mamy. To tylko ciasto, ale Rosaleen była roztrzęsiona. Nie wiem, czy to dlatego, że popełniła błąd, czy dlatego, że poprosiłam za jej plecami lekarza o zbadanie mamy. Doktor Gedad zapytał o jej mamę, która, jak słyszał, nie czuje się najlepiej. W dziwnym zwrocie wypadków skończyło się na tym, że poszedł porozmawiać z Rosaleen do kuchni. Mnie nie wpuścili, a kiedy skończyli, powiedział mi, że jego zdaniem nie jest chwilowo potrzebny. Było mu bardzo przykro z powodu mojej straty. Dał mi nawet ulotkę o sesjach psychoterapeutycznych i wyszedł.

Teraz jest jeszcze gorzej niż przedtem. Nie mogę już tego znieść. Nienawidzę tego miejsca. Następnym razem, kiedy odwiedzi nas Marcus, zamierzam porwać go wraz z autobusem i zmusić, żeby odwiózł mnie do domu.

Gdziekolwiek mój dom jest, bo na pewno nie tutaj.

Nie licz na żadne wpisy jutro.

Trzęsącymi się dłońmi włożyłam pamiętnik z powrotem pod podłogę. Wiedziałam, że muszę naprawić przyszłość.

Poszłam na dół. Rosaleen była w kuchni. Przygotowywała placki z jabłkami na jutro. Usiadłam, przyglądając się jej i nerwowo obgryzając paznokcie. Zastanawiałam się, co mam zrobić. Jeżeli powstrzymam ją od dodania soli do placka, nie wróci za wcześnie do domu. Jeżeli jednak zmieni to całą przyszłość, Weseley nigdy mi nie uwierzy. Czego potrzebowałam bardziej? Lekarza dla mamy czy sojusznika?

– Tamara, czy mogłabyś mi przynieść cukier ze spiżarni? – Rosaleen przerwała moje myśli.

Zastygłam.

– Tamara? – Rosaleen odwróciła się i spojrzała na mnie.

– Tak. – Otrząsnęłam się. – Już idę.

– Możesz go dosypać tutaj? W ten sposób będzie łatwiej. – Uśmiechnęła się miło. Podobała jej się nasza nowa „bliskość".

Wzięłam od niej miarkę i pomaszerowałam do spiżarni, czując się, jakbym była poza własnym ciałem. W małym pokoiku obok kuchni rozejrzałam się po półkach, od sufitu do ziemi zastawionych wszelkimi zapasami na co najmniej dziesięć lat. Przyprawy w dużych słoikach z zakręcanymi wieczkami, starannie opisane, łącznie z datą ważności. Cała półka przeznaczona na warzywa – cebulę, ziemniaki, marchewki, bataty. Na innej puszki: zupy, wywary, fasolki, przeciery pomidorowe. Poniżej ziarna różnego autoramentu w szklanych wysokich słojach; ryż, makaron wszelakiego kształtu i koloru, sucha fasola, płatki owsiane i kukurydziane, soczewica, oraz suszone owoce – rodzynki, czarne porzeczki i morele. Następnie rzeczy do pieczenia: mąka, cukier, sól, drożdże, dalej cały zestaw olejów: sezamowy, słonecznikowy, oliwa z oliwek, do tego ocet balsamiczny, sos z ostryg i cała armia przeróżnych przypraw. Na innych półkach stały kolejne słoiki, z miodem i dżemem truskawkowym, malinowym, z czarnej porzeczki, a nawet ze śliwki. I tak bez końca. Cukier i sól zostały przesypane z oryginalnych opakowań do słoi, oczywiście podpisanych starannym charakterem pisma. Ręka mi się zatrzęsła, kiedy sięgałam po sól. Przypomniałam sobie lekcję z ostatniej nocy: mogłam zmienić przyszłość zapisaną w pamiętniku, nie musiałam podążać za jego wytycznymi. Gdybym go nie znalazła, moje życie toczyłoby się bez świadomości tego, co ma się zdarzyć jutro.

Potem jednak pomyślałam o Weseleyu. Jeżeli dam Rosaleen cukier, nie wróci jutro do domu po nowe ciasto, nie przyłapie lekarza w korytarzu i nie przekona go, żeby nie badał mamy. Jeżeli zmienię przyszłość, nie dowiem się na czas, co się wydarzy, i nie będę w stanie powiedzieć o tym Weseleyowi. W rezultacie nie uwierzy w moją historię z pamiętnikiem. Stracę przyjaciela i wyjdę na największą dziwaczkę na całej planecie.

Jeżeli jednak powiem mu, co się stanie jutro, mama nie zostanie zbadana. Ile jeszcze miałam tu czekać, podczas gdy ona spała całymi dniami albo chodziła po pokoju tak nieprzytomna, że nie można było do niej dotrzeć?

Podjęłam decyzję. Sięgnęłam po słoik.

Rozdział 16

CAŁKOWITA ABSTRAKCJA

Tej nocy mało spałam. Przewracałam się z boku na bok, było mi za gorąco, więc się odkrywałam, potem robiło mi się za zimno, więc naciągałam na siebie kołdrę. Noga na zewnątrz, ręka do góry, żadna pozycja mi nie pasowała. Nie mogłam się uspokoić. W końcu odważnie zeszłam na dół do kuchni, żeby zadzwonić do Weseleya i opowiedzieć mu o wpisie do pamiętnika. Nie użyłam schodów. Zamiast tego wspięłam się na balustradę i zeskoczyłam lekko na kamienną podłogę. Mój nauczyciel WF-u byłby ze mnie dumny. Mimo że zrobiłam to wszystko bardzo cicho, gdy dotarłam do telefonu, w drzwiach do kuchni stanęła Rosaleen. Była ubrana w koszulę nocną rodem z dziewiętnastego wieku, zakrywającą stopy, przez co sprawiała wrażenie, że unosi się nad podłogą, niczym duch.

– Rosaleen! – Podskoczyłam przestraszona.

– Co ty robisz? – spytała szeptem.

– Przyszłam po wodę. Pić mi się chce.

– Przyniosę ci szklankę na górę.

– Nie! – powiedziałam ostro. – Sama sobie wezmę. Dziękuję. Wracaj do łóżka.

– Posiedzę tu z tobą, żebyś...

– Nie, Rosaleen! – powiedziałam podniesionym głosem. – Musisz dać mi trochę swobody. Napiję się wody, a potem wrócę do łóżka.

– Dobrze, dobrze. – Uniosła ręce w geście poddania. – Dobranoc.

Odczekałam, aż dobiegło mnie skrzypienie schodów, odgłos zamykanych drzwi do sypialni, stąpanie po drewnianej podłodze, a wreszcie skrzypienie sprężyn materaca. Podbiegłam do telefonu i wybrałam numer Weseleya. Odebrał po jednym dzwonku.

– Hej, Nancy Drew.

– Hej – szepnęłam, a potem zamarłam, nie wiedząc, czy to, co robię, jest słuszne.

– I co, czytałaś pamiętnik?

Czekałam na znak, że nie powinnam mu powiedzieć. Wsłuchałam się w jego głos, szukając ukrytej ironii. Podpuszczał mnie? Może siedział przy telefonie przełączonym na głośnik, w pokoju pełnym swoich prostackich znajomych. Ja pewnie zrobiłabym coś w tym stylu, gdyby jakiś palant, który właśnie wprowadził się do miasta, wprosił się na moje przyjęcie, a potem zaczął opowiadać jakieś bzdury o pamiętniku z przyszłości.

– Tamara? – powiedział pytająco.

Bez wydźwięku, bez podstępnych tonacji. Bez niczego, co mogłoby zmienić moją decyzję.

– Tak, jestem – wyszeptałam.

– Czytałaś wpis w pamiętniku?

– Tak.

Myślałam intensywnie. Mogłam mu powiedzieć, że żartowałam, że to był świetny dowcip, tak jak ten ze śmiercią taty. Och, śmielibyśmy się do rozpuku.

– I co? Daj spokój, kazałaś mi czekać do jedenastej w nocy – roześmiał się. – Usiłowałem wyobrażać sobie najróżniejsze rzeczy. Będzie jakieś trzęsienie ziemi? A może znasz wygrywające numery na loterii? Coś, na czym możemy zarobić?

– Nie. – Uśmiechnęłam się. – Tylko nudne przemyślenia i emocje.

– Ach. – Niemal słyszałam, jak też się uśmiecha. – W takim razie kończ z tym. Proszę o przepowiednię...

Tej nocy budziłam się co pół godziny. Wiedza o konsekwencjach wydarzeń jutrzejszego dnia sprawiała, że byłam bliska załamania nerwowego. O wpół do czwartej nad ranem nie mogłam już tego dłużej znieść. Sięgnęłam po pamiętnik, żeby zobaczyć, jak ukształtuje się dzień jutrzejszy i co mnie czeka.

Włączyłam latarkę, którą trzymałam obok łóżka, i z mocno bijącym sercem otworzyłam księgę. Musiałam przetrzeć oczy, żeby upewnić się, że dobrze widzę. Słowa pojawiały się, a potem znikały, zdania formowały się w połowie, ale nie miały żadnego sensu. Potem znikały tak szybko, jak się pojawiały. Litery zdawały się skakać po kartce niczym pchły i panował ogólny bałagan słowny. Zupełnie jakby pamiętnik był tak samo zagubiony, jak mój umysł, niezdolny do sformułowania myśli. Zamknęłam księgę, odliczyłam do dziesięciu i, pełna nadziei, otworzyłam znowu. Słowa nadal skakały po kartce, bez najmniejszego sensu.

Cokolwiek zaplanowałam z Weseleyem, dzień jutrzejszy na pewno się z tego powodu zmienił. Nie wiedziałam jednak, w jaki sposób. Najwyraźniej zależało to od tego, jak zacznę dzień. Przyszłość nie była jeszcze zapisana. Wszystko nadal spoczywało w moich rękach.

W chwilach, kiedy udawało mi się zapaść w sen, śniłam o tłukącym się szkle, o tym, jak biegnę przez szklane pole w bardzo wietrzny dzień i ostre kawałki rzeźb kaleczą mi twarz, ramiona, całe ciało, przebijają skórę. Nie mogłam dotrzeć do końca ogrodu, wciąż gubiłam się między kolejnymi rzędami linek. Widziałam jakąś postać w oknie, która mi się przyglądała. Twarz miała zasłoniętą włosami i wyglądała jak Rosaleen. Za każdym razem budziłam się spocona z szybko bijącym sercem, bojąc się otworzyć oczy. Potem znów zapadałam w sen i przeżywałam wszystko od początku. O szóstej piętnaście nie mogłam już dalej się katować, więc wstałam. Chociaż wszystko, co zamierzałam, miało poprawić stan mamy, tym razem sprawdziłam, jak się czuje, z nadzieją, że jeszcze jej się nie polepszyło. Nie wiem dlaczego, bo z całego serca chciałam, żeby wyzdrowiała. W każdym jednak jest coś, co ukrywa się w cieniu i nie chce, żeby cokolwiek się zmieniło.

Zeszłam na dół wyjątkowo jako pierwsza. Była za kwadrans siódma. Usiadłam w dużym pokoju z filiżanką herbaty, zmuszając się do lektury książki od Fiony o niewidzialnej dziewczynie. Czytałam ją z szybkością jednego rozdziału na dzień, ale tym razem chyba wciągnęła mnie ta historia, bo nie zauważyłam ani nie usłyszałam nadchodzącego listonosza. Usłyszałam jednak odgłos kopert spadających na wycieraczkę pod drzwiami. Zawsze chętna do wprowadzenia chaosu w domu, gdzie wszystko chodziło jak w zegarku, pobiegłam na korytarz, żeby je podnieść. Już je niemal chwyciłam, kiedy nagle znikąd pojawiła się dłoń i wygarnęła je sprzed mojego nosa.

– Nie musisz tego robić, Tamaro – powiedziała radośnie Rosaleen, wkładając listy do kieszeni fartucha.

– Nie ma sprawy. Chciałam je tylko podnieść, Rosaleen, a nie przeczytać.

– Oczywiście – powiedziała to tak, jakby podobna myśl nigdy nie przeszła jej przez głowę. – Rozluźnij się, odpoczywaj. – Uśmiechnęła się i pomasowała moje ramię.

– Dzięki – odpowiedziałam jej uśmiechem. – Wiesz, czasem powinnaś pozwolić innym zrobić coś za ciebie. – Poszłam za nią do kuchni.

– Lubię swoje obowiązki – odparła, zabierając się do przygotowania śniadania. – Poza tym Arthur jest dobry w wielu rzeczach, ale jajka na miękko potrafiłby gotować do września, gdyby mu na to pozwolić – zachichotała.

– Skoro już mowa o wrześniu, co zamierzacie? – spytałam. – Miałyśmy tu zostać tylko na lato. Jest już lipiec i... cóż, nikt jeszcze nie mówił nic o wrześniu.

– Tak, rzeczywiście. Już prawie twoje urodziny. – Jej oczy pojaśniały. – Musimy porozmawiać o tym, co chcesz zrobić tego dnia. Przyjęcie? A może chcesz pojechać na jeden dzień do Dublina?

– Właściwie to chciałabym zaprosić moje przyjaciółki, żeby mnie tu odwiedziły, zobaczyły, jak mieszkam i co robię każdego dnia.

Rosaleen wyglądała na oszołomioną pomysłem.

– Tutaj? Och...

– To tylko pomysł. – Szybko się wycofałam. – To dość daleko dla Zoey i Laury, a poza tym pewnie byłby to zbyt duży kłopot dla ciebie...

Oczekiwałam, że zaprotestuje, ale nie zrobiła tego.

– W każdym razie wolę porozmawiać o mojej przyszłości, nie o urodzinach. – Zmieniłam temat. – Jeżeli we wrześniu nadal tu będziemy, na co chyba się zanosi, jak mam stąd dojeżdżać do Świętej Marii? Nie ma tu żadnych autobusów, a przynajmniej nic nie przejeżdża przez waszą wieś. Wątpię, żeby Arthur chciał wozić mnie do i ze szkoły każdego dnia...

Czekałam na zapewnienie, że tak właśnie zrobi, ale

znów nie nastąpiło. Rosaleen przyspieszyła przygotowania do śniadania, wyjmując naczynia, których szczękanie do tej pory zazwyczaj mnie budziło.

– Cóż, chyba musisz to przedyskutować ze swoją mamą. Nie mam dla ciebie odpowiedzi.

– Ale Rosaleen, jak mam cokolwiek przedyskutować z mamą?

– Co masz na myśli?

Szczęk, łomot, szczęk. Kuchnia pracowała pełną parą.

– Wiesz dobrze, co mam na myśli! – Zerwałam się z krzesła i stanęłam obok niej, ale Rosaleen nadal nie chciała na mnie spojrzeć. – Mama nie rozmawia. Jest w katatonii. Nie rozumiem, dlaczego nie chcesz tego przyznać.

– Nie jest w katatonii, Tamaro. – Wreszcie przerwała pracę i spojrzała na mnie. – Jest po prostu... smutna. Musimy jej dać czas i przestrzeń, pozwolić, żeby sama sobie z tym poradziła. A teraz możesz być tak dobra i podać mi jajka z lodówki? Pokażę ci dzisiaj, jak przyrządzić smaczny omlet. – Uśmiechnęła się. – Może dorzucę kilka kawałków papryki?

– Papryka – powtórzyłam radośnie. Jej twarz się rozjaśniła. – Cudowne, soczyste kawałki papryki, które rozwiążą wszystkie problemy – powiedziałam sztucznie radosnym tonem.

Powlokłam się do lodówki po jajka. Rosaleen wyglądała na skrzywdzoną. Wyciągnęłam zieloną i czerwoną paprykę.

– O, zobacz, co znalazłam! Zielona Papryko, może załatwisz pewną przykrą dla mnie sprawę? Gdzie będę chodziła do szkoły od września? – Przyłożyłam paprykę do ucha i udawałam, że nasłuchuję. – O nie, nie działa. – Potrząsnęłam nią. – Może spróbuję z czerwoną. Witaj, Czerwona Papryko. Rosaleen sądzi, że potrafisz rozwiązać mój problem życiowy. Jak myślisz, powinniśmy odesłać moją mamę do wariatkowa czy zostawić ją na zawsze na górze? – Znów zaczęłam nasłuchiwać. – Nie. Nic. – Rzuciłam obie papryki na blat kuchenny. – Wygląda na to, że dzisiaj nam nie pomogą. Może powinnyśmy spróbować z cebulami. – Udałam podniecenie. – Albo z tartym żółtym serem!

– Tamara! – usłyszałam ostrzegawczy głos Arthura i przerwałam.

Wyszłam z kuchni i usiadłam naburmuszona w dużym pokoju. Mimo że normalnie nie wolno nam tu było jeść, tym razem Rosaleen przyniosła mi omlet. Przyzwoita osoba przeprosiłaby ją. Ja zażądałam soli.

O dziesiątej Rosaleen potruchtała na drugą stronę drogi z tacą pełną jedzenia. Daję słowo, wykarmiłaby tym całą rodzinę. Jednym z moich zmartwień było to, że kiedy spotka się z mamą, dowie się o moich wczorajszych odwiedzinach. To, że nie wspomniałam o tym w pamiętniku, nie oznaczało, że nie mogło się wydarzyć. O dziesiątej piętnaście samochód doktora Gedada zatrzymał się przed domem. Odetchnęłam głęboko i otworzyłam drzwi.

– Tamara, jak się domyślam.

Uśmiechnął się do mnie, podchodząc do drzwi. Był wysoki, szczupły i wyglądał na wysportowanego. Miał gęste włosy, które lekko już posiwiały, wysokie kości policzkowe i łagodne oczy, które nadawały mu lekko kobiecy wygląd, ale generalnie był bardzo przystojny i męski. Przywitałam go. Potrząsnął moją dłonią.

– Dzień dobry. Cudowne lato, nie sądzisz?

Mówił gardłowo, jakby utkwił mu kawałek chleba, z lekką chrypką i zachwycającym akcentem z Madagaskaru z dodatkiem czystego irlandzkiego. Niesamowity dźwięk. Podobał mi się. Znalazłam kogoś z zewnątrz, kto miał zmienić moje życie, odświeżyć je, potrząsnąć nim, naprawić je.

– Czy mogę wziąć pana torbę?

Byłam zdenerwowana, roztrzęsiona, niepewna. Nadal nie wiedziałam, co powinnam zrobić. Spoglądałam z przestrachem na drzwi.

– Nie, dziękuję. Potrzebuję jej. – Uśmiechnął się.

– Ach, oczywiście.

– Rozumiem, że wezwałaś mnie tu do swojej mamy?

– Tak. Jest na górze. Pokażę panu drogę.

– Dziękuję, Tamaro. Przykro mi z powodu twojego taty. Weseley podzielił się ze mną tą smutną wiadomością. Musiało być wam obu bardzo ciężko.

– Tak, rzeczywiście. Dziękuję.

Uśmiechnęłam się, usiłując przełknąć gulę, która zawsze rosła mi w gardle, gdy ktoś wspominał o tacie.

Poprowadziłam doktora Gedada na górę i już zaczęłam wierzyć, że mi się upiecze, że odzyskam mamę, chociaż stracę Weseleya, kiedy drzwi do domu stanęły otworem. Do środka weszła Rosaleen z talerzem przykrytym folią aluminiową. Spojrzała na doktora Gedada, jakby zobaczyła samą śmierć. Zbladła.

– Dzień dobry – odezwał się uprzejmie mężczyzna.

– Kim... – Spojrzała na mnie, a potem znów na niego. Nagle zrozumiała. – Jest pan nowym lekarzem.

– Tak jest – odparł radośnie, cofając się na dół.

Nie! – krzyknęłam w myślach.

– Miło mi panią poznać, pani...

– Rosaleen – odpowiedziała szybko, spoglądając znowu na mnie i na niego. – Rosaleen wystarczy. Witamy w naszym miasteczku.

Uścisnęli sobie dłonie.

– Dziękuję. Muszę podziękować pani i mężowi za zaoferowanie młodemu Weseleyowi posady.

Rosaleen zerknęła na mnie szybko, wyraźnie zakłopotana.

– Cóż, bardzo nam tu pomaga – zbyła go. – Panie doktorze, co... dlaczego pan... Tamara, jesteś chora? – spytała zdumiona.

– Nie, nic mi nie jest, dziękuję, Rosaleen. Panie doktorze, pozwoli pan za mną – powiedziałam szybko, ruszając na górę.

– Gdzie ty idziesz?

– Do pokoju mamy – odpowiedziałam najuprzejmiej, jak potrafiłam.

– Chyba nie chcesz jej przeszkadzać, Tamaro. – Uśmiechnęła się do mnie, a potem spojrzała na doktora Gedada, marszcząc lekko czoło, jakby chciała zasygnalizować, że jestem dziwaczką. – Dobrze wiesz, jakie to ważne, żeby dużo wypoczywała. – Spojrzała z uśmiechem na Gedada. – Ostatnio nie sypia najlepiej, co jest zrozumiałe, biorąc pod uwagę okoliczności.

– Oczywiście. – Mężczyzna pokiwał poważnie głową i spojrzał na mnie. – Cóż, może powinienem zostawić ją teraz w spokoju i wrócić kiedy indziej.

– Nie! – przerwałam. – Rosaleen, mama śpi całymi dniami już od tygodnia. – Nie byłam w stanie zapanować nad swoim głosem. Skrzeczałam jak rozstrojone skrzypce.

– Oczywiście, to przez bezsenne noce – odparła twardo. – Może napije się pan herbaty, panie doktorze? Nie uwierzy pan, ale zamiast cukru dosypałam do ciasta soli. Moja mama niemal osłupiała z zaskoczenia – roześmiała się. – Chociaż nie powinna jeść ciasta na śniadanie, wiem o tym – dodała przepraszająco.

– Jak ona się czuje? – spytał doktor Gedad. – Słyszałem, że niezbyt dobrze.

– Opowiem panu przy herbacie – odparła żwawo.

Mężczyzna roześmiał się i podążył za nią do kuchni.

– Nie jest łatwo pani odmówić, Rosaleen.

Stałam na schodach z otwartymi ustami, obserwując tę

scenę. Przeczytałam o niej, ale nie wierzyłam, że doktor Gedad tak łatwo da się przekonać do porzucenia poważnie chorego pacjenta, który czekał na niego na górze.

– Daj swojej mamie jeszcze trochę czasu na odpoczynek, Tamaro – powiedział. – Przyjdę do niej później.

– W porządku – szepnęłam, usiłując powstrzymać łzy. Wiedziałam, że cokolwiek Rosaleen mu powie, przekona go to, by nie odwiedzać mamy. Chociaż wiedziałam, co się za chwilę zdarzy, usiłowałam dołączyć do nich w kuchni. Oczywiście Rosaleen zatrzymała mnie w progu.

– Jeżeli nie masz nic przeciwko, Tamaro, chciałabym zamienić kilka słów na osobności z panem doktorem na temat mojej mamy. Chcę się upewnić, że wszystko jest w porządku. Nie czuła się najlepiej przez kilka ostatnich dni.

Zachłysnęłam się lekko, najpierw czując się winna, że to moja wizyta przyczyniła się do pogorszenia stanu starszej pani. Szybko jednak poczucie winy wyparł gniew. Nie obchodziła mnie matka Rosaleen. Byłam wściekła za to, że odciągnęła doktora Gedada od mojej mamy.

– Tak, oczywiście, rozumiem, Rosaleen. Właśnie przed chwilą usiłowałam zrobić dokładnie to samo dla własnej mamy – odparłam uszczypliwie.

Odwróciłam się do niej plecami, zanim zdołała cokolwiek odpowiedzieć, i pobiegłam na górę. Usłyszałam, jak zamykają się drzwi do kuchni. Poszłam do pokoju mamy. Nadal spała, zwinięta w kulkę niczym dziecko w łonie matki.

– Mamo – szepnęłam cicho, opadając na kolana i odsuwając jej włosy z twarzy.

Jęknęła.

– Mamo, obudź się.

Zatrzepotała powiekami i otworzyła oczy.

– Mamo, musisz wstać. Zadzwoniłam dla ciebie po lekarza. Jest tu, na dole, ale musisz do niego zejść albo przynajmniej go zawołać. Proszę, możesz to dla mnie zrobić?

Znów jęknęła i zamknęła oczy.

– Mamo, posłuchaj, to ważne. Pomoże ci poczuć się lepiej.

Otworzyła oczy.

– Nie – wychrypiała.

– Wiem, mamo. Wiem, że bardzo tęsknisz za tatą. Wiem, że strasznie go kochałaś, i teraz pewnie myślisz, że nic na świecie nie pomoże ci poczuć się lepiej, ale to nieprawda. Możesz, jeżeli w to uwierzysz.

Zamknęła oczy.

– Mamo, proszę – szepnęłam ze łzami w oczach. – Zrób to dla mnie.

Ale ona oddychała miarowo i głęboko, na powrót pogrążona we śnie. Klęczałam obok niej, płacząc.

Pod nami, w kuchni, Rosaleen i doktor Gedad rozmawiali. Potem otworzyły się tam drzwi. Otarłam łzy z policzków i potrząsnęłam mamą.

– Lekarz zaraz cię zbada. Musisz tylko podejść do drzwi, to wszystko.

Wyglądała na zaniepokojoną, ale to dlatego, że właśnie ją obudziłam.

– Proszę, mamo.

Nie rozumiała. Przeklęłam i pognałam na dół. Rosaleen właśnie otwierała drzwi wejściowe.

– Ach, Tamara – odezwał się doktor Gedad. – Rozmawiałem z Rosaleen i chyba najlepiej będzie, jeżeli zostawię na razie twoją mamę w spokoju i wrócę, jeżeli będzie mnie potrzebować. To jest moja wizytówka, na wypadek gdybyś musiała mnie wezwać.

– Właśnie po to do pana zadzwoniłam, żeby zbadał ją pan dzisiaj.

– Wiem, ale po rozmowie z Rosaleen uważam, że to

niepotrzebne. Nie musisz się niczym martwić. Twoja mama przechodzi teraz przez bardzo ciężki okres, ale naprawdę nie musisz się martwić jej zdrowiem. Jestem pewien, że chciałaby, abyś się nie stresowała i pozostała optymistką – powiedział ojcowskim tonem.

– Ale przecież nawet pan jej nie zbadał! – odparłam gniewnie.

– Tamara... – rzuciła ostrzegawczo Rosaleen.

Doktor Gedad chyba poczuł się niezręcznie. Nie był już taki pewien swojej decyzji. Czy miał powód, żeby nie ufać Rosaleen? Na jego miejscu sama zadałabym sobie to pytanie. Rosaleen pewnie czuła to samo, więc zareagowała szybko.

– Dziękujemy bardzo za wizytę, panie doktorze – powiedziała łagodnie. – Proszę przekazać wyrazy uszanowania dla Maureen i waszego chłopca...

– Weseleya – podpowiedział. – Dziękuję. Za herbatę i bułeczki również. W ogóle nie czułem w nich soli.

– O nie, dodałam jej tylko do placka z jabłkami. – Roześmiała się jak dziecko.

Doktor Gedad wyszedł. Rosaleen zamknęła drzwi i spojrzała na mnie, ale ja przemaszerowałam tylko obok niej prosto do wyjścia i z całej siły trzasnęłam za sobą drzwiami. Pobiegłam drogą. Powietrze było ciepłe, pachniało słodko świeżo ściętą trawą i krowim nawozem. Słyszałam w oddali buczenie kosiarki Arthura, dźwięk silnika, który pozwalał mu wyłączyć myśli, skoncentrować się na doraźnych sprawach. Po drugiej stronie zamkowych gruntów dostrzegłam siostrę Ignacjusz; biało-granatową postać pośród zieleni. Pobiegłam do niej. Gniew buzował w mojej krwi niczym bąbelki wody sodowej. Siostra Ignacjusz ustawiła sztalugi i stołek na zielonej łące przed zamkiem. Twarzą była zwrócona w kierunku jeziora z łabędziami. Siedziała w cieniu gigantycznego dębu. Chociaż był dopiero poranek, panował już upał. Na błękitnym niebie nie było ani jednej chmurki. Siostra Ignacjusz musiała być bardzo skoncentrowana, przesuwała językiem po wargach w takt ruchów pędzla.

– Nienawidzę jej! – wrzasnęłam, przerywając błogą ciszę i strasząc ptaki z sąsiedniego drzewa. Pofrunęły w niebo, usiłując się przegrupować i znaleźć inne miejsce na przedpołudniową siestę. Biegłam po trawie, plaskając klapkami.

Siostra Ignacjusz nawet na mnie nie spojrzała.

– Dzień dobry, Tamaro – zawołała radośnie. – Mamy kolejny piękny poranek.

– Nienawidzę jej! – powtórzyłam głośniej, zbliżając się.

Wtedy nagle spojrzała na mnie z paniką w wielkich oczach. Potrząsnęła szybko głową i zamachała ramionami, jakby znalazła się na szynach i usiłowała zatrzymać nadjeżdżający pociąg.

– Tak właśnie, nienawidzę jej! – wrzeszczałam nadal.

Siostra Ignacjusz przyłożyła palec do ust. Przestępowała z nogi na nogę, jakby chciało jej się siusiu.

– Pomiot szatański! – wyplułam z siebie.

– Och, Tamaro! – wybuchnęła wreszcie, unosząc ramiona w górę. Wyglądała na zrozpaczoną.

– Co?! Nie obchodzi mnie, co On sobie myśli! Boże, zabierz mnie stąd, mam już dość, chcę wrócić do dooooomu – wyłam sfrustrowana. Upadłam na trawę, przewróciłam się na plecy i spojrzałam w niebo. – Ta chmura wygląda jak penis.

– Tamara, przestańże wreszcie – powiedziała surowo.

– Dlaczego? Czy to cię obraża? – spytałam sarkastycznie. Miałam dziką ochotę skrzywdzić wszystkich i wszystko, co popadnie, bez względu na to, czy było cudowne, czy nie.

– Nie, ale wystraszyłaś wiewiórkę! – odparła poruszona, jak nigdy dotąd. Usiadłam zaskoczona i słuchałam jej żarliwej przemowy. – Przez cały tydzień ją oswajałam. Przynosiłam jej jedzenie na talerzu i wreszcie mi się udało. Nie chciała orzechów. Te opowieści o wiewiórkach i orzechach wcale nie są prawdziwe. Nie dotknęła sera, ale uwielbia toffi. Nie uwierzyłabyś, jak bardzo. A teraz przez ciebie uciekła i nigdy nie wróci, a siostra Konceptua zabije mnie za to, że zabrałam jej słodycze. Twoje dramatyczne wejście pewnie przyprawiło biedne zwierzę o atak serca. – Westchnęła, uspokoiła się i spojrzała wreszcie na mnie. – Kogo tak nienawidzisz? Przypuszczam, że Rosaleen?

Spojrzałam na jej obraz.

– To ma być wiewiórka? Wygląda jak słoń z puchatym ogonem.

Siostra Ignacjusz najpierw wyglądała na zagniewaną. Potem, kiedy przyjrzała się swemu dziełu uważniej, zaczęła się śmiać.

– Och, Tamaro, jesteś lekiem na całe zło, wiesz o tym?

– Nie – burknęłam, wstając. – Podobno nie. Inaczej nie musiałabym wzywać lekarza do mamy. Potrafiłabym ją sama naprawić.

Zaczęłam spacerować w tę i we w tę. Siostra Ignacjusz spoważniała.

– Zadzwoniłaś po doktora Gedada?

– Tak, i przyszedł dziś rano, akurat kiedy Rosaleen poszła do mamy, żeby zatuczyć ją swoim jedzeniem. Tak przy okazji, widziałam ją, znaczy jej mamę, i nie uwierzę, że zjada wszystko, co Rosaleen jej przynosi, chyba że ma tasiemca. W każdym razie Rosaleen wróciła do domu, zanim doktor Gedad zdołał wejść na górę, ponieważ, uwaga, dodała do ciasta soli zamiast cukru. Tak, słusznie patrzysz na mnie z podejrzliwością, bo to moja sprawka. Nie żałuję, zrobiłabym to bez wahania jeszcze raz. – Nabrałam powietrza w płuca. – W każdym razie wróciła po inne ciasto, które miało być dla Arthura i dla mnie na obiad.

Wcale tego nie żałuję. Jej jedzenie jest potwornie tuczące. W każdym razie zdołała przekonać doktora Gedada, żeby nie zaglądał do mamy, więc sobie poszedł, a mama dalej siedzi w swojej sypialni. Pewnie się ślini i rysuje po ścianach.

– Jak go przekonała?

– Nie wiem, co mu powiedziała. Oznajmił, że w tej chwili mama potrzebuje odpoczynku i jeśli będę go musiała wezwać w nagłym przypadku albo coś, mogę do niego zadzwonić.

– Cóż, lekarz wie najlepiej – powiedziała niepewnie.

– Siostro, on jej nawet nie zbadał! Po prostu Rosaleen go zagadała, a on jej we wszystko uwierzył.

– Dlaczego miał nie zaufać Rosaleen?

– A dlaczego miałby jej ufać? To ja do niego zadzwoniłam, nie ona. Co by było, gdyby mama usiłowała odebrać sobie życie, a Rosaleen nic by o tym nie wiedziała?

– A próbowała?

– Nie, ale nie o to chodzi.

– Hmmm. – Siostra Ignacjusz zamilkła, nurzając pędzel w błotnistobrązowej farbie i rozsmarowując ją na papierze.

– Teraz wygląda to jak jakieś dziwne zwierzę, które przed chwilą połknęło zepsuty orzech – skomentowałam.

Prychnęła, a potem znów się roześmiała.

– Czy siostra kiedykolwiek się w ogóle modli? Ciągle siostrę widzę a to przy ulach, a to w ogrodzie, a to z farbami.

– Lubię tworzyć nowe rzeczy, Tamaro. Zawsze wierzyłam, że twórczość jest doświadczeniem duchowym, podczas którego jednoczę się ze Świętym Duchem Stwórcą.

Rozejrzałam się.

– Chyba ten duch zrobił sobie przerwę na lunch.

Siostra Ignacjusz milczała, pogrążona w myślach.

– Mogę z nią porozmawiać, jeśli chcesz – powiedziała cicho.

– Dzięki, ale mama potrzebuje czegoś więcej niż tylko zakonnicy. Bez obrazy.

– Tamara, wiesz, co tak naprawdę robię?

– Emmm, modli się siostra?

– Tak, modlę się, ale nie tylko. Złożyłam śluby czystości, ubóstwa i posłuszeństwa, jak wszystkie inne katolickie zakonnice, jednak oprócz tego przysięgłam również pomagać biednym, chorym i niewykształconym. Mogę porozmawiać z twoją mamą. Mogę pomóc.

– Och, no tak, w zasadzie spełnia pierwszy i drugi warunek.

– Na dodatek nie jestem „tylko" zakonnicą, jak to ujęłaś. Szkoliłam się w położnictwie – powiedziała, dziobiąc pędzlem papier.

– To głupie. Moja mama nie jest w ciąży. – Nagle dotarło do mnie to, co powiedziała. – Chwileczkę, od kiedy jesteś położną?

– Och, no wiesz, nie jestem wyłącznie zakonnicą – zachichotała. – To był mój wybrany zawód. Zawsze jednak czułam, że Bóg mnie wzywa do prowadzenia życia duchowego i posługi, więc w końcu wstąpiłam do zakonu. Podróżowałam z siostrami po całym świecie, wdzięczna niebiosom, że mogę być jednocześnie zakonnicą i położną. Przed czterdziestką wiele lat spędziłam w różnych regionach Afryki. Widziałam wiele brutalnych rzeczy, ale też i piękno. Poznałam niezwykłych, cudownych ludzi. – Uśmiechnęła się do swoich wspomnień.

– Poznała siostra kogoś, kto jej to dał? – Skinęłam głową w kierunku złotego pierścionka z malutkim szmaragdem. – To by było tyle w kwestii ślubu ubóstwa. Gdyby siostra sprzedała tą błyskotkę, mogłaby za to wybudować studnię gdzieś w Afryce. Widziałam to w reklamach.

– Tamara! – Była wstrząśnięta. – Dostałam to niemal

trzydzieści lat temu na dwudziestopięciolecie moich ślubów zakonnych.

– Ale to wygląda, jakby siostra była zamężna. Dlaczego mieliby dać siostrze coś takiego?

– Jestem poślubiona Bogu – uśmiechnęła się.

Wykrzywiłam się z niesmakiem.

– Okropność. Cóż, gdyby siostra była poślubiona prawdziwemu mężczyźnie, który naprawdę istnieje, którego widać i który nie wkłada brudnych skarpetek do kosza z brudną bielizną, wtedy za dwudziestopięcioletnią służbę siostra powinna dostać pierścionek z diamentem.

– Wystarczy mi to, co mam, bardzo dziękuję. Czy rodzice zabierali cię na msze?

Potrząsnęłam głową.

– „Na religii nie można zarobić" – zacytowałam. – Chociaż tutaj tata akurat się mylił. Byliśmy w Rzymie, widziałam Watykan. Ci ludzie są nadziani.

– Rzeczywiście, zupełnie jakbym słyszała twojego ojca – zachichotała.

– Spotkała go siostra?

– O tak.

– Kiedy? Gdzie?

– Gdy nas tu odwiedzał.

– Nie pamiętam, żeby kiedykolwiek tu przyjeżdżał.

– Ale był tu. Widzisz, jak to jest, panno wszechwiedząca.

Uśmiechnęłam się.

– Nie lubiła go siostra?

Potrząsnęła głową.

– Nie szkodzi, może mi siostra powiedzieć prawdę. Większość ludzi go nie lubiła. Ja też, czasami. Często się kłóciliśmy. Ani trochę go nie przypominałam i myślę, że mnie za to nienawidził.

– Tamara. – Chwyciła moje dłonie. Poczułam się lekko zażenowana. Siostra Ignacjusz była taka słodka i łagodna.

Wydawała się zbyt wrażliwa, jak na to ziemskie życie. Z drugiej strony, po wszystkich swoich wojażach i pracy, pewnie widziała i rozumiała więcej niż ja. – Twój tata bardzo cię kochał, z całego serca. Był dla ciebie dobry, dał ci cudowne życie i zawsze był na zawołanie, kiedy tylko go potrzebowałaś. Miałaś niezwykłe szczęście w życiu, dziewczyno. Nie mów o nim w ten sposób. Twój ojciec był wielkim człowiekiem.

Natychmiast poczułam się winna, a ponieważ starych nawyków nie można się tak łatwo pozbyć, zrobiłam to, co zawsze.

– W takim razie siostra powinna się z nim chajtnąć – rzuciłam sucho. – Wtedy siostra miałaby złoty pierścionek na każdym palcu.

Po długim milczeniu, w czasie którego tak naprawdę powinnam była przeprosić, ale tego nie zrobiłam, siostra Ignacjusz wróciła do malowania swojego bohomazu. Umoczyła czubek pędzla w zielonej farbie i zaczęła nanosić ją na papier gwałtownymi ruchami nadgarstka. Wyglądała jak dyrygent, tyle że z pędzlem zamiast batuty. Zielone paćki miały chyba być liśćmi.

– Nie ma tu żadnego drzewa.

– Wiewiórki też nie. Używam swojej wyobraźni. Poza tym, to nie jest drzewo, tylko nastrój mojej biednej wiewiórki. Pomyśl o tym jak o abstrakcji: oderwanie się od rzeczywistości za pomocą wizualizacji – pouczyła mnie. – To częściowa abstrakcja, tak jak dzieło sztuki, które dopuszcza pewien stopień swobody. Na przykład pozwala na zmianę koloru i kształtu w charakterystyczny sposób.

– Tak jak na przykład twój brązowy słoń z ogromnym ogonem zamiast trąby?

Zignorowała mnie.

– Całkowita abstrakcja z kolei nie przypomina niczego, co opisuje – ciągnęła.

Przyjrzałam się bliżej jej obrazowi.

– Hmmm, twoje dzieło to bardziej całkowita abstrakcja. Zupełnie jak moje życie.

Zachichotała.

– Och, dramaty życia siedemnastolatki.

– Szesnastolatki – poprawiłam ją. – Wie siostra, odwiedziłam wczoraj mamę Rosaleen.

– Doprawdy? Jak ona się miewa?

– Dała mi to. – Wyjęłam z kieszeni kroplę szkła i poruszyłam nią na dłoni. Była chłodna, gładka, kojąca. – Ma ich tam na pęczki. To takie dziwne. W ogrodzie za bungalowem jest szopa, taka jej mała fabryka, a za nią pole szklanych rzeźb. Niektóre są strasznie dziwne i ostre, ale większość jest naprawdę piękna. Zwisają z linek, jest ich tam chyba z dziesięć, a te szklane twory przymocowane są do nich żyłkami. Odbijają promienie słońca i migocą na wietrze. Myślę, że ona je wszystkie zrobiła. Z pewnością ich nie wyhodowała, chociaż wygląda to jak szklana farma – zaśmiałam się.

Siostra Ignacjusz przestała malować i wzięła szklaną kroplę do ręki.

– Dała ci to?

– Niezupełnie. To znaczy nie wręczyła mi tego osobiście. Widziałam ją w szopie. Pracowała nad czymś, pochylona nad stołem, w goglach. Chyba ją przestraszyłam. Zostawiłam więc tackę z jedzeniem w ogrodzie. Przyniosłam ją dla niej. Zrobiłam jej śniadanie.

– To miłe z twojej strony.

– Niezupełnie. Powinna siostra zobaczyć, jak wyglądało. Poza tym Rosaleen nie wiedziała, że tam poszłam. Musiałam więc wrócić po tackę. Spodziewałam się, że jedzenie będzie nietknięte, ale wszystkie naczynia były puste i umyte. Zjadła całe śniadanie. A na tacy leżało to. – Zabrałam moją błyskotkę i jeszcze raz się jej przyjrzałam. – To takie miłe z jej strony, nie sądzi siostra?

– Tamara... – Siostra Ignacjusz wyciągnęła ramię i przytrzymała się sztalugi, tak lekkiej, że ledwie wytrzymała napór jej ciężaru.

– Dobrze się siostra czuje? Wygląda siostra trochę...

Nie dokończyłam. Wyglądała na tak osłabioną, że szybko ją objęłam, przypominając sobie, że mimo dziewczęcego śmiechu miała siedemdziesiąt lat.

– Wszystko w porządku, już dobrze. – Usiłowała się roześmiać. – Przestań się zamartwiać, Tamaro. Musisz jeszcze raz powiedzieć mi dokładnie, co się zdarzyło. Znalazłaś tę rzecz na tacy, kiedy poszłaś ją zabrać z domu mamy Rosaleen?

– Tak, stała na murku otaczającym ogród – powtórzyłam powoli.

– Ale to niemożliwe. Widziałaś, jak ją tam kładła?

– Nie. Zobaczyłam z okna sypialni, że taca stoi na murku. Musiała ją odstawić, kiedy byłam w innym pokoju. Dlaczego siostra zadaje tyle pytań? Siostra się na mnie gniewa o to, że tam poszłam? Pewnie nie powinnam, ale Rosaleen była za bardzo tajemnicza w tej sprawie.

– Tamara – siostra Ignacjusz zamknęła oczy, a kiedy je otworzyła, wyglądała na bardzo zmęczoną. – Mama Rosaleen, Helen, ma stwardnienie rozsiane, które niestety bardzo się posunęło w ciągu ostatnich kilka lat. Jest przykuta do fotela na kółkach i dlatego Rosaleen opiekuje się nią na pełny etat. Sama rozumiesz, że Helen nie mogła dotoczyć się do ogrodu przed domem, żeby odstawić tacę. – Potrząsnęła głową. – To niemożliwe.

– Nieprawda – odparłam. – Jeżeli położyłaby ją na kolanach, miałaby wolne ręce, żeby dojechać...

– Nie, Tamaro. Do ogrodu przed domem prowadzą schody.

Spojrzałam w kierunku bungalowu i chociaż nie widziałam go z tego miejsca, wyobraziłam sobie schody.

– Faktycznie. No tak, to dziwne. Kto jeszcze tam mieszka? – spytałam.

Siostra Ignacjusz umilkła. Miała rozbiegane oczy, jakby intensywnie myślała.

– Nikt – szepnęła. – Nikt.

– Ale przecież widziałam tam kogoś. Niech sobie siostra przypomni – warknęłam w panice. – Kogo mogłam widzieć w szopie? To była kobieta, zgarbiona nad stołem, w goglach, z długimi włosami. Wszędzie wisiały szklane rzeźby. Kim ona może być?

Ale siostra Ignacjusz tylko potrząsała głową.

– Rosaleen ma siostrę. Powiedziała mi o niej. Mieszka w Cork i jest nauczycielką. Może przyjechała z wizytą? Jak siostra myśli?

– Nie, nie. – Nadal kręciła głową. – To niemożliwe.

Poczułam dreszcze, a całe ciało pokryło mi się gęsią skórką. Spojrzenie na zazwyczaj spokojną twarz siostry Ignacjusz też nie pomogło mi się uspokoić. Wyglądała, jakby zobaczyła ducha.

Rozdział 17

Opętanie

Przestałam wypytywać siostrę Ignacjusz. Zrobiła się szara na twarzy.

– Niech siostra usiądzie, o tutaj, na stołeczku. Wszystko jest dobrze, to tylko upał. – Usiłowałam zachować spokój. Pomogłam jej przycupnąć na drewnianym krzesełku. Przysunęłam go bliżej drzewa, tak żeby pozostawał w cieniu. – Niech siostra przez chwilę tu odpocznie, a potem zabierzemy siostrę do domu.

Nie odpowiedziała, pozwoliła mi się poprowadzić. Jedną ręką obejmowałam ją w pasie, drugą trzymałam jej dłoń. Posadziłam ją i odgarnęłam z jej twarzy kilka luźnych kosmyków. Nie wydawała mi się rozpalona.

Usłyszałam, jak ktoś woła mnie po imieniu, i w oddali zobaczyłam biegnącego Weseleya. Zamachałam szaleńczo rękami. Dotarł do nas bez tchu, aż musiał się pochylić, opierając dłonie o kolana, żeby odzyskać oddech.

– Witaj, siostro – powiedział wreszcie, machając do niej, chociaż przecież siedziała tuż obok. – Tamara. – Spojrzał na mnie rozemocjonowany. – Wszystko słyszałem.

– Co słyszałeś? – spytałam niecierpliwie, kiedy on dyszał ciężko.

– Rosaleen – sapnięcie. – W kuchni – sapnięcie. – Z moim tatą – sapnięcie. – Miałaś rację. Ze wszystkim. Z cukrem i solą, i... – sapnięcie. – I że wróci do domu wcześniej. Skąd wiedziałaś?

– Powiedziałam ci. – Spojrzałam szybko na siostrę Ignacjusz, ale ona wpatrywała się tępo w przestrzeń. Wyglądała, jakby za chwilę miała zemdleć. – Przeczytałam w pamiętniku.

Potrząsnął głową z niedowierzaniem i rozzłościł mnie tym.

– Słuchaj, nie obchodzi mnie to, że mi nie wierzysz. Powiedz mi tylko...

– Tobie wierzę, Tamaro, ale nie mogę uwierzyć w to wszystko. Rozumiesz?

– Tak, rozumiem. Mam to samo.

– No dobrze, w każdym razie odłączyłem się od Arthura o dziesiątej rano. Rozdzieliliśmy się, żeby szybciej obskoczyć drzewa orzechowe na południu majątku. Mamy kłopoty ze śniedzią – spojrzał na zakonnicę. – Usiłujemy utrzymać pH gleby powyżej sześciu, odciąć wszystkie zarażone korzenie...

– Weseley, zamknij się – przerwałam mu.

– O, przepraszam. Nie mogłem przestać myśleć o tym, co mi powiedziałaś, więc poszedłem do stróżówki i ukryłem się w ogrodzie, pod oknem kuchennym. Wszystko słyszałem. Rosaleen zaczęła najpierw mówić o swojej mamie, o tym, że ostatnio bardzo podupadła na zdrowiu. Ma stwardnienie rozsiane. Zadała mu kilka pytań, poprosiła o radę i tak dalej. Jednak myślę, że głównie usiłowała go zatrzymać.

Pokiwałam głową. To pasowało do historii siostry Ignacjusz, więc chociaż na ten temat nie skłamała.

– Mój tata naprawdę mnie wkurzył. Miałem ochotę na niego nakrzyczeć i kazać mu iść na górę. Ale kiedy w końcu powiedział, że pójdzie teraz zbadać twoją mamę, Rosaleen zaczęła o niej mówić. Tata chciał ją zobaczyć, ale Rosaleen nalegała. Powiedziała, że... – przerwał.

– Weseley, powiedz mi.

– Ale obiecaj, że się nie wkurzysz, kiedy ci powiem, dopóki czegoś oboje nie wymyślimy, dobrze?

– Dobrze, dobrze – ponagliłam go.

– Okey. – Mówił teraz wolniej, patrząc na mnie. – Powiedziała, że coś takiego zdarzyło się już wcześniej. Że twoja mama ma skłonności do depresji i że regularnie wpada w takie stany, odsuwa się od wszystkich...

– To bzdura!

– Słuchaj dalej. Powiedziała, że rodzice utrzymywali to przed tobą w tajemnicy i nie powinnaś się o tym dowiedzieć. Podobno twoja mama zażywa leki antydepresyjne i najlepiej jest zostawić ją w spokoju, dopóki nie przejdzie jej najgorszy nastrój. Powiedziała, że zawsze tak robili.

– Gówno prawda! – wrzasnęłam. – Kłamczucha! Cholerna kłamczucha. Moja mama nigdy wcześniej taka nie była. Co za, co za... aaaaach, co za kłamliwa suka! Jak ona śmie twierdzić, że tata nic mi nie powiedział?! Na pewno bym wiedziała. Mieszkałam z nimi. Na co dzień. Mama nigdy taka nie była. Nigdy!

Chodziłam w tę i z powrotem, krzyczałam, gotowała się we mnie krew. Czułam tak potworny gniew, że miałam ochotę rozedrzeć niebo. Straciłam panowanie nad sobą. W tej chwili nie istniało nic, co mogłoby polepszyć moje życie. Zaczęłam mieć wątpliwości. Czy mogło mi umknąć dziwne zachowanie mamy? Czy rzeczywiście tak się już kiedyś zachowywała, a ja nic nie zauważyłam? Czy byłam aż tak okropną córką? Pomyślałam o wszystkich weekendach, kiedy rodziców nie było w domu, o słabych uśmiechach mamy, o tym, że nigdy nie wykazywała entuzjazmu, nigdy nie zdradzała, co czuje albo myśli. Nie, to nic nie znaczyło. Po prostu nie należała do ludzi, którzy okazują emocje. Nigdy nie płakała, nie była sentymentalna, ale to nie oznacza, że była w depresji. Nie, nie, nie! Jak Rosaleen śmiała twierdzić, że tata mnie okłamał, kiedy on sam nie mógł już nic powiedzieć w swojej obronie?! To było niesprawiedliwe. Skrajnie niesprawiedliwe!

Weseley usiłował mnie objąć, uspokoić, ale ja ciągle wrzeszczałam. Tyle pamiętam. A potem siostra Ignacjusz wreszcie się ocknęła. Wstała i podeszła do mnie z otwartymi ramionami, słodka, smutna i postarzała bardziej niż kilka minut temu. Było to takie smutne i żałosne, że nie mogłam na nią patrzeć.

– Tamaro, musisz mnie wysłuchać... – zaczęła, ale ja nie chciałam. Rzucałam się i wiłam, aż wreszcie udało mi się uwolnić z jej objęć. Pamiętam, że zaczęłam biec, bardzo szybko. Krzyczeli za mną, wołali mnie. Kilka razy czułam, że Weseley jest tuż-tuż, o mały włos chwyta mnie za ramię. Wrzeszczałam wtedy głośniej i biegłam dalej, szybciej, jeszcze szybciej, sądząc, że siedzi mi na karku. Nie wiem, kiedy przestał mnie gonić, kiedy postanowił zostawić mnie w spokoju. Biegłam dalej, chociaż kłuło mnie w piersi i ledwie mogłam oddychać. Gorące łzy wypływały mi z kącików oczu prosto do uszu. Pęd nie pozwolił im spłynąć po policzkach. Wybiegłam spośród drzew prosto na drogę. Zamarłam, słysząc ryk silnika, pisk hamulców, jęczenie opon i gniewne trąbienie klaksonu. Stanęłam jak wryta, spodziewając się uderzenia, metalowej twardości zderzaka wbijającego się w mój bok, wyrzucenia w powietrze i roztrzaskania się o przednią szybę. Nic takiego jednak nie nastąpiło. Poczułam tylko gorący powiew na nodze, blisko, zbyt blisko – chociaż jakaś część mnie uważała, że niewystarczająco. Potem otworzyły się drzwi pojazdu i usłyszałam krzyk. Jakiś mężczyzna. Zatkałam uszy. Krzyczałam straszliwie, nie mogąc złapać oddechu. Słyszałam, jak ktoś powtarza głośno moje imię, bez końca, agresywnie, gniewnie, oskarżycielsko. Jakby to była moja wina.

Wreszcie ton złagodniał, poczułam wokół siebie troskliwe ramiona i kołysanie. Hałas ustał i zdałam sobie sprawę, że to Marcus i jego biblioteka objazdowa. Płakałam nieopanowanie, mocząc mu koszulę. Wreszcie spojrzałam na niego. Wyglądał na zmartwionego i przestraszonego.

– Gdzie teraz? Paryż? Australia? – spytał łagodnie, z uśmiechem.

– Nie – chlipnęłam. – Chcę do domu. Chcę wrócić do domu.

Milczałam przez całą drogę do Killiney. Marcus usiłował zadawać mi pytania, ale po jakimś czasie zrezygnował. Wreszcie przestałam płakać i trząść się jak osika. Teraz już tylko od czasu do czasu drżałam. Osłabłam z emocji, czułam się zmęczona. Po pewnym czasie po raz ostatni otarłam łzy zasmarkaną chusteczką, wzięłam głęboki oddech i wypuściłam powietrze z płuc.

– Teraz już lepiej. – Marcus spojrzał na mnie, gdy zatrzymaliśmy się na czerwonym świetle. – Chcesz porozmawiać?

Chrząknęłam i uśmiechnęłam się do niego.

– Hej, Marcus. Bardzo chcę się upić.

– Wiesz co? Właśnie to samo sobie myślałem. – Uśmiechnął się szelmowsko i gdy tylko światła zmieniły się na zielone, podjechał przed sklep z alkoholem. – Jesteś moją pokrewną duszą – rzucił, zanim wyszedł z szoferki.

Powinnam mu wtedy powiedzieć. To znaczy powinnam mu powiedzieć, ile mam lat. Mogłam oszczędzić wszystkim wiele bólu. Niecałe trzy tygodnie do moich siedemnastych urodzin nadal byłam zdecydowanie za młoda dla Marcusa. Nie jestem pewna, co właściwie sobie myślałam i czy w ogóle kierowałam się rozsądkiem. Byłam otępiała, odrętwiała i chciałam się jeszcze bardziej znieczulić, żeby nie czuć, nie myśleć. Miałam wrażenie, że życie wymknęło mi się spod kontroli, i sama również chciałam się zatracić, chociaż na chwilę.

Byliśmy zaledwie godzinę drogi od Killiney. Godzina to nic, ale mnie wydała się całą wiecznością. Odebrano mi dom, moje miejsce i czułam, jakby wraz z tym pozbawiono mnie również tożsamości. Niektórzy nie zdają sobie sprawy, jak to jest, zostać zabranym z własnego domu. Jasne, można odczuwać nostalgię albo wyprowadzić się gdzieś i tęsknić za starą okolicą. Ale nas przepędzono, wygnano. Jakiś bank – miejsce, które nie miało nic wspólnego z domowym ciepłem, wspomnieniami czy rodziną – ścigał mojego tatę i dręczył go tak bardzo, że biedny wreszcie odebrał sobie życie. A gdy bank postawił na swoim, skradł naszemu miejscu wspomnienia, poczucie przynależności, rdzeń w postaci naszej rodziny. I kiedy my zostałyśmy wygnane i zmuszone do zamieszkania z krewnymi, których prawie nie znałyśmy, nasz dom stał tam, ogromny i pusty, z tablicą „Na sprzedaż" przybitą do płotu, niczym środkowy palec szyderczo wystawiony w naszym kierunku.

– Nadal masz klucze? – spytał Marcus, kiedy podążaliśmy przez wietrzne drogi tamtej okolicy.

Skinęłam głową. Kolejne kłamstwo.

– Hej, wyhamuj nieco. – Spojrzał na trzecią puszkę piwa, którą właśnie opróżniałam. – Zostaw trochę dla mnie.

Dopiłam piwo i głośno beknęłam.

– Seksowne – zachichotał, nie spuszczając wzroku z drogi.

Gdy patrzę wstecz, daję słowo, że była to pierwsza chwila w moim życiu, kiedy całkowicie świadomie zdecydowałam, co chcę zrobić. Oczywiście mogłabym go oskarżyć o zasugerowanie mi tego, ale tak naprawdę to ja wybrałam. Może od chwili, w której wbiegłam na drogę prosto pod jego autobus, a Marcus mnie objął, wiedziałam, że skończymy w moim domu, na podłodze w mojej dawnej sypialni. Może już przy naszym pierwszym spotkaniu postanowiłam, że tak się to skończy. Może to wszystko zaplanowałam. Może miałam większą kontrolę nad swoim życiem, niż myślałam. A może trzecie piwo wywołało jeszcze większy zamęt w moich i tak już chaotycznych emocjach.

Kiedy tak jechaliśmy do mojego dawnego domu, pokazywałam Marcusowi różne miejsca, wymieniałam imiona ludzi, którzy tam mieszkali, opowiadałam ich historie. Nie czekałam na reakcję. Nie obchodziły mnie jego odpowiedzi. Mówiłam to wszystko dla siebie samej. Przestałam udawać, że jestem osobą, którą usiłowałam być – taką samą jak Zoey i Laura, jak wszyscy ludzie dookoła nas. Zupełnie jakby to pomagało nam wszystkim lepiej ze sobą żyć. Tak naprawdę wcale nie działało. Nie pomogło Laurze ani Zoey, a już z całą pewnością nie mnie.

Zatrzymaliśmy się przed domem. Kazałam Marcusowi zaparkować w bocznej uliczce, żeby nie było nas widać z głównej drogi. Nie chciałam, żeby sąsiedzi przyleźli tu po książki.

Wielkie czarne wrota z kamerami, zawieszone pomiędzy trzymetrowym murem, wystarczyły, aby odstraszyć włamywaczy. Tata poświęcił wiele czasu i wysiłku na zaprojektowanie i wykonanie tej bramy. Rysował plany, zmieniał je bez końca, pytał mamę i mnie o zdanie, a potem dumnie zaprowadził mnie przed wrota i spytał, co o nich sądzę. Nie odpowiedziałam. Usłyszał jedynie, że nic mnie to nie obchodzi. Raniłam go na każdym kroku.

Myślę, że powiedziałam o tym Marcusowi, kiedy szliśmy w stronę bramy, ale nie byłam pewna.

– Nie mam pilota przy moich kluczach – usłyszałam, jak z moich ust wydobywają się słowa. – Będę musiała przejść przez bramę i otworzyć ją od środka.

Miałam system. Robiłam to już wiele razy. Rodzice zabierali mi klucze po szkole, żebym nie uciekała z domu, ale pomimo że brama była wysoka, potrafiłam ją pokonać z dużą łatwością i bez żadnego ryzyka. Słyszałam ostrzeżenia Marcusa, próby kierowania mną, ale nie słuchałam go. Poruszałam się automatycznie. Przeskoczyłam bramę i wylądowałam bezpiecznie po drugiej stronie. Słyszałam, jak bije mi brawo, kiedy szłam podjazdem w stronę domu. Może Marcus sądził, że był tutaj razem ze mną, ale ja znajdowałam się tysiące mil stąd.

Mój dom – szkło, kamień, drewno. Jasny, lekki, nowoczesny, przestrzenny. Jak z katalogu. Kamień asymilujący te części domu, które zostały wbudowane w skałę, drewno pasujące do otaczających go lasów, szkło, aby móc podziwiać morze, które ciągnęło się aż po horyzont. Tata chciał stworzyć najwspanialsze miejsce pod słońcem, którego żadne z nas nie chciałoby opuścić. Doskonale mu się udało. Wiedziałam, że drzwi wejściowe będą zamknięte, więc skierowałam się na tyły domu.

W ogrodzie zobaczyłam piłkę tenisową, która leżała tam od zawsze, nasiąknięta wodą. Przyleciała do nas z naszego prywatnego kortu tuż obok, a ja byłam zbyt leniwa, żeby ją podnieść. Grałam tego dnia z tatą. Właśnie nastała wiosna i zaczęliśmy używać kortu na świeżym powietrzu, ale grałam okropnie. Po całej zimie, kiedy ani razu nie miałam w dłoni rakiety, byłam bez formy. Nie trafiałam w piłkę, co rusz wybijałam ją za ogrodzenie i musiałam jej potem szukać w ogrodzie. Tata był cierpliwy, nie krzyczał na mnie i nie komentował. Chodził nawet po piłkę, chociaż to nie on ją wybijał poza kort. Kilka razy zepsuł zagrywkę, żebym poczuła się lepiej, ale to mnie tylko jeszcze bardziej rozzłościło. Pamiętam go, w białych butach do tenisa, białej koszulce z kołnierzykiem, sportowych skarpetkach, które podciągnął zbyt wysoko. Wstydziłam się za niego, chociaż nie widział go nikt oprócz mnie. Mój kochany tata...

Z tyłu w ogrodzie stały te same rzeźby: stara pulchna para ogrodników z narzędziami w dłoniach. Mężczyzna miał pęknięcie na tyłku. Mój dziadek, tata taty, zawsze rozmawiał z tą rzeźbą, zanim umarł. Nazywał kobietę Mildred, a mężczyznę Tristanem – bez powodu, ale zawsze się z tego śmiałam. Mildred i Tristan stali się częścią naszej rodziny. Najwyraźniej mama nie chciała ich ze sobą zabrać podczas przeprowadzki i tak rzeźbieni ogrodnicy stali się nagle jedynymi mieszkańcami domu. Na trawie, obok linki na pranie, leżała czerwona klamerka do bielizny, porzucona tam po ostatniej przepierce.

Wspięłam się na mur, który otaczał basen. Leżała przy nim wysłużona drewniana drabina. Trzymałam ją tam jako pomoc w moich nocnych wycieczkach. Basen, teraz zakryty błękitnym pokrowcem, był stosunkowo nowym dodatkiem do domu. Sześć leżaków stało pod oknem, nadal wyposażone w różowe poduszki, czekając na mnie i moją poranną kąpiel. Na jednym z krzeseł leżało różowe koło ratunkowe. Przywiozłam je z Marbelli. Róż flamingów. Manuel, chłopak, którego pocałowałam w zeszłym roku, podarował mi je, a ja się uparłam, że je ze sobą zabiorę. Nikt go tutaj nie używał, więc leżało tak, osamotnione. Porzucony pocałunek.

Po drabinie wspięłam się na balkon prowadzący do mojej sypialni. Nikt nigdy nie zamykał tego wyjścia. Teoretycznie było zbyt wysoko i zbyt niedostępne dla włamywaczy. W głowie kręciło mi się okropnie, kiedy wreszcie stanęłam na balkonie. Na wybrzeżu było chłodniej niż na wsi. Morskie powietrze przynosiło zimną wilgoć, wiatr zabrał ze sobą lipcowy upał i przywiał zapach soli oraz wodorostów. Spojrzałam na plażę i przypomniałam sobie szesnaście letnich sezonów spędzonych tu z rodzicami, nocy przebalowanych z przyjaciółmi. Nie wiem, jak długo stałam, przyglądając się rodzinie z wyobraźni i małej dziewczynce zakopującej tatę w piasku. Nagle przypomniałam sobie o Marcusie.

Gdy tylko otworzyłam drzwi na balkon, włączył się alarm. Wbiegłam do środka z nadzieją, że nikt nie zmienił szyfru. Oczywiście, nie zrobili tego. Jacy właściciele byliby na tyle szaleni, żeby włamywać się do własnego, obecnie przejętego przez bank domu?

Za pierwszym razem wprowadziłam zły kod, bo tak trzęsły mi się ręce. Pamiętałam jednak, co robić, i w końcu alarm przestał wyć. Odetchnęłam parę razy głęboko i odczekałam, aż przestanie mi dzwonić w uszach. Wdusiłam przycisk otwierający bramę, a potem zeszłam na dół i odblokowałam drzwi wejściowe. Czekając na nadejście Marcusa, przechadzałam się po domu, dotykałam palcami wszystkich jego powierzchni. Niektóre pokryły się już kurzem. Usłyszałam za plecami kroki Marcusa, odbijające się echem od ścian przestronnego korytarza. Zagwizdał, wyraźnie pod wrażeniem.

Poszłam do kuchni, zobaczyłam rodzinne obiady przy stole, pospieszne śniadania przy barze, kolacje bożonarodzeniowe w przyległej jadalni, głośne przyjęcia urodzinowe, noworoczne i nie tylko. Przypomniałam sobie kłótnie, mamę i tatę, mnie i tatę. Taniec. Na jednej z zabaw tańczyłam z tatą. Pamiętam, że zawsze opowiadał na przyjęciach długą historię, której nigdy nie rozumiałam, ale uwielbiałam ją słyszeć. Ożywiał się wtedy, pławił w podziwie ludzi, których znał i którym ufał. Policzki miał zaróżowione od alkoholu, błękitne oczy lśniły. Przywoływał swoją opowieść pewnym głosem, z perfekcjonizmem, nie mogąc się doczekać finału, po którym wszyscy wybuchali śmiechem.

Widziałam miejsce mamy, w którym siadywała ze swoimi przyjaciółkami na przyjęciu – wszystkie eleganckie, w kosztownych ubraniach, ze smukłymi nogami, opaloną skórą i rozjaśnianymi włosami.

Odwróciłam się i zobaczyłam tatę chodzącego po korytarzach, z cygarem w dłoni. Mrugnął do mnie, zanim wszedł do jedynego pokoju, w którym mama pozwalała mu palić. Ruszyłam za nim. Przyglądałam się, jak wchodzi i wita swoich przyjaciół, którzy głośną owacją nagrodzili otwieranie najlepszej brandy z kolekcji. Potem wszyscy zajęli się rozmową lub grą w snookera. Spojrzałam na ściany i przypomniałam sobie wiszące na nich kiedyś fotografie. Pamiątki osiągnięć taty, jego dyplomy, trofea sportowe, zdjęcia rodzinne. Ja ze łzami w oczach pierwszego dnia szkoły, ja siedząca mu na ramionach w Disneylandzie, w bluzce z Myszką Miki, z włosami spiętymi w kucyki i z głupim, szczerbatym uśmiechem. Tata i jego przyjaciele na stokach w Aspen. Zdjęcie taty grającego w golfa ze słynnym golfistą Padraigiem Harringtonem na imprezie dobroczynnej z udziałem celebrytów.

Pokój telewizyjny. Tata siedzący w ulubionym fotelu, oglądający jakiś program. Mama w drugim końcu pokoju, z nogami podwiniętymi pod siebie, obejmująca kolana w dziwnie ochronnym geście. Oboje śmiejący się z kabaretu.

Potem tata spojrzał na mnie i znów mrugnął. Wstał, a ja poszłam za nim, przez korytarz, obok obserwującego mnie Marcusa, do biura. Zniknął.

Nie mogłam tam wejść.

Kłótnia. Nasza okropna kłótnia tamtej nocy. Trzasnęłam mu drzwiami przed nosem i pobiegłam na górę. Powinnam mu powiedzieć, że go kocham. Powinnam przeprosić i przytulić się do niego.

– Nie chcę cię już nigdy widzieć na oczy! Nienawidzę cię!

– Tamara, wróć!

Jego głos. Jego kochany głos, który tak chciałam znowu usłyszeć. Och, tatusiu, jestem tu. Wróciłam. Proszę, wyjdź z gabinetu!

Wspomnienie następnego dnia, kiedy go zobaczyłam. Mojego cudownego tatę, mojego przystojnego tatę leżącego na podłodze. To nie tak miało być. Powinien żyć wiecznie, być przy mnie, opiekować się mną do końca dni. Przesłuchiwać moich przyszłych chłopaków i poprowadzić mnie do ołtarza. Miał delikatnie tłumaczyć mamie, żeby ustąpiła mi, kiedy się nie zgadzałyśmy, i puszczać do mnie oko porozumiewawczo. Miał spoglądać na mnie z dumą przez całe moje życie. A kiedy by się już zestarzał, miała przyjść moja kolej na opiekowanie się nim, życie dla niego, odpłacenie mu za całą dobroć i miłość, jaką mi dał.

To wszystko moja wina. Moja. Usiłowałam go ocalić, ale nie miałam pojęcia, jak to zrobić. Gdybym słuchała na lekcjach, gdybym wykazywała minimum zainteresowania, gdybym była lepszą osobą a nie egoistką, którą się stałam, gdybym nauczyła się czegokolwiek, potrafiłabym mu pomóc. Powiedzieli, że znalazłam go za późno, że nie dało się już nic zrobić, ale nigdy nie wiadomo. Jestem jego córką. Może już samo to by pomogło.

Ten pokój, jego pokój, wypełniony jego zapachem. Woda kolońska, cygara, wino albo brandy, książki i drewno. Pokój, w którym odebrał sobie życie, z dywanem, na który zwymiotowałam czerwonym winem w noc po jego pogrzebie. Nie mogłam tam wejść.

Usłyszałam szczękanie puszek i szelest plastikowej torby. Odwróciłam się. Marcus przyglądał mi się uważnie.

– Ładny dom.

– Dzięki.

– Wszystko w porządku?

Skinęłam głową.

– Pewnie dziwnie się czujesz, wracając tu.

Znów skinęłam głową.

– Nie jesteś dzisiaj zbyt rozmowna.

– Nie przyprowadziłam cię tutaj, żeby rozmawiać.

Spojrzał na mnie. Widziałam to w wyrazie jego twarzy. Też tego chciał.

Powiedz mu. Powiedz.

– Chodź, pokażę ci najfajniejszy pokój w całym domu.

Chwyciłam go za rękę i poprowadziłam na górę.

Już w mojej sypialni położyłam się na podłodze, na miękkim kremowym dywanie tam, gdzie kiedyś stało moje gigantyczne łóżko ze skórzanym zagłówkiem. W głowie kręciło mi się od wypitego alkoholu i od wydarzeń całego dnia. Siostra Ignacjusz, Weseley, Rosaleen, doktor Gedad, tajemnicza kobieta w domu matki Rosaleen. Chciałam zapomnieć o własnej mamie, której bezwładne ciało usiłowałam wywlec dzisiaj z łóżka. Chciałam zapomnieć, że musiałyśmy opuścić nasz dom i że tata zrobił to, co zrobił. Chciałam powrócić do nocy, kiedy wymknęłam się z domu, a potem wdałam się z nim w kłótnię. Chciałam, żeby była inna.

A potem wszystko się zmieniło.

Wszystko.

Jeżeli w którymś momencie mojego życia miałam jakąkolwiek kontrolę nad klockami domina mojego życia, to teraz znowu zaczęły niekontrolowanie się przewracać.

Rozdział 18

R.I.P.

Chociaż dwa lata temu na sprzedaży naszego domu w Killiney mogliśmy zarobić ogromną sumę ośmiu milionów euro, teraz miał kosztować połowę tej sumy.

Wiem, ile był w rzeczywistości wart, ponieważ tata regularnie go wyceniał. Za każdym razem, kiedy przychodziły nowe dokumenty, wynurzał się z piwnicy swojego wartego osiem milionów euro domu z butelką château latour wartą 600 euro. Chciał się podzielić swoją radością ze swoją idealną żoną i idealnie niezrównoważoną emocjonalnie nastoletnią córką.

Nie jestem zawistna o sukces, jaki odniósł tata. Nie należę do tego typu osób. Nie ma również znaczenia, że jego sukcesy były równoznaczne z naszymi zyskami – o ironio, dotyczyło to również jego upadków – ale dlatego, że ciężko na nie pracował, wczesnymi rankami, późnymi nocami, w weekendy. Przejmował się tym, co robił, regularnie dawał pieniądze na cele charytatywne. Czy czynił to odziany w smoking przed kamerami, czy z ręką uniesioną wysoko podczas aukcji na cele dobroczynne, tak naprawdę nie miało znaczenia. Był hojny i tylko to się liczyło. Nie było nic złego w fakcie posiadania kosztownego domu. Zupełnie nic. Można odczuwać dumę ze zbudowania czegoś, z owoców swojej ciężkiej pracy. Ale nie tyle jego ego powinno się umacniać z każdym sukcesem, ile jego serce. Sukces okazał się w przypadku taty złą czarownicą z bajki o Jasiu i Małgosi: tuczył go w złych miejscach, żeby na końcu pożreć. Tata zasłużył na sukces, po prostu brakowało mu lekcji skromności. Mnie też dobrze by zrobiła. Uważałam, że jestem kimś specjalnym, bo jeździłam do szkoły srebrnym astonem martinem. Kim jestem teraz, gdy ktoś kupił go z garażu dla przejętych przez bank samochodów za jedną dziesiątą ceny? Z pewnością kimś bardzo szczególnym.

Wspomniałam o cenie domu dlatego, że choć kosztował połowę mniej, a sądząc po warstwie kurzu zalegającej w pokojach, jego cena zostanie zredukowana jeszcze bardziej, nadal był drogi i stanowił priorytetową posiadłość do sprzedaży dla agentów nieruchomości. Nie wiedziałam o tym, że gdy otworzyłam drzwi balkonowe i uruchomiłam alarm, pewna agentka nieruchomości automatycznie otrzymała wiadomość telefoniczną, która spowodowała, że wybiegła z cichego biura, wskoczyła do samochodu i ruszyła, żeby sprawdzić posiadłość. Kiedy stałam na drugim piętrze, spoglądając w niewłaściwą stronę, nie usłyszałam, jak pół kilometra stąd otwierają się skrzydła bramy głównej. Pogrążona we wspomnieniach, nie zauważyłam również, jak kobieta otworzyła główne drzwi wejściowe i weszła do środka.

Ona jednak usłyszała nas.

Następnymi ludźmi, którzy złożyli nam w związku z tym wizytę, byli policjanci. Ostrzeżeni przez łomot ciężko obutych stóp po schodach prowadzących na górę, zaniechaliśmy przynajmniej czynności, którą niedawno wykonywaliśmy na podłodze mojej sypialni. Nie zdążyliśmy się jednak ubrać, tak więc schowana za Marcusem, z ubraniem porozrzucanym po podłodze, spotkałam się z Fitzgibbonem, otyłym mężczyzną z Connemary, z twarzą czerwieńszą niż moja w tej chwili, który kiedyś regularnie miał do czynienia ze mną i z moimi przyjaciółmi na plaży.

Nie był to najlepszy czas na zawieranie bliższych znajomości.

– Dam pani minutę na ubranie, panno Goodwin – powiedział, natychmiast odwracając wzrok.

Dwudziestodwuletni Marcus, zaproszony do jeszcze niesprzedanego domu osiemnastolatki, uznał tę sytuację za lekko żenującą, ale głównie zabawną. Nie wiedział, że dziewczyna, z którą uprawiał właśnie seks, nie miała jeszcze siedemnastu lat, a zatem nie tylko nielegalnie pił z nią alkohol, ale również bezprawnie wykonał połowę czynności, które odbyły się na dywanie. Spoglądał na mnie i parskał, kiedy ubierałam się pospiesznie. Ja z kolei wpadłam w panikę. Serce waliło mi w piersi jak młotem, tak głośno, że nie mogłam jasno myśleć. Zrobiło mi się niedobrze, i bałam się, że zaraz zwymiotuję przy wszystkich na jasny dywan.

– Tamaro, wyluzuj – powiedział Marcus z tupetem. – Nie mogą nam nic zrobić. To twój dom.

Spojrzałam na niego i znienawidziłam siebie bardziej, niż on byłby to w stanie zrobić.

– To nie jest mój dom, Marcus – wyszeptałam. Głos odmówił mi posłuszeństwa.

– W takim razie twoich rodziców... – Uśmiechnął się i wciągnął dżinsy na jedną nogę.

– Bank go przejął – wyjaśniłam, siedząc na dywanie ubrana, czując pustkę w środku. – Nie jest już nasz.

– Co takiego?

Gigantyczny klocek domina upadł na ziemię z hukiem. Poczułam, jak podłoga zawibrowała od uderzenia, zupełnie jakby zawalił się drapacz chmur.

– Przykro mi – powiedziałam i zaczęłam płakać. Potem wreszcie wypłynęły z moich ust słowa, które chciałam mu już dawno powiedzieć, jednak wszystko brzmiało nie tak i zostało wypowiedziane w najgorszym momencie z możliwych. – Mam szesnaście lat – spanikowałam.

Na szczęście Fitzgibbon, stojący do tej pory w drzwiach, pojawił się w pokoju na pierwsze dźwięki podniesionego głosu i usłyszał większość naszej rozmowy. Przynajmniej on będzie wiedział, że Marcus z niczego nie zdawał sobie sprawy, chociaż niestety będzie to musiał udowodnić w sądzie. Przyszło mu również powstrzymać Marcusa, który rzucił się na mnie w gniewie. Nie zamierzał mnie uderzyć, ale zaczął na mnie krzyczeć z potworną zawziętością, a ja chciałam, żeby wyzwał mnie od najgorszych istot pod słońcem. On jednak tylko krzyczał i wiedziałam, że zniszczyłam mu życie. Jakąkolwiek zawarł umowę ze swoim tatą w sprawie objazdowej biblioteki, była to prawdopodobnie jego ostatnia szansa. Nigdy o tym nie rozmawialiśmy, ale umiałam rozpoznać ludzi, którzy otrzymali ostatnią szansę. Widziałam taką osobę w lustrze, codziennie.

Zawieziono nas na posterunek, gdzie przeszliśmy przez upokarzający proces składania zeznań z całego zajścia. Miałam nadzieję, że kiedy po raz pierwszy odbędę stosunek seksualny, będę mogła opisać wszystkie szczegóły w pamiętniku, a nie do policyjnego dyktafonu. Tamara Goodwin. Tamara Popieprzona, jak zwykle niszcząca wszystko dookoła.

Rosaleen i Arthur musieli przyjechać po mnie do Dublina, żeby zabrać mnie do domu. Gdy tylko tata Marcusa dowiedział się o sprawie, wysłał po niego samochód. Usiłowałam przepraszać, bez przerwy, raz po raz, desperacko, przez łzy. Trzymałam się Marcusa kurczowo, błagałam, żeby przystanął i mnie wysłuchał, ale nie zamierzał tego robić. Nie chciał nawet na mnie spojrzeć.

Arthur został w samochodzie, a Rosaleen weszła na posterunek, żeby porozmawiać z policjantami. Była to kolejna żenująca rzecz, jaka przytrafiła mi się tego dnia. Rosaleen wydawała się bardziej przejęta losem Marcusa i tym, co się z nim stanie. Powiedziano jej, że najwyższa kara za spanie z „dzieckiem" poniżej siedemnastu lat wynosiła dwa lata. Rozpłakałam się na tę wiadomość. Rosaleen przeraziła się równie mocno jak ja. Nie wiem, czy to dlatego, że zbezcześciłam ich nazwisko, czy naprawdę szczerze lubiła Marcusa. Zadawała kolejne pytania w jego sprawie, aż Fitzgibbon uspokoił ją nieco, mówiąc, że Marcus nie wiedział, ile mam lat, i jeżeli sąd mu uwierzy, wyjdzie z tego bez szwanku. Rosaleen wydawała się tym usatysfakcjonowana, ale ja nie. Ile czasu to potrwa? Ile posiedzeń sądu będzie musiał przejść? Ile znieść upokorzeń? Zrujnowałam mu życie.

Rosaleen nawet nie próbowała ze mną rozmawiać. Prawie na mnie nie patrzyła. Powiedziała mi tylko krótko, że Arthur czeka, i wyszła na zewnątrz. W końcu podążyłam za nią. W samochodzie panowała nieznośna, napięta cisza, jakby przed chwilą się pokłócili. Przypuszczam, że to, co zrobiłam, wystarczyło, żeby stworzyć podobną atmosferę. Byłam przerażona, absolutnie przerażona. Nie mogłam spojrzeć Arthurowi w oczy. Nie powiedział ani słowa, kiedy wsiadłam do samochodu i gdy ruszyliśmy z powrotem do Kilsaney. Właściwie to cieszyłam się, że odjeżdżaliśmy tak daleko z tego miejsca. Chciałam się odciąć od tego, co się tu zdarzyło. Pępowina, która trzymała mnie w tym miejscu, wreszcie została brutalnie przerwana. Może od samego początku było to moim zamiarem.

Płakałam przez całą drogę do domu, zażenowana, rozczarowana i zagniewana. Na siebie samą. W głowie huczało mi, gdy spiker w radio mówił coś, do mnie to nie docierało. Alkohol powoli wyparowywał mi z głowy. Po blisko półgodzinie Arthur zatrzymał się przed sklepem.

– Co ty robisz? – spytała Rosaleen.

– Czy możesz kupić butelkę wody i tabletki od bólu głowy? – spytał cicho.

– Co? Ja?

Nastąpiło długie milczenie.

– Dobrze się czujesz? – spytała go.

– Róża...

Nigdy nie słyszałam, żeby tak się do niej zwracał. Określenie wydało mi się znajome, jakbym gdzieś już je widziała albo słyszała, ale nie byłam w stanie myśleć. Rosaleen spojrzała na mnie, a potem na Arthura. Bała się zostawić nas samych. Myślała intensywnie. Wreszcie wysiadła z samochodu i niemal pobiegła do sklepu.

– Dobrze się czujesz? – spytał Arthur, spoglądając na mnie w lusterku wstecznym.

– Tak, dzięki. – Oczy znów napełniły mi się łzami. – Bardzo przepraszam, Arthurze. Tak mi wstyd.

– Niepotrzebnie, dziecko – powiedział łagodnie. – Wszyscy w młodości robią głupoty. To minie. – Uśmiechnął się lekko. – Najważniejsze, żebyś czuła się dobrze. – Spojrzał na mnie z niepokojem, z ojcowską troską po tym, co zrobiłam.

– Tak, wszystko w porządku, dzięki. – Zaczęłam szukać chusteczek. – To nie było... on nie... wiedziałam, co robię.

Chrząknęłam. Czułam się bardzo dziwnie. Widziałam Rosaleen w sklepie, na końcu długiej kolejki, spoglądającą niepewnie na nas dwoje w samochodzie.

– Arthurze, ta depresja, którą ma mama. Czy to rodzinne?

– Jaka depresja? – spytał, odwracając się na siedzeniu.

– No wiesz, depresja. Rosaleen powiedziała dzisiaj rano doktorowi Gedadowi, że mama ją ma.

– Tamaro. – Spojrzał na mnie i wiedziałam, na czym stoję. Spojrzał na Rosaleen stojącą w sklepie. Przed nią były jeszcze trzy osoby. – Powiedz mi wszystko, tylko krótko.

– Poprosiłam doktora Gedada, żeby dzisiaj rano zbadał mamę. Ona potrzebuje pomocy, Arthurze. Coś z nią jest nie tak.

Wydawał się poważnie zaniepokojony moimi słowami.

– Ale przynajmniej wychodzi codziennie na spacer. Na świeże powietrze.

– Co? – potrząsnęłam głową. – Arthur, mama nie wyszła z pokoju od czasu, gdy do was przyjechałyśmy.

Zacisnął szczękę i spojrzał szybko w stronę Rosaleen, nadal stojącą w kolejce.

– Co powiedział doktor Gedad, kiedy ją zobaczył?

– Nie dotarł nawet na górę. Rosaleen powiedziała mu, że mama cierpi na depresję już od lat, że tata o wszystkim wiedział, ale postanowił, że ja nigdy nie powinnam się o tym dowiedzieć i... – Zaczęłam płakać, niezdolna dokończyć. – To wszystko kłamstwa. A jego nie ma tu nawet, żeby mógł powiedzieć prawdę, żeby się obronił... to wszystko kłamstwa. Chociaż pewnie jestem ostatnią osobą, która powinna mówić takie rzeczy – chlipnęłam.

– No już, Tamaro, uspokój się. Rosaleen po prostu stara się zaopiekować twoją mamą najlepiej jak potrafi – powiedział cicho, niemal szeptem, jakby obawiał się, że jego żona usłyszy nas w sklepie. Od kasy dzieliła ją już tylko jedna osoba.

– Wiem, ale jeżeli to niewłaściwy sposób? Nic więcej nie mam na myśli. Nie wiem, co się wydarzyło w przeszłości między mamą a Rosaleen, ale jeżeli jest coś, cokolwiek, co mama zrobiła, żeby skrzywdzić lub zdenerwować Rosaleen, może teraz...

– Co teraz?

– Może teraz Rosaleen się na niej odgrywa? Jeżeli mama jakoś ją skrzywdziła, skłamała...

Drzwi od strony pasażera otworzyły się. Oboje podskoczyliśmy.

– Mój Boże, myślałby kto, że jestem jakimś potworem – powiedziała Rosaleen urażonym tonem i wsiadła do samochodu. – Proszę. – Rzuciła na kolana Arthura plastikową siatkę.

Spojrzał na nią wtedy chłodno, długo, aż mnie zmroziło. Zapragnęłam zniknąć. Przekazał mi torbę z zakupami. Rosaleen wydawała się zaskoczona.

– Proszę, może ci to pomoże – powiedział, a potem włączył silnik i ruszył.

Żadne z nas nie powiedziało ani słowa przez następną godzinę.

Kiedy przyjechaliśmy do stróżówki, niebo zachmurzyło się i pociemniało. W powietrzu panował chłód, a chmury zapowiadały deszcz. Wiatr przyjemnie chłodził moją obolałą głowę. Odetchnęłam głęboko kilka razy, zanim weszłam do domu i na górę.

– Wiesz, że teraz długo nie będziesz mogła wyjść z domu – zawołała za mną Rosaleen.

Pokiwałam głową.

– I będziesz pomagała w obejściu – dodała.

– Oczywiście – powiedziałam cicho.

Arthur stał obok, przysłuchując się.

– Jeżeli wyjdziesz na spacer, nie oddalaj się poza tereny zamkowe.

Miałam wrażenie, że przyszło mu to z trudem.

Rosaleen spojrzała na niego zaskoczona i zdenerwowana, że się wcina. Arthur unikał jej wzroku. Najwyraźniej zamierzała uziemić mnie, żebym nie sprawiała już więcej kłopotów. Arthur postanowił być mniej surowy.

– Dziękuję – mruknęłam i poszłam do mamy.

Spała. Położyłam się obok niej, objęłam ją i przytuliłam się mocno, wdychając zapach jej świeżo umytych włosów. Na dole rozpętała się burza. Słyszałam głosy Rosaleen i Arthura dochodzące z dużego pokoju. Najpierw tylko rozmawiali, ale rozmowa stawała się coraz głośniejsza. Rosaleen kilka razy starała się uciszyć męża, który krzyczał coraz głośniej, aż się poddała. Nie rozumiałam, co mówią, nawet nie próbowałam się przysłuchiwać. Nie chciałam już więcej wtykać nosa w nie swoje sprawy. Pragnęłam tylko, żeby mamie się polepszyło, a jeżeli podniesiony głos Arthura mógł mi to zapewnić, to nie miałam nic przeciwko temu. Zacisnęłam powieki i zapragnęłam, żeby dzień dzisiejszy w ogóle się nie wydarzył. Dlaczego pamiętnik mnie nie ostrzegł?

Kłótnia między Arthurem i Rosaleen z minuty na minutę przybierała na sile. Nie mogłam już tego słuchać, więc postanowiłam wyjść z domu, dać im czas i przestrzeń, której najwyraźniej potrzebowali. Poza tym czułam się okropnie, że to ja sprowokowałam tę sytuację. Zanim tu przyjechałyśmy, byli szczęśliwi ze swoim prostym życiem, prostymi codziennymi zajęciami, tylko we dwoje. Moje pojawienie się wywołało małe tsunami w ich związku, w którym z dnia na dzień pojawiały się nowe pęknięcia.

Gdy przerwali na chwilę, zapukałam do pokoju. Arthur zawołał, że mogę wejść.

– Przepraszam, że przeszkadzam – powiedziałam cicho. – Wychodzę na spacer, przewietrzyć się trochę. Tylko po terenie zamku. Mogę?

Arthur skinął głową. Rosaleen stała odwrócona do mnie plecami. Widziałam tylko jej zaciśnięte w pięści dłonie. Szybko zamknęłam drzwi i wyszłam. Jeszcze przez godzinę lub dwie będzie widno. Wystarczy na krótki spacer po okolicy. Chciałam sobie wszystko poukładać w głowie. Na początku postanowiłam pójść do zamku, ale usłyszałam, że bawi się tam Weseley i jego paczka. A ja potrzebowałam być sama. Ruszyłam w przeciwną stronę, ku klasztorowi siostry Ignacjusz, chociaż wiedziałam, że się z nią nie spotkam.

O tej porze nie chciałam przechodzić przez las. Trzymałam się ścieżki, kiedy z nisko pochyloną głową przeszłam obok rdzewiejącej samotnie gotyckiej bramy, nadal zamkniętej na łańcuch i kłódkę.

Gdy dostrzegłam kaplicę, zdałam sobie sprawę, że wstrzymuję oddech. Widziałam stąd dom siostry Ignacjusz i uznałam, że będę bezpieczna, jeżeli wejdę do kościółka. Nie był zbyt duży, mogło się w nim zmieścić najwyżej dziesięć osób. Połowa dachu się zapadła, ale rosnący w pobliżu dąb rozpostarł nad dziurą gałęzie, chroniąc wnętrze przed deszczem. Urocze miejsce. Nie dziwię się, że siostra Ignacjusz tak je lubiła. Nie było tu żadnych ławek. Domyśliłam się, że wnętrze udekorowano na potrzeby współczesnych ceremonii. Nad ołtarzem wisiał prosty, duży, drewniany krzyż przymocowany do kamiennej ściany. Domyśliłam się, że siostra Ignacjusz miała coś wspólnego z jego zawieszeniem. Była tu jeszcze jedna rzecz – przesadnie wielka marmurowa misa, tu i ówdzie nadtłuczona, popękana, lecz nadal solidna, przytwierdzona do betonowej podłogi. Mieszkały w niej głównie pająki i zalegały tony kurzu, ale wyobraziłam sobie całe pokolenia Kilsaneyów, których w niej chrzczono. Z boku widniały drewniane drzwi prowadzące na mały cmentarzyk. Nie zamierzałam tamtędy wychodzić. Odwróciłam się i cofnęłam do głównego wyjścia.

Stojąc przed bramą, która strzegła wejścia na cmentarz, wytężyłam wzrok, usiłując odczytać napisy na nagrobkach, chociaż wiele z nich porastał mech i nadkruszył ząb czasu. W wielkiej krypcie spoczywała cała rodzina: Edward Kilsaney, jego żona Victoria, synowie Peter, William i Arthur oraz córka o imieniu zaczynającym się na B. Reszta napisu zniknęła. Nieszczęsna B. Może była to Beatrice albo Beryl, Bianca, Barbara. Usiłowałam odgadnąć jej imię.

Florie Kilsaney, „Żegnaj matko, będziemy opłakiwać utratę ciebie". Robert Kilsaney, umarł, kiedy miał zaledwie roczek, 26 września 1832 roku, jego matka Rosemary poszła w jego ślady dziesięć dni później. Helena Fitzpatrick z 1882 roku, „Mąż i dzieci będą pamiętać ją z czułością". Czasem były tylko nazwiska i daty, co jeszcze bardziej nadawało tajemniczości grobowcom. Grace i Charles Kilsaney, 1850–1862. Tylko dwanaście lat, oboje urodzili się i umarli tego samego dnia.

Tyle niewiadomych.

Każdy nagrobek, z którego dało się cokolwiek odczytać, pokryty był różnorakimi symbolami. Łuki, gołębice, strzały, ptaki, dziwnie wyglądające zwierzęta. Nie rozumiałam znaczenia tych wszystkich znaków, chociaż bardzo chciałam. Zamierzałam zapytać o nie siostrę Ignacjusz, kiedy wreszcie zbiorę się na odwagę, żeby się z nią zobaczyć. Znów przyjrzałam się nagrobkom. Nie bałam się już tak, jak za pierwszym razem, kiedy tu przyszłam. Może trochę wydoroślałam? Odrobinkę. Duży krzyż nagrobkowy wzbijał się w niebo, na nim wypisano szereg nazwisk, dodawanych w miarę, jak kolejne rodziny dołączały do siebie na tamtym świecie, ich imiona łatwiej było odczytać na dole, gdzie były najświeższe. Ostatnia z nich zaskoczyła mnie bardzo. Nie mogłam uwierzyć, że od razu jej nie dostrzegłam. U stóp krzyża stał duży kamień z wyrytymi nazwiskami ostatnio tu pochowanych ludzi, a pod nim świeże kwiaty związane w bukiet źdźbłami trawy. Przechyliłam się przez płotek, żeby lepiej przyjrzeć się napisowi.

„Laurence Kilsaney, 1967–1992. R.I.P.".

Zaledwie siedemnaście lat temu. Musiał zginąć w pożarze w zamku. Miał tylko dwadzieścia pięć lat. Smutne. Chociaż nie znałam Laurence'a ani nikogo z jego rodziny, zaczęłam płakać. Zerwałam kilka polnych kwiatów, związałam je gumką do włosów i przeskoczyłam przez płotek. Położyłam kwiaty na grobie i dotknęłam kamienia. W chwili, gdy poczułam pod palcami chłodną powierzchnię, usłyszałam za plecami stuknięcie. Włosy zjeżyły mi się na karku. Odwróciłam się, spodziewając się widoku nieznajomego, tak blisko, że czułam jego oddech na szyi. Rozejrzałam się dookoła, półprzytomna z wysiłku, tak bardzo starałam się skoncentrować. Nic. Tylko drzewa, drzewa i jeszcze więcej drzew. Chciałam sobie wmówić, że pewnie mi się przywidziało, bo stałam na starym cmentarzu, otoczona pokoleniami zmarłych z rodziny, która tu kiedyś mieszkała. Ale czułam, że ktoś tu jest, byłam tego pewna. Usłyszałam trzask łamanej gałązki i odwróciłam gwałtownie głowę w kierunku dźwięku.

– Siostro Ignacjusz, to ty? – zawołałam.

Jedyną odpowiedzią było echo powielające mój roztrzęsiony głos. Potem zauważyłam poruszenie wśród drzew, szelest w głębi lasu i ktoś się z niego wyłonił.

– Weseley? – zawołałam z nadzieją, drżącym głosem.

Kimkolwiek był ten człowiek, zniknął tak szybko, jak się pojawił. Przełknęłam głośno ślinę i rzuciłam się do ucieczki. Przeskoczyłam przez płotek i zaczęłam biec, otrząsając się, jakbym weszła przed chwilą w sieć gigantycznego pająka.

Biegłam prosto do domu, klucząc po drodze, żeby upewnić się, że nikt mnie nie śledzi. Zanim dotarłam do stróżówki, zapadł zmierzch. Rosaleen siedziała w dużym pokoju i robiła na drutach. Arthur był w garażu na tyłach ogrodu i mocno hałasował. Nie byłam już jednak ciekawa, co tam ukrywali. Goniłam za tajemnicą, a teraz role się odwróciły i tajemnica ścigała mnie. Bałam się. Chciałam tylko zyskać trochę czasu, żeby mama uporała się ze swoją żałobą, żeby jej się poprawiło i żebyśmy mogły się wyprowadzić z tego miejsca nawiedzanego przez duchy przeszłości, która, chociaż nie miałam z nią nic wspólnego, wciągała mnie coraz głębiej i głębiej w swoje sekrety.

Rozdział 19

Czyściec

Przez następne dwa tygodnie miałam areszt domowy. Schodziłam na dół na śniadanie, lunch i obiad. Wykonywałam prace, które zlecała mi Rosaleen w ramach kary, jak na przykład odkurzanie dużego pokoju, polerowanie sztućców, odkurzanie książek i półek, przyglądanie się Rosaleen, kiedy zajmowała się warzywami i ziołami, czy wysłuchiwanie opowieści o tym, co właśnie robi. Chyba podobał się jej taki układ. Gadała do mnie radośnie, jakbym była małym dzieckiem i słyszała to wszystko po raz pierwszy. Myślę, że czuła się z tym dobrze. Żywiła się energią otaczających ją dusz, niczym wampir. Im bardziej byliśmy wyczerpani, tym silniejsza się stawała. Nie mogłam się zmusić do przeczytania pamiętnika. Zupełnie jakbym się poddała. Każdego mijającego dnia czułam, że większe ożywienie panuje w pokoju mamy niż w moim. Im więcej energii traciłam, tym więcej ona jej odzyskiwała. Słyszałam ją czasem, krążącą po pokoju niczym uwięziona lwica.

Buntowałam się przeciwko pamiętnikowi. Uważałam, że jest odpowiedzialny za moją obecną sytuację, że każda decyzja, jaką do tej chwili podjęłam, była powodowana tym, co przeczytałam. Nie chciałam już takiego życia. Pragnęłam kontroli. Chciałam leżeć w łóżku i pozwolić życiu przeciekać mi przez palce, tak jak kiedyś.

Każdego dnia czekałam na telefon od Marcusa. Nigdy nie zadzwonił.

Codziennie zaglądała do nas siostra Ignacjusz. Byłam tak zażenowana, że nie chciałam jej widzieć. Jestem pewna, że wiedziała, co się zdarzyło. Niewykluczone, że całe miasto się dowiedziało. To tyle jeśli chodzi o nowy początek. Nie chciałam kazań i surowych spojrzeń. Pragnęłam podbierać z nią miód, odwiedzać targ. Przychodziła codziennie. Powinnam jej pomagać, ale zamiast tego leżałam w łóżku, ukryta pod kołdrą, przerażona każdym nawracającym wspomnieniem wszystkiego, co się wydarzyło.

Arthur kilka razy poszedł odwiedzić mamę. Czekał, aż Rosaleen wyszła do ogrodu, i pukał lekko do jej drzwi. Jeżeli sądził, że zaprosi go do środka, to chyba rzeczywiście w ogóle jej nie znał. Po minucie czy dwóch po prostu odchodził.

Pewnej nocy Arthur i Rosaleen znów się pokłócili. Słyszałam, jak Arthur mówi: „Nie mogę tak dłużej". Potem wbiegł do pokoju mamy, gdzie został przez jakieś piętnaście minut. Rosaleen stała pod drzwiami przez cały czas. Nie słyszałam, co mówił Arthur.

Każdą niedzielę spędzałam w łóżku. Słyszałam trąbienie z fiacika zakonnic, które usiłowały mnie wyciągnąć na dwór, ale nie ruszałam się z pokoju. Nie wyglądałam nawet przez okno. Chciałam się ukryć przed nimi wszystkimi. Zastanawiałam się, czy nie powinnam skontaktować z Marcusem, może napisać do niego list. Nie miałam jednak pojęcia, co mu powiedzieć. Wiedziałam tylko, że jest mi bardzo przykro i że to nie wystarczy.

Pewnego dnia przyjechała półciężarówka z naszymi rzeczami, które przedtem stały w magazynie męża Barbary. Obserwowałam, jak samochód podjeżdża tyłem do garażu, ale nie poczułam ani odrobiny podniecenia. Te wszystkie rzeczy już do mnie nie należały. Były własnością dziewczyny, która mieszkała w tamtym domu. Ja już nią nie byłam. Nie wiedziałam, kim jestem. Zasnęłam i obudziłam się na dźwięk dzwonka do drzwi. Znowu siostra Ignacjusz. Bardzo uparta kobieta. Najpierw pomyślałam, że była miła, potem, że zaniepokojona, ale tego dnia zachowywała się jak wariatka. Przysłuchiwałam się jej z sypialni. Nie rozumiałam słów, ale potem siostra zaczęła krzyczeć:

– Zamierzasz... bla... bla... tak leżeć i pozwolić jej katować się myślą, że zrobiła coś złego, pozwolić temu biednemu chłopcu... bla... bla...

Stłumione słowa odpowiedzi.

– Powiedz jej, że musi się ze mną zobaczyć.

Znów niezrozumiałe bla, bla, bla. Drzwi się zamknęły. Wyjrzałam przez okno, troszeczkę, ledwie się wychyliłam nad parapet. Zobaczyłam siostrę Ignacjusz w kwiecistej koszuli i spódnicy, oddalającą się ze spuszczoną głową. Zrobiło mi się jej żal, ale z drugiej strony poczułam się lepiej. Powiedziała Rosaleen, żeby ta nie utwierdzała we mnie poczucia winy. Może mi przebaczyła? Sama myśl o tym napełniła mnie nadzieją, pozwoliła pomyśleć, że może zbyt mocno zareagowałam na tę sytuację. Powinnam potraktować to jako kolejną lekcję życia, poradzić sobie ze swoimi uczuciami. Tej nocy nie mogłam zasnąć. Wyjęłam pamiętnik spod podłogi i czekałam na pojawienie się słów. Miałam nadzieję, że ignorując księgę, nie sprawiłam, że zapiski znikną na zawsze. Wreszcie po długim oczekiwaniu pojawił się nowy tekst. Wyprostowałam się i zaczęłam czytać.

Dzisiaj zadzwoniłam do Marcusa. Znalazłam jego dane w książce telefonicznej. W Meath nie ma zbyt wielu Sandhurstów. Okazuje się, że jego ojciec jest znanym prawnikiem i ma renomowaną firmę w Dublinie. Ile jeszcze problemów i wstydu narobiłam Marcusowi? Bałam się strasznie, że najpierw będę musiała porozmawiać z jego rodzicami, ale telefon odebrała jakaś obca kobieta, bardzo formalna w tonie wypowiedzi, która przełączyła mnie bezpośrednio do Marcusa. Kiedy tylko usłyszał, że to ja, musiałam go błagać, żeby nie odkładał słuchawki. Gdy już go przekonałam, żeby mnie wysłuchał, nie wiedziałam, co powiedzieć. Zaczęłam go bardzo żarliwie przepraszać, raz po raz, aż w końcu mi przerwał. Oskarżenie zostało wycofane. Czy nikt mi nie powiedział?

Nie.

Spytałam go, czy to jego tata wszystko załatwił. Nie mógł uwierzyć, że zadałam mu to pytanie. Powiedział, że skoro nie wiem, dlaczego nie stanie przed sądem, to mam więcej problemów, niż sądził. Życzył mi powodzenia, ale powiedział, żebym nie dzwoniła do niego więcej, i odłożył słuchawkę.

O czym on do diabła mówił? Skoro nie wiedziałam czego?

Następnego dnia zadzwoniłam do Marcusa, czując nieco mniejsze zdenerwowanie, bo wiedziałam, że nie odbierze jego tata. Wszystko poszło dokładnie tak, jak to opisałam. Zamiast jednak spytać, czy tata Marcusa załatwił wycofanie oskarżenia, zapytałam, jak to się stało. Miałam całą noc na zastanowienie się, ale potrafiłam wymyślić jedynie to. Niestety, nie uzyskałam odpowiedzi. Marcus po prostu odłożył słuchawkę.

Zanim poszłam spać, posiedziałam trochę z mamą w jej sypialni. Podśpiewywała coś pod nosem. Nie znałam tej melodii, ale wprawiło mnie to w dobry humor. Powiedziałam jej, że coś dla niej mam. Wyciągnęłam z kieszeni szklaną łzę i położyłam na stoliku przy łóżku. Przestała śpiewać, gdy tylko zobaczyła świecidełko. Leżała na łóżku z oczami zwróconymi w bok, na tyle, żeby spoglądać na stolik. Wpatrywała się w szklaną łzę.

– Śliczna, prawda? – spytałam.

Spojrzała na mnie ostro, aż zrobiło mi się nieprzyjemnie, a potem wpatrzyła się z powrotem w szklaną łzę. Wydawało się, że sama jej obecność ją obraża, więc wyciągnęłam rękę po szkiełko, żeby je zabrać. Sięgnęła w moim kierunku i przytrzymała moją dłoń. Nie zabolało, ale przestraszyłam się. Zostawiłam szklaną łzę na stoliku i wyszłam.

Śniłam właśnie o odwiedzinach w więzieniu u Marcusa, kiedy poczułam dłoń na swoim ramieniu. We śnie była to dłoń strażnika więziennego, ale kiedy się obudziłam, zobaczyłam, że pochyla się nade mną mama. Niemal dotykała mnie nosem. Stłumiłam okrzyk przerażenia.

– Skąd to wzięłaś? – wyszeptała mi prosto do ucha.

Nadal pogrążona w półśnie, nie wiedziałam, o czym mówi. O pamiętniku czy o paczce papierosów ukrytej w szafie?

– Łzę – szepnęła z napięciem w głosie.

Szczerze powiedziawszy, przestraszyłam się. Myślałam, że oberwie mi się za to, że poszłam do domu mamy Rosaleen, chociaż nie powinnam. Jak już mówiłam, nadal trwałam w półśnie. Poza tym wstrząsnęła mną obecność mamy w moim pokoju i to, że się do mnie odezwała. Od czasu do czasu słyszałam skrzypienie sprężyn w łóżku Arthura i Rosaleen. Zastygłam, czując dziwne przerażenie. Dlatego skłamałam. Powiedziałam, że znalazłam łzę koło domu i pomyślałam, że jest ładna, więc ją zatrzymam.

Zaraz potem zrozumiałam, co się zmieniło w mamie, poza tym, że wyszła z pokoju i zaczęła ze mną rozmawiać. W jej oczach pojawiło się światło, napełniło je życiem. Tęskniłam za tym. Dostrzegłam jednak tę zmianę tylko dlatego, że kiedy skłamałam, światło znów zniknęło z jej oczu i stały się matowe, bez życia, puste. Zabiłam iskierkę życia, która na chwilę zapłonęła w mamie, ugasiłam pożar w zarzewiu. Wyszła z mojego pokoju bardzo cicho i wróciła do siebie.

Drzwi do sypialni Rosaleen otworzyły się, usłyszałam kroki na korytarzu i za chwilę ktoś otworzył drzwi do mojego pokoju. Dostrzegłam długą białą koszulę nocną podświetloną blaskiem księżycowym. Rosaleen wypytywała mnie przez kilka chwil o hałasy, które słyszała, ale ja wszystkiego się wyparłam. Wpatrywała się we mnie w milczeniu, jakby usiłując zdecydować, czy mi wierzy, czy nie. Potem wyszła i wróciła do swojej sypialni, bo po chwili usłyszałam skrzypienie sprężyn i zapadła cisza.

Nie mogłam już zasnąć tej nocy. Zastanawiałam się, czy dobrze zrobiłam, kłamiąc mamie. Gdy pierwsze promienie słońca oświetliły mój pokój, zrozumiałam, że popełniłam błąd. Powinnam jej powiedzieć prawdę.

Napiszę więcej jutro.

Po przeczytaniu tego zapisku miałam cały dzień na zaplanowanie, co powinnam powiedzieć mamie. Czułam obawę, obserwując jej cichą wegetację i wiedząc, że niedługo wszystko się zmieni. Usiłowałam zapamiętać notatkę z pamiętnika słowo w słowo. Nie chciałam popełnić błędu. Musiałam zrobić dokładnie to, co napisałam, powiedzieć te same rzeczy, żeby wywołać taką samą reakcję. Chciałam, żeby przyszła do mojego pokoju w środku nocy, wtedy powiem jej prawdę o szklanej łzie. Czekałam na to cały dzień.

Wreszcie po kolacji poszłam na górę do sypialni mamy. Podśpiewywała coś pod nosem, leżąc w łóżku i wpatrując się w sufit.

– Mam coś dla ciebie – powiedziałam tak schrypniętym głosem, że ledwie można mnie było zrozumieć. – Mam coś dla ciebie – powtórzyłam.

Nadal nuciła nieznaną mi melodię, kiedy sięgałam do kieszeni i wyjmowałam rozgrzaną od mojego ciała szklaną łzę. Położyłam ją na stoliku obok łóżka mamy. Delikatne stuknięcie sprawiło, że spojrzała w bok. Nie odwróciła głowy, spojrzała tylko w bok i gdy zobaczyła szklaną rzeźbę, przestała podśpiewywać i nakręcać na palec kosmyk włosów.

– Śliczna, prawda? – spytałam.

Spojrzała na mnie i rozpoznałam chwilę, w której w jej oczach pojawiło się światło. Wróciła do wpatrywania się w szklaną łzę. Nie chciałam wypełniać tego protokołu, ale wiedziałam, że muszę. Sięgnęłam po świecidełko i dokładnie tak, jak to napisałam, mama powstrzymała mnie gwałtownym ruchem ręki.

– Nie – powiedziała stanowczo.

– Dobrze – uśmiechnęłam się. – W porządku.

Już w swoim pokoju, usiadłam na łóżku, nie mogąc usnąć. Wiedziałam, że przyjdzie tu w nocy i mnie obudzi. Przeczytałam wpis w pamiętniku z następnego dnia. Nie byłam pewna, czy jest dokładny, ponieważ to, co miało niedługo nastąpić, prawdopodobnie zmieni cały dzień, który oczekiwał Tamarę z Jutra.

Wszystkiego najlepszego z okazji urodzin. Siedemnastych. Tego dnia postanowiłam wstać z łóżka. Rosaleen
była zaskoczona moim widokiem. Chyba nawet się
przestraszyła, kiedy weszłam do kuchni. Stała akurat
w spiżarni. Pewnie coś knuła, bo winę miała wypisaną
na twarzy. Wsadziła jakiś mały przedmiot do kieszeni
fartucha. Może to coś do ciasta, ale nie wiem...

Uścisnęła mnie niezgrabnie i ucałowała, a potem poszła na górę ze śniadaniem dla mamy i po mój prezent.
Wróciła z paczką zapakowaną starannie w różowy papier przewiązany biało-różową wstążką. W środku znalazłam koszyczek z kosmetykami: musującymi kulkami do
kąpieli, mydłem i szamponem. Kiedy rozpakowywałam
prezent, Rosaleen pochylała się nade mną z nerwowym
uśmiechem, oddychając szybko. Nie była pewna, czy mi
się spodoba. Powiedziałam, że to doskonały podarunek
i naprawdę bardzo się z niego cieszę. Było to dla mnie
coś nowego. W zeszłym roku na szesnaste urodziny dostałam torebkę Louisa Vuittona oraz buty od Giny. W tym
roku kulki do kąpieli i szampon. Co dziwniejsze, naprawdę byłam bardziej wdzięczna za prezent, bo rzeczywiście
go potrzebowałam. Mój stary szampon prawie się skończył, a wiewiórki nie dbały o torebki od Louisa Vuittona.

Potem Rosaleen powiedziała coś niezwykłego:

– Zobaczyłam to w zeszłym miesiącu, uwierzysz? Pomyślałam, a nawet powiedziałam to Arthurowi, że na
tym jest wypisane twoje imię. Trzymałam to w garażu
od tamtej pory i tak się bałam, że to znajdziesz – zachichotała nerwowo.

Jej komentarz zmroził mnie. Rosaleen była bardziej
przebiegła, niż przypuszczałam. Niemożliwe, żeby sprze-
ciwiała się mojemu pójściu do garażu czy umieszczeniu

tam naszych rzeczy dlatego, że ukrywała w nim prezent urodzinowy dla mnie. Była albo sprytniejsza, niż myślałam, albo sądziła, że jestem głupia. Pragnienie, aby dostać się do środka garażu, obudziło się we mnie ze zdwojoną siłą.

Mama znów spała przez cały dzień. Zadzwoniły do mnie Zoey i Laura. Poprosiłam Rosaleen o przekazanie im, że nie ma mnie w domu.

Siostra Ignacjusz pojawiła się z prezentem. Rosaleen zaoferowała, że przekaże mi, ale zakonnica nie chciała go jej dać. Im dłużej będę ją ignorować, tym bardziej pogorszy się sytuacja. Muszę przeprosić za tyle rzeczy. Myślę, że okazała się najlepszym przyjacielem, jakiego miałam przez całe życie, ale chwilowo nie mam siły na naprawianie sytuacji. Chcę tylko ukryć się przed światem. Nie mogę znieść myśli o tym, że ludzie będą mnie oglądać.

Po obiedzie Rosaleen wynurzyła się ze spiżarni z tortem czekoladowym udekorowanym świeczkami, śpiewając „Sto lat". Pewnie to właśnie robiła, kiedy nakryłam ją dzisiaj rano. Zresztą, jest już za późno, żeby sprawdzić kieszenie jej fartucha.

Napiszę więcej jutro.

Muszę przyznać, że przez ostatnie kilka tygodni w ogóle nie myślałam o urodzinach, a jeśli już mi się to zdarzyło, miałam głównie ogromne poczucie winy w związku z Marcusem. Gdybyśmy zaczekali, gdybym mu powiedziała... Nie zastanawiałam się nad przyjęciem, jakie zostałoby zorganizowane w moim „poprzednim" życiu, nad rodzajem prezentów, którymi byłabym obsypywana od chwili, gdy otworzyłabym rano oczy aż do zaśnięcia wieczorem. Kiedy jednak przeczytałam dzisiejszy i wczorajszy wpis, poczułam przypływ energii. Entuzjazm.

274

Wydawać by się mogło, że ostatnie dni spędziłam, błądząc w gęstej mgle i nie widząc dalej niż czubek własnego nosa. Teraz jednak opary zniknęły. Tak bardzo przetrawiałam coś w umyśle, że nie byłam w stanie skoncentrować się na niczym innym. Ale proces intensywnego myślenia najwyraźniej się zakończył. Siedziałam na łóżku w pełni przytomna, z bijącym gwałtownie sercem, bez tchu, jakbym właśnie przebiegła kilka kilometrów. Zamierzałam dowiedzieć się wreszcie, co też takiego Rosaleen robiła, a raczej co zamierzała jutro rano robić w spiżarni.

Kiedy opracowywałam plan działania, usłyszałam, jak otwierają się drzwi do pokoju mamy. Położyłam się szybko i zamknęłam oczy. Weszła do środka i zamknęła za sobą drzwi bardzo cicho. Wiedziała, że nie może narobić hałasu. Przysiadła na brzegu łóżka. Czekałam, aż dotknie mojego ramienia. Jest. Jej ręka ściskająca mnie natarczywie.

Otworzyłam oczy, nie czując paniki, o jakiej napisałam wcześniej. Byłam przygotowana.

– Skąd to wzięłaś? – wyszeptała, pochylając się nad moim uchem.

Usiadłam.

– Z bungalowu po przeciwnej stronie drogi – odparłam również szeptem.

– Z domu Rosaleen. – Spojrzała przez okno. – Światło – powiedziała. Zauważyłam dziwny poblask odbijający się na ścianie sypialni. Tak jakby drzewa poruszały gałęziami na wietrze i co rusz zasłaniały i odsłaniały księżyc, który oświetlał pokój w nocy. Tylko że to nie były drzewa. Tym razem światło było bardziej błyszczące, niczym szkło uwalniające z siebie tęczę kolorów. Odbijało się od bladej twarzy mamy, która wpatrywała się w okno zauroczona. Natychmiast podążyłam za jej wzrokiem, spoglądając w kierunku bungalowu. Z frontowego okna zwisała szklana rzeźba, która odbijała światło księżyca, rozsyłając blask na wszystkie strony, zupełnie jak latarnia morska.

– Są ich setki – wyszeptałam. – Nie powinnam była tam pójść, ale... – Spojrzałyśmy na ścianę, słysząc skrzypienie sprężyn w łóżku Arthura i Rosaleen. – Ona była taka tajemnicza. Chciałam tylko przywitać się z jej mamą, to wszystko. Zaniosłam jej śniadanie, to było kilka tygodni temu. Zobaczyłam kogoś w szopie na tyłach domu. To nie była matka Rosaleen.

– A kto?

– Nie wiem. Kobieta. Starsza kobieta z długimi włosami. Pracowała tam, robiła szklane rzeźby. Sama je chyba wydmuchuje. Myślisz, że jej wolno, to znaczy legalnie? – Spojrzałam na kroplę w dłoni mamy. – Były ich tam setki. Wisiały na linkach do prania. Pokażę ci je. Kiedy wróciłam po tackę, czekała już na mnie na murku, a na niej było to.

Obie spojrzałyśmy na szklany twór.

– Co to znaczy? – przerwałam ciszę.

– Czy ona wie? – spytała mama, nie odpowiadając na moje pytanie.

– Nie. – Uznałam, że miała na myśli Rosaleen. – Co się dzieje?

Zacisnęła powieki i przykryła je dłońmi. Potarła mocno oczy, a potem przesunęła ręką po włosach, jakby chciała się ocknąć.

– Przepraszam, wszystko jest jakby za mgłą. Nie mogę się... obudzić – powiedziała, znowu pocierając oczy. Potem spojrzała na mnie z błyskiem w oku. Pochyliła się i pocałowała mnie w czoło. – Kocham cię, słoneczko. Przepraszam.

– Za co?

Ale ona już wstała i cicho wyszła z pokoju. Znów spojrzałam przez okno, obserwując wirujący kawałek szkła, grające na jego powierzchni światło. I nagle zasłony w oknie bungalowu poruszyły się. Ktoś mnie obserwował. Mnie albo nas.

Potem usłyszałam, jak otwierają się drzwi do sypialni Rosaleen i jej szybkie kroki na korytarzu. Weszła do mojego pokoju niczym biała zjawa.

– Co się stało? – spytała.

– Nic – odparłam, zgodnie z wytycznymi pamiętnika.

– Słyszałam odgłos zamykanych drzwi.

– Nic się nie stało.

Po długim milczeniu Rosaleen przestała się we mnie wpatrywać i wyszła, zostawiając mnie samą z rozmyślaniami nad tym, co zyskałam, mówiąc mamie prawdę. Musiało to być coś dobrego i wiedziałam, że niedługo się dowiem. Otworzyłam księgę, sprawdzając, czy zmienił się mój ostatni wpis. Wstrzymałam oddech.

Kiedy spojrzałam na pierwszą stronę, kartki zaczęły się powoli zwijać na brzegach, brązowiejąc, a potem czerniejąc, jakby płonęły na moich oczach. Wreszcie wszystko ustało i zwęglone stronice wpatrywały się we mnie ponuro, ukrywając przede mną świat jutra.

Rozdział 20

GOSPODYNI W SPIŻARNI

Po ostatnim nocnym wydarzeniu niewiele spałam. Leżałam nakryta po samą brodę, sztywna ze strachu, drżąc za każdym razem, gdy usłyszałam najcichszy odgłos. Byłam pewna, że to kobieta z bungalowu śledziła mnie w drodze na cmentarz tydzień temu. W miarę jak zbliżał się poranek, malała moja obawa przed nią. Może nie była niebezpieczna, tylko trochę dziwna. Zważywszy na stan jej włosów i ubrania, chyba nie widywała ludzi zbyt często. Poza tym podarowała mi szklaną łzę. To wyraźny gest przyjaźni.

Spalony pamiętnik napełnił mnie jednak złym przeczuciem. Udało mi się zasnąć, ale śniłam o pożarze, o płonących zamkach i książkach, o wydmuchiwaniu szkła, wielkich kroplach ciekłej materii, nabierającej powoli kształtu. Kiedy obudziłam się w ciemności, byłam tak przerażona, że z całych sił starałam się nie zasnąć ponownie. Przez resztę poranka wpatrywałam się w kartki pamiętnika, czekając, żeby się rozwinęły, zbielały i zapełniły słowami. Niestety, na próżno.

Zerwałam się z łóżka wcześnie rano, zdeterminowana, aby nakryć Rosaleen w spiżarni, dowiedzieć się, co tam robiła. To było jak prawdziwa gra w Cluedo: kura domowa zamierzała zabić kogoś w spiżarni za pomocą proszku do pieczenia, a ja chciałam ją przyłapać na gorącym uczynku. Nie brzmi to może fascynująco czy tajemniczo, ale wiedziałam, że pamiętnik usiłował mnie gdzieś skierować, pokazać mi drogę, tak jak kiedyś ja musze plujce. Byłabym głupia, gdybym zignorowała cud, który właśnie się dokonywał. Każde słowo było wskazówką, a zdanie kierunkowskazem do wyjścia z tej całej sytuacji.

W kuchni głośno grało radio. Arthur brał prysznic i Rosaleen sądziła, że ma cały poranek tylko dla siebie. Poszła do spiżarni. Schyliłam się i schowałam za drzwiami. W samą porę. Widziałam ciotkę w magazynku przez szczelinę między drzwiami a framugą.

Postawiła tacę ze śniadaniem mamy na szafce i sięgnęła do pudełka schowanego za innym, większym. Wyciągnęła z niego buteleczkę z lekarstwami. Serce zabiło mi mocniej. Musiałam zakryć usta, żeby nie krzyknąć. Przyglądałam się, jak Rosaleen otwiera dwie kapsułki, wysypuje ich zawartość do owsianki, a potem dokładnie miesza. Walczyłam ze sobą, żeby nie wyskoczyć za drzwi i nie przyłapać jej na gorącym uczynku. Miałam ją! Wiedziałam już wcześniej, że coś kombinowała. Teraz musiałam się powstrzymać od przedwczesnej reakcji. W końcu mogły to być zwykłe tabletki na ból głowy, a wtedy mój atak na Rosaleen znowu skończyłby się dla mnie źle. Podejrzewałam jednak, że to coś innego, że właśnie przez te leki stan mamy coraz bardziej się pogarszał. Przysunęłam się bliżej szczeliny w drzwiach, ale przy okazji nastąpiłam, niestety, na skrzypiącą klepkę podłogową. Rosaleen natychmiast wsunęła pojemnik z lekarstwami do kieszeni fartucha, chwyciła tackę i odwróciła się, jakby nigdy nic się nie stało. Szybko wyszłam zza drzwi.

– Och, dzień dobry – powiedziała z radosnym uśmiechem. – Jak się miewa nasza solenizantka?

Może to tylko paranoja, ale byłam przekonana, że przyglądała mi się badawczo, usiłując odgadnąć, czy cokolwiek widziałam.

– Staro – odwzajemniłam jej uśmiech, próbując zachować spokój.

– Nie jesteś stara, dziecko – roześmiała się. – Pamiętam, kiedy byłam w twoim wieku. Wszystko jeszcze przed tobą. A teraz zaniosę tacę twojej mamie i przyjdę zaraz do kuchni, żeby przygotować dla ciebie specjalne śniadanie urodzinowe.

– Dzięki, Rosaleen – odparłam słodko.

Pobiegła na górę.

W chwili, gdy zniknęła w pokoju mamy i zamknęła za sobą drzwi, na wycieraczce wylądowała poczta. Oczekiwałam, że za chwilę Rosaleen sfrunie z góry na miotle, żeby ją zabrać, ale nic takiego nie nastąpiło. Nie usłyszała listonosza. Sięgnęłam po koperty. Były tylko dwie, zapewne z rachunkami. Poszłam z nimi do kuchni. Nie wiedziałam, co robić. Rozejrzałam się szybko, szukając miejsca na ich ukrycie. Nie miałam teraz czasu na lekturę. Słyszałam już kroki Rosaleen na schodach. Serce zabiło mi gwałtowniej. W ostatniej chwili zdecydowałam się wsunąć je z tyłu w spodnie dresowe i przykryć obszerną bluzą. Stałam na środku kuchni z rękoma za plecami, wyglądając tak, jakbym coś przeskrobała.

Rosaleen zwolniła na ten widok. Jej twarz stężała.

– Co ty robisz? – spytała.

– Nic.

– To nie jest nic. Co masz w rękach, Tamaro? – spytała nagląco.

– Pieprzone stringi – powiedziałam, ściągając bardziej spodnie od dresu.

– Pokaż mi ręce – zażądała podniesionym głosem.

Wyciągnęłam je przed sobą i pomachałam do niej prowokująco.

– Odwróć się.

– Nie – zbuntowałam się.

Rozległ się dzwonek do drzwi. Rosaleen nie ruszyła się z miejsca. Ja też nie.

– Odwróć się – powtórzyła.

– Nie – odparłam z mocą.

Dzwonek zabrzmiał znowu.

– Róża! – krzyknął Arthur z góry. Rosaleen nie odpowiedziała. W końcu usłyszeliśmy jego ciężkie kroki, kiedy w pełnym rynsztunku schodził na dół.

– To może ja otworzę! – Spojrzał na nas nieżyczliwie. – Weseley.

– Nie mogłem podjechać półciężarówką bliżej. Wystarczy tyle? O, hej, Tamara! – Spojrzał ponad ramieniem Arthura.

Oczy Rosaleen zwęziły się w jeszcze mniejsze szparki. Uśmiechnęłam się. Tak właśnie, miałam przyjaciela, o którym nic nie wiedziała. Spojrzałam na Weseleya znacząco. Chciałam, żeby się domyślił, że coś jest nie tak, i został.

– Do zobaczenia później.

Arthur pożegnał się z nami i drzwi zamknęły się za nimi oboma. Zostałyśmy same w kuchni.

– Tamara – powiedziała Rosaleen łagodnie. – Cokolwiek ukrywasz, a myślę, że wiesz, o co mi chodzi, po prostu mi to oddaj.

– Nie ukrywam niczego, Rosaleen, a ty?

Skrzywiła się.

W tej chwili usłyszałam głuchy łomot na górze, szczęk tłuczonych talerzy i odgłosy kroków. Pojedynek spojrzeń został przerwany. Obie przeniosłyśmy wzrok na górę.

– Gdzie on jest?! – usłyszałam piskliwy głos mamy.

Spojrzałam na Rosaleen i przebiegłam obok niej.

– Nie, dziecko – zatrzymała mnie.

– Rosaleen, puść mnie! To moja mama.

– Ona nie czuje się dobrze – odparła nerwowo.

– Wiem. Zastanawiam się dlaczego! – wykrzyczałam jej prosto w twarz i pobiegłam na górę.

Nie dotarłam tak daleko. Mama wybiegła z pokoju i przerażona rozglądała się po korytarzu.

– Gdzie ona jest? – spytała, niezdolna skocentrować wzroku na mnie.

– Kto? Rosaleen? – zaczęłam, ale mama przecisnęła się obok mnie, kiedy zobaczyła Rosaleen na dole.

– Gdzie on jest? – spytała natarczywie, stojąc na górze, odziana w szlafrok.

Rosaleen stała u stóp schodów, wyraźnie przerażona, wykręcając dłonie pod fartuchem. Nadal widziałam kształt pojemnika z lekami w jej kieszeni. Spoglądałam to na mamę, to na Rosaleen, nie rozumiejąc, co się dzieje.

– Mamo, jego tu nie ma. – Usiłowałam chwycić ją za rękę, ale mnie odtrąciła.

– Jest. Wiem to. Czuję go.

– Mamo, nie ma go. – Łzy napłynęły mi do oczu. – Umarł.

Spojrzała na mnie szybko i zniżyła głos do szeptu.

– Nie umarł, Tamaro. Tak tylko powiedzieli, ale wcale nie umarł. Czuję jego obecność.

Rozpłakałam się.

– Mamo, proszę cię, przestań. To jest... to tylko... jego duch. Zawsze będzie z tobą, ale naprawdę umarł... naprawdę. Proszę...

– Chcę go zobaczyć! – zażądała mama, spoglądając na Rosaleen.

– Jennifer – odparła Rosaleen, wyciągając w jej kierunku ramiona, chociaż była zbyt daleko, żeby dotknąć mamę. – Jennifer, uspokój się. Wróć do pokoju i połóż się na trochę.

– Nie! – krzyknęła mama roztrzęsionym głosem. – Chcę go zobaczyć! Wiem, że tu jest. Ukrywasz go przede mną!

– Mamo – zawołałam. – To nieprawda. Tata umarł, naprawdę umarł.

Mama spojrzała wreszcie na mnie i przez chwilę na jej twarzy pojawił się bezgraniczny smutek, zaraz potem zastąpiony przez gniew. Zerwała się i zbiegła na dół. Rosaleen rzuciła się do drzwi.

– Arthur! – wrzasnęła, otwierając je.

Arthur, który był na podjeździe i ładował z Weseleyem narzędzia do land-rovera, podskoczył zaniepokojony.

Mama wybiegła do ogrodu.

– Gdzie on jest? – krzyczała.

– Jen, przestań, uspokój się. Wszystko będzie dobrze – przemówił Arthur spokojnym głosem.

– Arthur. – Mama podbiegła do niego i objęła go. – Gdzie on jest? Jest tutaj, prawda?

Oszołomiony Arthur spojrzał na Rosaleen.

– Mamo! – krzyknęłam. – Arthur, pomóż jej. Zrób coś, pomóż jej proszę. Ona myśli, że tata nadal żyje.

Arthur spojrzał na nią z prawdziwym bólem serca. Przytulił mocno i kiedy drobna, koścista, roztrzęsiona sylwetka mamy drżała w jego ramionach, kiedy pytała na okrągło przez łzy, gdzie on jest, gładził ją kojąco po plecach.

– Wiem, Jen, wiem. Już dobrze. Już dobrze...

– Proszę, pomóż jej! – zawołałam, stojąc na środku ogrodu, spoglądając to na niego, to na Rosaleen. – Poślij ją gdzieś, zawołaj kogoś, kto jej pomoże!

– Mój tata jest dzisiaj w domu – zaoferował Weseley spokojnie. – Mogę do niego zadzwonić i poprosić, żeby tu zajrzał.

Coś mnie zmroziło od środka. Strach. Instynkt. Pomyślałam o spalonym pamiętniku, o pożarze z moich snów. Musiałam wydostać mamę z tego domu.

– Zabierz ją stąd – powiedziałam do Arthura.

Spojrzał na mnie ze zdziwieniem.

– Do doktora Gedada – dodałam cicho, żeby mama nie usłyszała.

Osunęła się w ramionach Arthura, osłabiona żałością. Spojrzał na mnie i pokiwał poważnie głową. Potem przeniósł wzrok na Rosaleen.

– Niedługo wrócę.

– Ale ty...

– Jadę – powiedział tonem nieznoszącym sprzeciwu.

– Ja też – powiedziała szybko, zdejmując fartuch i ruszając do domu. – Wezmę dla niej płaszcz.

– Weseley, zostań z Tamarą – polecił Arthur.

Weseley skinął głową i stanął obok mnie.

Chwilę później Arthur, Rosaleen i mama siedzieli już w land-roverze. Mama płakała przez cały czas. Wydawała się taka zagubiona.

Weseley objął mnie opiekuńczo.

– Wszystko będzie dobrze – powiedział łagodnie.

Kiedy tu przyjechałyśmy, czułam się, jakby wyrzuciło nas morze po tym, jak zatonęła nasza łódź. Dwie kobiety, które wylądowały na plaży, kasząc i plując słoną wodą. Nie należałyśmy do nikogo, nie miałyśmy niczego, celu, racji bytu, zupełnie jakby uwięziono nas w poczekalni bez okien.

Potem zrozumiałam, że gdy morze wyrzuca rozbitków na brzeg, nie są wyłącznie biednymi ofiarami, ale też kimś, kto przeżył, przetrwał ogromną tragedię. Nie myślałam o tym w ten sposób, dopóki wbrew sobie nie obejrzałam filmu dokumentalnego o przyrodzie, z serii, którą uwielbiał Arthur. Reportaż opowiadał o wyspach na południowym Pacyfiku, o tym, jak bardzo są oddalone od siebie i trudno wyjaśnić, w jaki sposób różne stworzenia, wyłączając ptaki, przedostawały się z jednej wyspy na drugą. Potem na ekranie pojawiły się dwa orzechy kokosowe. Podskakiwały na falach, a potem wylądowały na plaży. Narrator opisał je jako dwie zagubione rzeczy, które przetrwały długą podróż przez morze i trafiły na ląd. Co wtedy zrobiły? Zapuściły korzenie w piasku i urosły na brzegu plaży. Czasem z wyrzucenia na brzeg może wiele wyniknąć. Pomaga nam to dojrzeć, rozwinąć się, urosnąć.

Mama miała atak histerii, uznała, że tata nadal żyje, i chyba naprawdę się załamała. Ja jednak czułam, że to początek czegoś nowego, lepszego. Obserwowaliśmy z Weseleyem, jak land-rover znika na końcu podjazdu. Widziałam, że Rosaleen spoglądała na nas z obawą. Nie chciała nas zostawiać, ale też nie potrafiła wypuścić Arthura sam na sam z mamą. Naprawdę nie mogłam się powstrzymać. Uśmiechnęłam się i pomachałam do niej.

Rozdział 21

K JAK KANGUR

Gdy tylko zniknęli nam z oczu, odwróciłam się i pognałam do domu. Na wieszaku zobaczyłam fartuch Rosaleen, zarzucony na hak niedbale, w pośpiechu. Chwyciłam go i włożyłam rękę do kieszeni.

– Tamara, co ty robisz? – Weseley stanął tuż obok. – Może dam ci herbaty albo co, żebyś się uspokoiła.... co to jest, do cholery?

Pytał o pojemnik z lekami, który trzymałam w dłoni.

– Miałam nadzieję, że ty mi to powiesz. – Wręczyłam mu tabletki. – Podejrzałam Rosaleen, jak wsypywała je do owsianki mamy.

– Co takiego? Chwileczkę, Rosaleen dodawała leków do jedzenia twojej mamy?

– Widziałam, jak wysypywała proszek z dwóch kapsułek do miski z owsianką, a potem dokładnie mieszała. Nie wie, że ją podejrzałam.

– Może to lekarstwa przepisane twojej mamie?

– Tak sądzisz? Zobaczmy w takim razie. Chociaż Rosaleen lubi udawać, że nic nie wiem o własnej mamie, jestem pewna, że nie nazywa się... – odczytałam nazwisko na pojemniku – Helen Reilly.

– To mama Rosaleen. Pokaż to. – Weseley zabrał mi pudełko. – To środki nasenne.

– Skąd wiesz?

– Bo tak tu jest napisane. Oxazepam. To środek nasenny. Rosaleen dodaje tego do jedzenia twojej mamy?

Przełknęłam głośno ślinę, czując łzy napływające do oczu.

– Jesteś pewna, że widziałaś, jak to robi?

– Tak, jestem pewna. Poza tym, od naszego tu przyjazdu mama ciągle śpi. Bez przerwy.

– Czy brała je wcześniej, zanim tu przyjechałyście? Może Rosaleen stara się jej pomóc?

– Weseley, mama jest tak zamroczona, że ledwie pamięta własne imię. To, co robi Rosaleen, na pewno jej nie pomaga. Zupełnie jakby chciała jej zrobić krzywdę. Robi jej krzywdę.

– Musimy o tym komuś powiedzieć.

Poczułam ulgę, słysząc „my".

– Powiem mojemu tacie. On będzie musiał kogoś powiadomić. Zgadzasz się, Tamaro?

– Tak.

Poczułam ulgę. Nie byłam już sama. Usiadłam na schodach, kiedy Weseley zadzwonił do taty z najnowszymi wieściami.

– I co? – Zerwałam się, gdy skończył rozmowę.

– Byli akurat z nim w gabinecie, więc nie mógł mi odpowiedzieć. Powiedział tylko, że się tym zajmie. Do tego czasu musimy trzymać te proszki w bezpiecznym miejscu.

– W porządku. – Odetchnęłam głęboko. Co ma być, będzie. – Czy możesz przynieść skrzynkę z narzędziami Arthura?

– Po co ci? – spytał zdezorientowany.

– Żeby się włamać do garażu.

– Co takiego?

– Po prostu... – Przerwałam, szukając odpowiednich słów. – Po prostu mi pomóż, dobrze? Nie mamy zbyt wiele czasu. Wyjaśnię ci wszystko później. Na razie jednak proszę, pomóż mi, dobrze? Oni prawie nie wychodzą z domu. To jedyna okazja.

Zastanawiał się nad tym przez dłuższą chwilę, obracając pojemnik z lekami w dłoni.

– W porządku – powiedział wreszcie.

Weseley pobiegł do szopy stojącej przy domu, a ja przemierzałam ogród tam i z powrotem, modląc się, żeby Arthur i Rosaleen nie wrócili, dopóki porządnie się nie rozejrzę po garażu. Zatrzymałam się na chwilę, spoglądając na bungalow. Chciałam zobaczyć, czy szklana rzeźba zawieszona w oknie nadal tam jest. Zniknęła, jednak mój wzrok przyciągnęło pudełko stojące na murku. Podeszłam bliżej.

– Weseley!

Usłyszał niepokój w moim głosie i natychmiast się odwrócił, spoglądając w kierunku, w którym wskazywałam palcem.

– Co to? – spytał.

Przeszłam przez drogę i przyjrzałam się bliżej paczce. Weseley był tuż za mną. Na brązowym papierze pakowym ktoś napisał moje imię oraz „Wszystkiego najlepszego z okazji urodzin". Wzięłam prezent i rozejrzałam się. Nikt nie stał w oknie, ukryty za zasłoną. Zdjęłam papier, odsłaniając brązowe pudełko od butów. Uniosłam przykrywkę. Wewnątrz leżała najpiękniejsza szklana rzeźba, jaką widziałam. Różnego rozmiaru szklane łzy wymieszane ze szklanymi sercami, wszystko połączone ze sobą cienkimi żyłkami, przewleczonymi przez malutkie dziurki. Wyjęłam ją z pudełka i uniosłam w górę, do światła. Rozbłysła w słońcu i zawirowała na wietrze. Uśmiechnęłam się i spojrzałam na dom, żeby pomachać, uśmiechnąć się, podziękować ofiarodawcy.

Nic.

– Co do diabła... – Weseley przyglądał się rzeźbie.

– To prezent dla mnie.

– Nie wiedziałem, że dzisiaj są twoje urodziny. – Wziął ode mnie ozdobę i przyjrzał się jej uważnie.

– Ona wiedziała.

– Kto? Mama Rosaleen?

– Nie. – Popatrzyłam na bungalow. – Ta kobieta.

Potrząsnął głową.

– A ja sądziłem, że to moje życie jest dziwne. Kim ona jest? Moi rodzice myśleli, że mieszka tutaj tylko pani Reilly.

– Nie mam pojęcia.

– Chodźmy ją zobaczyć. Podziękować.

– Sądzisz, że powinnam?

Skrzywił się.

– Dostałaś od niej prezent. To świetna okazja, żeby tam pójść.

Przygryzłam wargę i spojrzałam na dom.

– Oczywiście, jeżeli się boisz...

Było dokładnie tak, jak mówił.

– Nie. Mamy ważniejsze rzeczy do zrobienia – powiedziałam. Wróciłam na drugą stronę drogi i pobiegłam na tyły ogrodu, tam, gdzie stał garaż.

– Wiesz, siostra Ignacjusz odchodzi od zmysłów, tak bardzo chce się z tobą zobaczyć. Tamtego dnia, kiedy uciekłaś, strasznie ją wystraszyłaś. Nas oboje.

Wpatrzyłam się w Weseleya, który grzebał w skrzynce, szukając odpowiedniego narzędzia do otworzenia zamka.

– Słyszałem, co się potem wydarzyło. Wszystko w porządku?

– Tak. Nie chcę o tym rozmawiać – warknęłam. – Gwoli wyjaśnień, on nie jest moim chłopakiem.

Zaczął się śmiać.

– Teraz wiesz, jak się czuję.

Pomimo wszystkich wydarzeń dzisiejszego poranka, musiałam się uśmiechnąć.

Włamanie się do garażu zajęło Weseleyowi tylko chwilę. W środku stanęłam twarzą w twarz z moim poprzednim życiem, bezładnie spiętrzonym, wymieszanym, pogrążonym w chaosie. Kuchnia z dużym pokojem, moja sypialnia. na stercie rzeczy z bawialni, pokój gościnny i ręczniki z łazienki. Doskonałe odzwierciedlenie stanu moich myśli. Skórzane kanapy, telewizory plazmowe, meble kretyńskich kształtów, wszystko to wydało mi się teraz tandetne i pozbawione duszy.

W chwili obecnej byłam bardziej zainteresowana tym, co ukrywali w garażu Arthur i Rosaleen. Weseley ściągnął pokrowce z rzeczy stojących w dalszej części garażu. Nie było tam nic specjalnego. Jakieś stare meble, zniszczone przez czas, zakurzone i pachnące naftaliną. Nie wiem, czego się spodziewałam – trupa lub dwóch, maszynki do robienia pieniędzy, skrzyni z bronią, a może tajnego wejścia do jaskini Rosaleen. Na pewno czegoś więcej niż te pośmierdujące kulkami na mole stare meble.

Podeszłam bliżej do mojego dobytku. Weseley zaczął się zachwycać tym i owym, szperając w pudłach. Przerwaliśmy na chwilę śledztwo w sprawie podwójnego życia Arthura i Rosaleen. Usiedliśmy na sofie, która stała kiedyś w salonie mojego dawnego domu, i zaczęliśmy przeglądać album ze zdjęciami. Weseley śmiał się na widok różnych etapów mojego dorastania.

– Czy to twój tata?

– Tak.

Uśmiechnęłam się, spoglądając na uszczęśliwioną twarz mężczyzny na parkiecie, tańczącego na weselu przyjaciela. Tata uwielbiał tańczyć, chociaż szło mu to fatalnie.

– Był taki młody.

– Wiem.

– Co się stało?

Westchnęłam.

– Nie musimy o tym rozmawiać, jeżeli nie chcesz.

– Nie, chcę. – Przełknęłam ślinę. – Po prostu... pożyczył za dużo pieniędzy i nie mógł tego wszystkiego spłacić. Był developerem, bardzo dobrym. Zbudował różne rzeczy na całym świecie. Nie wiedziałyśmy tego z mamą, ale wpadł w kłopoty. Zaczął sprzedawać wszystkie nieruchomości, żeby spłacić długi.

– Nie powiedział wam, że ma problem?

Potrząsnęłam głową.

– Był na to zbyt dumny. Czuł, że sprawiłby nam zawód. – Łzy nabiegły mi do oczu. – Ale nas z mamą by to nie obchodziło. Mnie na pewno nie.

Za bardzo zaprzeczałam. Wyobraziłam sobie, że tata mówi mi o konieczności sprzedaży wszystkiego, co ma. Oczywiście, że mnie by to obeszło. Marudziłabym i narzekała. Nie zrozumiałabym. Byłabym tylko zażenowana tym, co inni o nas pomyślą. Brakowałoby mi Marbelli w lecie i Verbier na Nowy Rok. Nakrzyczałabym na niego, wyzwała od najgorszych i pobiegła obrażona do swojej sypialni, trzaskając drzwiami. Chciwa mała świnia, tym właśnie byłam. Żałowałam jednak, że nie dał mi szansy tego zrozumieć. Szkoda, że nie usiadł ze mną na sofie i nie porozmawialiśmy. Może udałoby się nam wypracować jakiś układ. W tej chwili wolałabym mieszkać gdziekolwiek, w jednym pokoju albo nawet w ruinach zamku, byleby tata był z nami.

– Teraz nie obchodzi mnie, że stracę wszystko. Wolałabym nic nie mieć, bylebym tylko miała tatę. – Pociągnęłam nosem. – Straciłyśmy wszystko, łącznie z nim. I po co? Kiedy bank przejął nasz dom, tata chyba się załamał. – Przyjrzałam się zdjęciu, na którym grał w golfa z mamą.

Poważna twarz, wzrok utkwiony gdzieś w oddali, szukający piłki. – Mógł znieść wszystko, tylko nie to.

Przewróciłam kolejną kartę albumu i oboje się roześmialiśmy. Moje szczerbate zdjęcie z Disneylandu, na którym obejmowałam czule Myszkę Miki.

– Czy nie jesteś... no wiesz, zła na ojca? Gdyby mój zrobił coś takiego, chybabym... – Potrząsnął głową, niezdolny wyobrazić sobie takiej sytuacji.

– Byłam – odparłam. – Byłam na niego zła przez bardzo długi czas. Ostatnio jednak myślałam o tym, przez co musiał przechodzić. Nawet w najgorszym z możliwych dniu nie potrafiłabym zrobić tego, co on. Musiał odczuwać ogromną presję i być potwornie przygnębiony. Uwięziony. W sytuacji bez wyjścia. Musiał mieć wszystkiego naprawdę dość. No i... kiedy umarł, nie mogli nam zabrać nic więcej. Ochronił mnie i mamę.

– Myślisz, że zrobił to dla was?

– Myślę, że zrobił to z wielu powodów. Złych powodów, ale jemu wydawało się to słuszną decyzją.

– Wiesz co? Jesteś bardzo dzielna – powiedział Weseley.

Spojrzałam na niego, usiłując się nie rozpłakać.

– Nie czuję się dzielna.

– Ale jesteś – odparł.

Spojrzeliśmy sobie w oczy.

– Popełniłam wiele idiotycznych, żałosnych błędów – szepnęłam.

– Trudno. Wszyscy je robimy. – Uśmiechnął się smutno.

– No tak, pewnie nie mam ich na koncie tak wiele jak ty – dodałam, usiłując rozjaśnić atmosferę. – Ty popełniasz błędy co noc, za każdym razem z inną dziewczyną.

Roześmiał się.

– No dobrze, zobaczmy, co ukrywa tu Rosaleen.

Nie mogłam oderwać wzroku od zdjęć w albumach. Otworzyłam kolejny i znalazłam swoje zdjęcia z dzieciństwa. Przeniosłam się do innego świata, straciłam poczucie czasu. Gdzieś w tle Weseley komentował rzeczy, które odkrywał, buszując w garażu, ale zignorowałam go. Zamiast tego wpatrywałam się w mojego cudownego tatę, szczęśliwego i przystojnego, stojącego z mamą. Zdjęcie z chrzcin. Tylko ja i mama. Ja taka malutka w jej ramionach, że ledwie było mnie widać spod białego kocyka. Czubek małej różowej główki.

– O cholera, Tamara, spójrz na to.

Zignorowałam go, przyglądając się zdjęciu. Mama trzymała mnie w ramionach z cudownym uśmiechem na twarzy. Ktokolwiek zrobił to zdjęcie – jak przypuszczam, był to tata – wetknął palec w obiektyw, przesłaniając twarz stojącego z boku księdza. Znając tatę, zrobił to specjalnie. Potarłam jego duży biały palec, oświetlony fleszem i roześmiałam się.

– Tamara, popatrz na to.

Na zdjęciu widać było tylko połowę księdza, mamę, mnie i misę chrzcielną. Kolejna osoba została wykluczona ze zdjęcia za pomocą dziwacznych sztuczek fotograficznych, ale czyjaś dłoń spoczywała na mojej głowie. Kobieca. Domyśliłam się tego, widząc na palcu pierścionek. Pewnie była to Rosaleen, moja chrzestna matka, która nigdy nie robiła tego, co chrzestne moich przyjaciółek – nie wysyłała kartek na każdą okazję, z gotówką ukrytą między stronami. Nie. Moja chrzestna matka chciała ze mną spędzać czas. Bleeee!

– Tamara! – Weseley chwycił mnie za ramię. Podskoczyłam. – Popatrz na to.

Widać było, że jest czymś bardzo przejęty. Wziął mnie za rękę. Poczułam nagły dreszcz. Schowałam zdjęcie z chrzcin do kieszeni i poszłam za nim. Wszelkie dziwne uczucia do Weseleya, jakie się we mnie tliły, nagle zgasły. Spojrzałam w kierunku wskazanym przez niego.

– O co chodzi? – spytałam bynajmniej nie zainteresowana.

Nie było to aż tak ekscytujące, jak sądziłam po jego zachowaniu. Stare meble, takie, jakie widzieliśmy wcześniej. Książki, pogrzebacze, naczynia stołowe, obrazy w pokrowcach, materiały, dywaniki, obudowa palenisk oparta o ścianę. Wszelkiego rodzaju graty.

– O co chodzi?!

Weseley szalał, wyraźnie podekscytowany, biorąc do ręki kolejne przedmioty, wyjmując z pokrowców obrazy diabelsko wyglądających dzieci, z kołnierzami zasłaniającymi im uszy oraz tłustych, mało atrakcyjnych kobiet z wielkimi cyckami, szerokimi nadgarstkami i cienkimi wargami. – Spójrz na to wszystko, Tamaro. Popatrz. Widzisz coś szczególnego?

Przewrócił na ziemię dywanik i rozwinął go kopnięciem nogi.

– Weseley, nie rób bałaganu – zezłościłam się. – Nie mamy czasu.

– Tamara, otwórz oczy. Przyjrzyj się inicjałom.

Spojrzałam uważniej na dywanik, zakurzony, wyblakły. Może wisiał na ścianie jako kilim. Wszędzie widać było literę „K".

– I jeszcze to.

Otworzył pudełko z porcelaną. Na wszystkich talerzach, spodeczkach i sztućcach widniała litera „K" oraz wizerunek smoka w płomieniach, owiniętego wokół miecza. Potem nagle przypomniałam sobie, że ten sam symbol widnieje nad kominkiem w dużym pokoju, w stróżówce.

– „K" – powiedziałam tępo. – Nie rozumiem. Nie...

Potrząsnęłam głową, rozglądając się po garażu. W pierwszej chwili wydawało mi się, że zawiera kupę złomu. Teraz jawił się niczym jaskinia pełna skarbów.

– „K" jak...? – powiedział powoli Weseley, jakbym była dzieckiem. Spojrzał na mnie, wstrzymując oddech.

– Kangur – odparłam. – Nie wiem, Weseley. Nie rozumiem, nie...

– Kilsaney – dokończył.

Poczułam dreszcze.

– Co takiego? Ale to niemożliwe. – Rozejrzałam się. – Skąd oni wzięli to wszystko?

– Albo ukradli, albo...

– Właśnie!

Teraz miało to sens. Byli złodziejami. Nie Arthur, ale Rosaleen z całą pewnością. W to mogłam uwierzyć.

– Albo przechowują to dla rodziny Kilsaneyów. – Weseley przerwał moje przemyślenia. – Albo... – Uśmiechnął się, poruszając znacząco brwiami.

– Albo co?

– Albo sami są Kilsaneyami.

Parsknęłam śmiechem, natychmiast odsuwając taką możliwość. Potem moją uwagę zwróciło coś czerwonego pod dywanikiem, który przewrócił Weseley.

– Album! – wykrzyknęłam. Ten sam, który znalazłam na półce wkrótce po przyjeździe tutaj, a który potem tajemniczo zniknął. – Wiedziałam, że sobie go nie wyobraziłam.

Usiedliśmy razem i zaczęliśmy go przeglądać, choć prawdopodobnie nie mieliśmy już zbyt wiele czasu przed powrotem Arthura i Rosaleen. W środku były fotografie dzieci, czarno-białe lub w sepii.

– Rozpoznajesz tu kogoś? – spytał Weseley.

Potrząsnęłam głową. Przerzucaliśmy kolejne kartki.

– Zaczekaj – jedno ze zdjęć przyciągnęło moją uwagę. – Cofnij się.

Dwoje dzieci na tle drzew. Mała dziewczynka i chłopiec starszy od niej o kilka lat. Stali naprzeciwko siebie, trzymając się za ręce, zetknięci czołami. Nagle przypomniałam sobie dziwaczne przywitanie Arthura i mamy w dniu naszego przyjazdu.

– To Arthur i mama – uśmiechnęłam się. – Ma tutaj może pięć lat, nie więcej.

– Spójrz na Arthura. Nie był zbyt ładny, nawet jako dziecko – zażartował Weseley, mrużąc oczy i przyglądając się uważniej zdjęciu.

– Ach, nie bądź okropny – roześmiałam się. – Spójrz na nich. Nigdy nie widziałam zdjęć z dzieciństwa mamy.

Na następnej stronie znaleźliśmy zdjęcie mamy, Arthura, Rosaleen i jeszcze jednego chłopca. Aż mnie zatkało.

– Twoja mama i Rosaleen znały się w dzieciństwie – podsumował Weseley. – Wiedziałaś o tym?

– Nie. – Kręciło mi się w głowie. – Niemożliwe. Nikt nigdy o tym nie wspominał.

– Kim jest ten chłopak z boku?

– Nie mam pojęcia.

– Czy twoja mama ma drugiego brata? Wygląda na najstarszego z nich.

– Nie, nie ma. A przynajmniej nigdy o tym nie wspominała...

Weseley wyciągnął zdjęcie z plastikowej koszulki.

– Weseley!

– Doszliśmy już tak daleko... chcesz wiedzieć czy nie?

Przełknęłam gulę w gardle i skinęłam głową. Weseley spojrzał na tył fotografii.

„Artie, Jen, Róża i Laurie, 1979".

– Najwyraźniej ma na imię Laurie – powiedział Weseley. – Jakieś skojarzenia? Tamara, wyglądasz, jakbyś zobaczyła ducha.

„Laurence Kilsaney, R.I.P.".

Napis na nagrobku.

Arthur nazwał Rosaleen „Róża" w samochodzie, w drodze z Dublina.

„Laurie i Róża" wygrawerowane na pniu jabłoni.

– To on zginął w pożarze zamku. Laurence Kilsaney. Jego imię jest na grobie, na cmentarzu Kilsaneyów.

– Och.

Wpatrywałam się w zdjęcie całej czwórki. Uśmiechające się dzieci, niewinne, beztroskie, miały przed sobą jeszcze całe życie, pełne możliwości. Mama i Arthur ściskali się za ręce, Laurence stał z ręką swobodnie przerzuconą przez ramię Rosaleen. Stał na jednej nodze, drugą zgiął w śmiesznej pozie. Wydawał się pewny siebie, wręcz zuchwały. Z podniesioną głową, uśmiechał się do kamery, jakby przed chwilą krzyknął coś do fotografa.

– Czyli mama, Arthur i Rosaleen przyjaźnili się z Kilsaneyem – zaczęłam myśleć na głos. – Nie wiedziałam nawet, że mama tu mieszkała.

– Może nie. Może przyjeżdżała tylko na wakacje.

Weseley dalej przeglądał album. Na wszystkich zdjęciach widniały te same cztery osoby w różnym wieku, zawsze blisko siebie. Na niektórych zdjęciach byli pojedynczo, na innych parami, ale na większości we czworo. Mama była najmłodsza, Rosaleen i Arthur zbliżeni wiekiem, Laurence najstarszy, zawsze z jasnym uśmiechem i zuchwałym błyskiem w oku. Nawet jako młoda dziewczyna, Rosaleen wyglądała na starszą, miała twarde spojrzenie i uśmiech, który nigdy nie był tak szeroki jak pozostałych.

– Zobacz, tutaj wszyscy stoją przed stróżówką. – Weseley wskazał na zdjęcie całej czwórki siedzącej na murku otaczającym ogród. Niewiele się tu zmieniło, poza kilkoma drzewami, które teraz urosły, a na zdjęciu wyglądały na dopiero co posadzone. Wszystko inne: brama, mur, dom wyglądało dokładnie tak samo.

– Tutaj jest mama w dużym pokoju. To ten sam kominek. – Przyjrzałam się zdjęciu z uwagą. – Regał z książkami też. Spójrz na sypialnię. – Zabrakło mi tchu. – To ta, w której teraz śpię. Nie rozumiem. Mama tu mieszkała, dorastała.

– Naprawdę o tym nie wiedziałaś?

– Nie. – Czułam zbliżającą się migrenę. Umysł miałam przeładowany informacjami i pytaniami, na które nie znałam odpowiedzi. – To znaczy wiedziałam, że mieszkała na wsi, ale... pamiętam, że kiedy odwiedzałyśmy Arthura i Rosaleen, gdy byłam dzieckiem, mój dziadek zawsze tutaj był. Umarł, kiedy mama była dość młoda. Myślałam, że on też tylko przyjeżdżał do Arthura i Rosaleen w odwiedziny, ale... mój Boże, o co tu chodzi? Dlaczego oni wszyscy kłamali?

– Tak naprawdę to niezupełnie kłamali, nie sądzisz? – Weseley starał się zamortyzować cios. – Po prostu nie powiedzieli ci, że tu mieszkali. W końcu nie jest to najbardziej ekscytująca tajemnica na świecie.

– Poza tym nie powiedzieli mi, że znali Rosaleen właściwie przez całe życie, mieszkali w stróżówce i znali Kilsaneyów. Normalnie to żadna wielka rzecz, ale w takim razie po co robić z niej taką tajemnicę? Po co wszystko ukrywać? Czego mi jeszcze nie powiedzieli?

Weseley zaczął wertować album, jakby chciał tam znaleźć odpowiedzi na moje pytania.

– Wiesz co? Jeżeli twój dziadek mieszkał w stróżówce, to zapewne był tutaj nadzorcą. Arthur przejął po nim pracę.

W moim umyśle pojawiło się wspomnienie z dzieciństwa. Dziadek klęczał, z dłońmi zanurzonymi w mokrej ziemi. Miał brud za paznokciami. Pomiędzy grudkami gleby wiła się dżdżownica. Dziadek złapał ją w palce i podetknął mi pod nos. Wrzasnęłam, a on roześmiał się i przytulił mnie. Zawsze pachniał ziemią i trawą. Zawsze miał czarne paznokcie.

– Zastanawiam się, czy jest tutaj zdjęcie tej kobiety. – Zaczęłam przerzucać kartki w albumie.

– Której kobiety?

– Tej z bungalowu. Tej, która robi szklane rzeźby.

Przejrzeliśmy wszystkie zdjęcia po kolei. Serce waliło mi w piersi, myślałam, że za chwilę zasłabnę. Zobaczyliśmy następną fotografię Rosaleen i Laurence'a. „Róża i Laurie, 1987".

– Rosaleen chyba była w nim zakochana – powiedziałam, wiodąc palcem po zarysie ich twarzy.

– Ho, ho! – Weseley przerzucił następną kartkę. – Ale Laurence nie kochał Rosaleen.

Spojrzałam na kolejne zdjęcie wielkimi oczami. Była na nim mama jako nastolatka, piękna, z długimi blond włosami, cudownym uśmiechem, idealnymi zębami. Laurence obejmował ją, całując w policzek. Siedzieli pod drzewem z napisami.

Z tyłu fotografii widniał podpis: „Jen i Laurie, 1989".

– Może byli tylko przyjaciółmi... – mruknął Weseley.

– Daj spokój. Spójrz na nich.

Nie musiałam tłumaczyć. To było oczywiste. Jasne jak słońce. Byli w sobie zakochani.

Przypomniało mi się, co powiedziała mama, kiedy wróciłam z ogrodu różanego, pierwszego dnia, gdy poznałam siostrę Ignacjusz. Myślałam, że mówi o kwiatach, o tym, że jestem piękniejsza od róży. Co jednak, jeżeli miała na myśli Rosaleen? „Piękniejsza niż róża".

Na skraju fotografii, przycupnięta na kraciastym pledzie, siedziała Róża – Rosaleen z koszykiem piknikowym u boku, wpatrując się chłodno w oko kamery.

Rozdział 22

Ciemny pokój

Nie wiem, jak dużo czasu mieliśmy, nim Rosaleen i Arthur wrócą z mamą, jeżeli w ogóle ją tu z powrotem przywiozą. Nie obchodziło mnie już to, czy mnie przyłapią. Miałam dość tych ich tajemnic, wiecznego chodzenia na palcach, przekradania się i węszenia, kiedy nikt nie patrzył. Weseley, całkowicie popierający moją decyzję, poprowadził mnie do bungalowu. Oboje szukaliśmy odpowiedzi, ale nigdy jeszcze nie spotkałam kogoś takiego jak on – kto nadstawiałby karku, żeby mi pomóc. Pomyślałam o siostrze Ignacjusz i poczułam ukłucie w sercu. Opuściłam ją. Musiałam się z nią zobaczyć. Przypomniałam sobie, jak podczas jednego z naszych spotkań chwyciła mnie za ręce i powiedziała, że nigdy by mi nie skłamała. Że zawsze powiedziałaby mi prawdę. Wiedziała o czymś. Próbowała mi to przekazać. Z perspektywy czasu widziałam, że wręcz prosiła mnie, żebym zadała jej pytania. Nie zdawałam sobie z tego sprawy aż do tej chwili.

Weseley poprowadził mnie bocznym przejściem do ogrodu na tyłach domu. Kolana tak mi osłabły ze zdenerwowania, że lada chwila mogły odmówić współpracy, co zakończyłoby się upadkiem. Było dopiero południe, ale niebo pociemniało i zerwał się silny wiatr. Wielkie szare chmury zawisły nisko nad ziemią, niczym krzaczaste brwi olbrzyma. Czułam się, jakby ktoś przyglądał mi się z góry.

– Co to za odgłosy? – spytał Weseley, kiedy dochodziliśmy do końca przejścia.

Zatrzymaliśmy się i zaczęliśmy nasłuchiwać. Brzęczenie. Trochę niepokojące. Miało się wrażenie, że ktoś tłucze szkło. To rzeźby uderzały o siebie na wietrze. Ponieważ było ich tam tak wiele, wydawane przez nie dźwięki sprawiały nieco upiorne wrażenie.

– Idę to zobaczyć – powiedział Weseley, kiedy weszliśmy do ogrodu. – Nie bój się, Tamaro, wszystko będzie dobrze. Powiedz tej kobiecie, że przyszłaś podziękować za prezent. To dobry początek rozmowy.

Obserwowałam go zdenerwowana, kiedy przeciął trawnik i zniknął w szklanym polu.

Odwróciłam się w stronę domu i spojrzałam w okna. W kuchni nikogo nie było. Zapukałam do drzwi. Żadnej odpowiedzi. Trzęsącą się dłonią, karcąc się za niepotrzebne dramatyzowanie, sięgnęłam do klamki. Drzwi nie były zamknięte na klucz. Uchyliłam je lekko i zajrzałam do środka. Zobaczyłam wąski korytarz skręcający ostro w prawo i troje zamkniętych drzwi, jedne po prawej, dwoje po lewej stronie. Pierwsze po lewej prowadziły do kuchni, gdzie – jak wiedziałam – nikogo nie było. Nie zamknęłam drzwi wejściowych. Nie chciałam czuć się uwięziona i oczywiście nie miałam ochoty myśleć, że się tu włamuję. Wiatr jednak był zbyt silny i gwałtownie zamknął je za mną. Podskoczyłam, ale zaraz się skarciłam, że jestem głupia. Mama Rosaleen i kobieta, która dała mi dzisiaj prezent, na pewno nie zamierzały mnie skrzywdzić. Zastukałam dyskretnie do drzwi po prawej stronie. Nikt nie odpowiedział, więc delikatnie przekręciłam gałkę i otworzyłam drzwi. Za nimi zobaczyłam sypialnię zdecydowanie należącą do starszej kobiety. Pachniało wilgocią, talkiem i środkiem dezynfekującym. Stało tu duże łóżko z ciemnego drewna, a na nim leżała kołdra w kwiecistej poszewce. Przy łóżku, na błękitnoszarym dywaniku, który przeszedł niejedno odkurzanie i pranie, stały kapcie. Oprócz tego w pokoju była tu szafa, zawierająca prawdopodobnie wszystkie ubrania starszej pani, pod ścianą toaletka ze zmatowiałym lustrem, na niej leżały szczotka do włosów, lekarstwa, różaniec i Biblia. Z łóżka można było wyglądać wprost na ogród. W pokoju nie było nic więcej. Ani nikogo.

Zamknęłam drzwi i ruszyłam dalej korytarzem. Chodnik był pokryty plastikową matą, jakby dla ochrony. Kiedy po niej szłam, wydawała dziwaczny chrobotliwy dźwięk. Byłam zaskoczona, że nikt mnie nie słyszy, chyba że dziwna kobieta z długimi włosami znowu była w szopie, co by oznaczało, że zobaczyła Weseleya. Zmroziło mnie i o mały włos nie zawróciłam. Powstrzymałam się jednak. Zaszłam już tak daleko. Dotarłam do końca korytarza tam, gdzie skręcał w prawo. Na jego końcu były kolejne drzwi prowadzące do pokoju telewizyjnego, który widziałam przez okno. Odbiornik grał tak głośno, że doskonale słyszałam tykanie zegara w teleturnieju. Pewnie siedziała tu mama Rosaleen, ale chociaż chciałam ją poznać, nie miałam teraz czasu się przedstawić. Nie jej szukałam w tej chwili. Tuż za głównym wejściem do domu był mały korytarzyk, a po mojej lewej jeszcze jedne drzwi, prowadzące do kolejnej sypialni.

Zapukałam tak cicho, że ledwie słyszałam samą siebie. Moje kłykcie przesunęły się po ciemnym drewnie, jakby były z puchu. Za drugim razem zapukałam głośniej i odczekałam dłużej, ale nikt nie odpowiedział.

Przekręciłam powoli gałkę w drzwiach. Otworzyły się bez oporu.

Moja rozbujała wyobraźnia podpowiadała mi od kilku tygodni, jak niebywałe mogły być tajemnice Rosaleen. Rzeczywistość jak do tej pory mnie rozczarowywała. Znaleziska w garażu, chociaż intrygujące i bolesne, ponieważ nie wiedziałam, że mama i Arthur przyjaźnili się z Rosaleen od dzieciństwa, nie dorastały do pięt scenariuszom, jakie stworzyłam w myślach. Tajemnica domu wyjaśniła się bardzo prosto: mieszkała tu chora matka Rosaleen. Trupy w garażu okazały się pozostałością mebli z zamku. Chociaż wszystko to było ciekawe, jednocześnie rozczarowywało, ponieważ nie pasowało do napięcia, jakie wyczuwałam w Rosaleen, ani do dziwnej atmosfery tajemniczości, jaka wokół niej panowała.

Tym razem jednak się nie zawiodłam.

W tej chwili pożałowałam, że za drzwiami nie ma dywanu z lat siedemdziesiątych i zatęchłego, brzydko urządzonego pokoju. Bowiem to, co w nim zobaczyłam, wstrząsnęło mną do głębi. Stałam bez ruchu, z otwartymi ze zdumienia ustami.

Trzy ściany pokoju od góry do dołu pokryte były moimi fotografiami. Ja jako dziecko, ja podczas pierwszej komunii, podczas wizyty w stróżówce, kiedy miałam trzy lata, cztery, sześć. Ja w przedstawieniach szkolnych, ja na przyjęciach urodzinowych i innych, ja jako dziewczynka sypiąca kwiaty na ślubie przyjaciółki mojej mamy, ja jako wiedźma podczas Halloween. Rysunek, który zrobiłam w pierwszej klasie szkoły podstawowej. Ja przed stróżówką, zaledwie sprzed tygodnia, siedząca na murku, machająca nogami, z twarzą wystawioną do słońca. Ja z Marcusem, podczas jego pierwszej wizyty i z tego dnia, kiedy wyruszyliśmy w podróż w jego autobusie. Fotografia z dnia, kiedy Barbara przywiozła mnie i mamę do stróżówki. Ja w wieku ośmiu lat, stojąca na środku drogi do zamku, znudzona, kiedy mama rozmawiała z Arthurem i Rosaleen przy kanapkach z jajkiem i filiżance mocnej herbaty. Moje zdjęcie zaledwie sprzed dwóch dni, z cmentarza, kładącej kwiaty na grobie Laurence'a Kilsaneya. Ja idąca w stronę zamku. Ja z siostrą Ignacjusz, ja spacerująca, rozmawiająca, leżąca na trawie, ja w zamku, siedząca na schodach tego poranka, gdy odkryłam pierwszy wpis w pamiętniku, z oczami zamkniętymi i twarzą oświetloną słońcem. Wiedziałam, że ktoś mnie wtedy obserwował. Napisałam nawet o tym.

Niezliczone zdjęcia układały się w historię mojego życia, ukazywały chwile, o których już zapomniałam, i takie, w których nie wiedziałam, że ktoś mnie fotografował.

W rogu pokoju stało wąskie łóżko, skotłowane, zaniedbane, obok zaś mała szafka, na której leżały przeróżne lekarstwa. Zanim odwróciłam się, żeby wyjść, kątem oka dostrzegłam znajome zdjęcie. Podeszłam do jednej ze ścian i wyciągnęłam pomiętą fotografię z kieszeni. Porównałam ją ze zdjęciem na ścianie. Były niemal identyczne, ale to na ścianie wyglądało na ostrzejsze, bez palca wsadzonego w obiektyw. Widać było twarz księdza, moją mamę trzymającą mnie w ramionach i dłoń z pierścionkiem, spoczywającą na mojej różowej głowie. Fotografia na ścianie była duża, znacznie powiększona w porównaniu z tą, którą miałam w kieszeni. Widać było na niej bardzo wyraźnie pierścionek – i nagle wiedziałam, kim była osoba, której dłoń uwieczniało to zdjęcie.

Siostra Ignacjusz.

Pod spodem wisiało zdjęcie mamy trzymającej mnie nad chrzcielnicą i księdza polewającego mi głowę wodą. Rozpoznałam tę misę. Teraz wypełniał ją kurz i mieszkały w niej pająki. W kaplicy przy zamku.

Obok zobaczyłam zbliżenie twarzy mojej mamy, leżącej w łóżku, spoconej, z włosami przyklejonymi do czoła, trzymającej mnie w ramionach. Nowo narodzoną. I jeszcze jedna fotografia, tym razem siostry Ignacjusz trzymającej mnie – również nowo narodzoną.

„Nie jestem tylko zakonnicą. Szkoliłam się w położnictwie". Powiedziała to zaledwie kilka dni temu.

– O Boże – zadrżałam. Kolana ugięły się pode mną. Sięgnęłam w kierunku ściany, ale nie było tam nic, czego mogłabym się chwycić, oprócz fotografii. Moje palce zaczepiały o nie, ściągając je w dół, kiedy osuwałam się na podłogę. Nie zemdlałam, ale nie miałam siły wstać. Chciałam się stąd wydostać. Pochyliłam się i z głową na kolanach zaczęłam oddychać powoli.

– Masz dzisiaj szczęście – usłyszałam głos za moimi plecami. Wyprostowałam się. – Zazwyczaj te drzwi są zamknięte na klucz. Nawet ja nigdy tutaj nie byłam. On teraz dużo pracuje.

W drzwiach do pokoju stała Rosaleen, opierając się o framugę, z dłońmi złożonymi z tyłu. Była nienaturalnie spokojna.

– Rosaleen – wychrypiałam. – Co się tu dzieje?

Zachichotała.

– Och, dziecko, wiesz dobrze, co się tu dzieje. Nie udawaj, że nie węszyłaś, żeby się dowiedzieć. – Spojrzała na mnie chłodno.

Wzruszyłam nerwowo ramionami. Rzuciła coś w moim kierunku.

Koperty, które zabrałam dzisiaj rano i zostawiłam w kuchni, schowane w kieszeni fartucha, z którego zabrałam proszki nasenne. Potem Rosaleen rzuciła coś jeszcze, coś ciężkiego, co upadło z głuchym łomotem na dywan. Od razu wiedziałam, co to takiego. Pamiętnik. Wyciągnęłam ręce i chwyciłam go. Mocowałam się przez chwilę z zamkiem, żeby go otworzyć i sprawdzić, czy spalone strony zniknęły. Może już udało mi się zmienić przyszłość? Ale moje nieme pytania uzyskały odpowiedź, zanim zdołałam ją znaleźć sama.

– Zepsułaś mi zabawę, paląc kartki – uśmiechnęła się nieprzyjemnie. – Arthur i twoja matka są w domu. Pewnie nie powinnam ich zostawiać... – Zerknęła w kierunku stróżówki, przygryzając wnętrze policzka. Wyglądała tak krucho i słodko. Kochana cioteczka, która próbowała unieść na barkach cały świat. Zrobiło mi się jej niemal żal, ale wtedy spojrzała na mnie i do jej oczu powrócił chłód. – Musiałam to zrobić. Wiedziałam, że tu będziesz. Jestem później umówiona z policjantem Murphym. Przypuszczam, że nie wiesz, o co chodzi?

Przełknęłam głośno gulę, która urosła mi w gardle, i potrząsnęłam głową.

– Nieudolna kłamczucha – powiedziała cicho. – Zupełnie jak twoja matka.

– Nie waż się mówić w ten sposób o mojej mamie! – powiedziałam drżącym głosem.

– Ja tylko usiłowałam jej pomóc, Tamaro – odparła. – Nie chciała spać. Zadręczała się. Wciąż powracała do przeszłości. Za każdym razem, kiedy przynosiłam jej posiłek, zaczynała zadawać mi pytania... – Mówiła teraz bardziej do siebie, jakby próbowała przekonać się do swoich racji. – Zrobiłam to dla niej. Nie dla siebie. Poza tym, prawie nic nie jadła, więc nie dostawała dużej dawki. Zrobiłam to dla niej.

Zmarszczyłam czoło, niepewna, czy powinnam przerwać jej monolog, czy też pozwolić się wygadać. Gdy Rosaleen zamilkła zamyślona, spojrzałam na koperty, na nazwisko adresata.

Arthur Kilsaney
Stróżówka,
Kilsaney Demesne
Kilsaney
Meath

Druga koperta miała ten sam adres i nazwisko adresatów, którymi tym razem byli oboje, Arthur oraz Rosaleen.

– Ale... – spoglądałam na koperty. – Ale... ja nie...

– Ale, ale, ale – powtórzyła Rosaleen drwiąco.

Poczułam zimny dreszcz wzdłuż kręgosłupa.

– Przecież Arthur nazywa się Byrne, tak jak mama przed ślubem – zapiszczałam.

Rosaleen spojrzała na mnie z lekkim niedowierzaniem, a potem się uśmiechnęła.

– Proszę, proszę, wygląda na to, że nie byłaś aż tak ciekawska, co?

Usiłowałam zebrać w sobie siłę, żeby wstać. Kiedy to zrobiłam, Rosaleen zmieniła pozycję, jakby się do czegoś szykowała. Jedną rękę nadal miała schowaną z tyłu.

Spojrzałam jeszcze raz na koperty, usiłując zrozumieć, o co chodzi.

– Mama nie jest z domu Kilsaney, tylko Byrne.

– To prawda. Nie jest Kilsaney, nigdy nie była, ale zawsze chciała być. – Spoglądała na mnie zimno. – To wszystko, czego pragnęła. Nazwiska. Zawsze pożądała tego, co nie należało do niej, mała brudna złodziejka! – wypluła z siebie z nienawiścią. – Zupełnie jak ty. Zawsze pojawiała się nieproszona.

Otworzyłam usta ze zdumienia.

– Rosaleen! – wydyszałam. – Co... co się z tobą dzieje?

– Co się ze mną dzieje?! Nic. Ja tylko spędziłam ostatnie kilka tygodni, gotując, sprzątając, robiąc wszystko w domu, opiekując się wszystkimi, trzymając wszystko do kupy, jak zwykle, a wszystko dla dwóch niewdzięcznych małych... – jej oczy zrobiły się okrągłe, usta otworzyły się szeroko, kiedy wykrzyczała końcówkę zdania z takim gniewem, że musiałam zatkać uszy – ...kłamczuch!

– Rosaleen! – wrzasnęłam. – Przestań! Co się dzieje? – Zaczęłam płakać. – Nie rozumiem, co się dzieje!

– Och, na pewno rozumiesz, dziecko – syknęła.

– Nie jestem dzieckiem. Nie jestem dzieckiem. Nie jestem dzieckiem! – wykrzyczałam słowa, które powtarzałam bezustannie w głowie. Z każdym oddechem stawały się głośniejsze.

– Jesteś. Powinnaś być moim dzieckiem! – wrzasnęła w odpowiedzi. – Odebrała mi ciebie! Powinnaś być moja, tak jak on. Był mój! Zabrała mi go!

Nagle, jakby te słowa wyzuły ją z wszelkiej energii, skurczyła się w sobie.

Milczałam, myśląc intensywnie. Nie miała chyba na myśli Laurence'a Kilsaneya. To było dawno temu, zanim jeszcze się urodziłam. W takim razie musiała mówić o...

– Mój tata – szepnęłam. – Byłaś zakochana w moim tacie.

Spojrzała na mnie wtedy z takim bólem na twarzy, że prawie zrobiło mi się żal.

– To dlatego tata nigdy tu nie przyjeżdżał z mamą. Dlatego zawsze zostawał w Dublinie. Z powodu czegoś, co zaszło między wami wszystkimi przed laty.

Nagle twarz Rosaleen się rozluźniła. Usłyszałam jej śmiech – na początku ciche parskanie, a potem odrzuciła głowę i roześmiała się histerycznie.

– George Goodwin? Mówisz poważnie? George Goodwin był zawsze nieudacznikiem, od chwili, gdy pojawił się tu w swoim pretensjonalnym samochodzie z równie pretensjonalnym ojcem i powiedział, że kupi to miejsce. „Zrobimy tu wspaniały hotel, popularny kurort".

Naśladowała głos taty. Potrafiłam go sobie wyobrazić mówiącego te słowa, kiedy przyjechał tu w garniturze w jodełkę z dziadkiem Timothym. Pewnie wydał się czystym złem mieszkającym tu ludziom, którzy usiłowali ochronić zamek i całą posiadłość. On chciał je w gruncie rzeczy zniszczyć.

– Musiał mieć wszystko, włączając twoją matkę, choć miała dziecko. Najlepszą rzeczą, jaką zrobił, było zabranie was obu daleko stąd. Nie! W zasadzie najlepszą rzeczą, jaką zrobił, było odebranie sobie życia, żeby ci prawnicy nie mogli zabrać nam posiadłości. Tak, to jedyna dobra rzecz, jaką kiedykolwiek zrobił George Goodwin, i dobrze o tym wiedział. Założę się, że zdawał sobie z tego sprawę, kiedy wypijał pierwszy łyk whi...

– Przestań! – wrzasnęłam. – Zamknij się!

Podbiegłam do niej, żeby ją uderzyć w twarz, gdziekolwiek, byle przestała mówić te okropności, te wstrętne, obrzydliwe, nienawistne kłamstwa. Ale Rosaleen była szybsza. Miała silne ramiona, wyrobione od codziennego wygniatania ciasta, wałkowania placków, pielenia grządek i noszenia tacek z jedzeniem po schodach. O tak, była silna. Wyciągnęła jedną rękę do przodu i popchnęła mnie tak mocno, że mi dech zaparło. Zupełnie jakby wypchnęła całe powietrze z moich płuc. Poleciałam do tyłu i uderzyłam głową o róg szafki stojącej obok łóżka. Leżałam na podłodze, ciężko oddychając. Potem się rozpłakałam. Widziałam niewyraźnie, w ustach czułam smak krwi, ale nie wiedziałam, skąd płynie. Byłam zdezorientowana, nie mogłam wstać, znaleźć wyjścia.

Po jakimś czasie, nie wiem jak długim, zobaczyłam wreszcie Rosaleen stojącą w drzwiach. Nadal widziałam wszystko bardzo niewyraźnie, miałam wrażenie, że wszystko wokół mnie wiruje. Usiadłam i dotknęłam głowy. Na palcach poczułam świeżą krew.

– No widzisz? – powiedziała cicho Rosaleen. – I po co to zrobiłaś, dziecko? Do czego mnie zmusiłaś? Teraz musimy się zastanowić, co powiemy. Nie możemy pozwolić, żebyś poszła między ludzi tak jak teraz, po tym, co tu widziałaś. Nie. Nie, muszę pomyśleć, co mam zrobić. Muszę pomyśleć.

Wymamrotałam coś niezbornego. Sama nie wiedziałam, co chciałam powiedzieć. Myślałam tylko o tym, że tata zabrał stąd mnie i moją mamę. I że mama już mnie wtedy miała. To niemożliwe! Nic się nie zgadzało. Przecież spotkali się na bankiecie, eleganckim przyjęciu dla wielu ludzi i gdy tylko tata zobaczył moją mamę, wiedział, że musi ją mieć. Sam to powiedział, powtarzał to przez cały czas. Zakochali się w sobie od pierwszego wejrzenia. Mieli mnie. Tak brzmiała historia, którą opowiedział mi tata. Może coś źle usłyszałam? A może Rosaleen to wszystko zmyśliła? Nie wiedziałam. Strasznie bolała mnie głowa, byłam taka zmęczona. Powieki mi opadały i musiałam na chwilę zamknąć oczy. Zdałam sobie sprawę, że Rosaleen coś mówi, ale nie zwracała się do mnie. Otworzyłam oczy. Spoglądała w stronę korytarza, z lekkim przestrachem.

– Och – żachnęła się lekko. – Nie słyszałam, jak nadchodzisz. Myślałam, że jesteś w szopie.

Kobieta, która robi szklane rzeźby. Gdybym teraz krzyknęła, pewnie by mi pomogła. Nagle usłyszałam męski głos. Zaniepokoiłam się, bo nie był to Arthur ani Weseley – swoją drogą gdzie on był? Czy coś mu się stało? Poszedł zobaczyć pole szkła. Szkło. Niemal co nocy śniły mi się koszmary o szkle. Poruszające się na wietrze gniewne kształty kaleczyły, przebijały, rozcinały moją skórę, kiedy przebiegałam obok, usiłując wydostać się ze szklanej pułapki, pod uważnym spojrzeniem kobiety w oknie. Gdzie ona teraz była?

– Może pójdziesz do kuchni, zaraz ci zrobię herbaty, dobrze? Chcesz herbaty? – mówiła Rosaleen nerwowo. – Co masz na myśli? Jak długo tu stałeś? Ale ona się na mnie rzuciła. Próbowałam się tylko obronić. Zabiorę ją do domu, gdy tylko ją opatrzę.

Nieznajomy powiedział coś jeszcze, a potem usłyszałam skrzypienie plastikowej podłogi. Odgłos stawiania stopy, a potem coś, jakby ciągnięcie, znów krok, znów pociągnięcie czegoś po podłodze.

Usiadłam i przytrzymałam się łóżka, usiłując wstać. Rosaleen była tak zajęta rozmową z nieznajomym, że nie zauważyła, jak się podniosłam. Nie słyszałam, co mówił mężczyzna, ale jej głos stał się na powrót twardy, gniewny. Stracił miękkość i nerwową słodycz. Rosaleen sprzed kilku chwil powróciła. Napastliwa. Opętana. Zaborcza.

„Zaborcza. – Siostra Ignacjusz zastanawiała się nad moim opisem Rosaleen. – Ciekawy dobór słów".

– Czy to dlatego nigdy nie wpuszczasz mnie do swojego pokoju? Czy tak właśnie planowałeś, żebym się dowiedziała? To nie w porządku, wiesz?!

Znów jego głos, krok i wleczenie czegoś po podłodze.

– A co to jest? – Wreszcie wyciągnęła rękę zza pleców. Trzymała w niej szklaną rzeźbę, którą dostałam na urodziny. Chciałam krzyknąć, że to moje, ale w korytarzu zrobiło się nagle zamieszanie.

– Nie taka była między nami umowa, Laurie. Nie miałam nic przeciwko twojemu pomysłowi wydmuchiwania ozdób ze szkła. Pomyślałam, że skoro tego tak bardzo chcesz, ogień i szkło pomogą ci zagoić rany po... po tym wszystkim. Ale teraz posunąłeś się za daleko. Zrujnowałeś wszystko, absolutnie wszystko. Pora na zmiany. Pora na bardzo poważne zmiany.

Laurie. Laurence Kilsaney R.I.P.

Zmroziło mnie. Rosaleen wyobrażała go sobie, albo widziała ducha. Nie, to nie może być prawda. W końcu ja też go słyszałam.

Zabrzmiały kolejne gniewne słowa i Rosaleen machnęła ramieniem, rzucając mój prezent na korytarz. Ktoś krzyknął. Potem Rosaleen rzuciła się na nieznajomego. Zobaczyłam laskę, która unosi się i uderza ją. Rosaleen straciła równowagę i upadła, uderzając z głuchym łomotem o ścianę. Spojrzała na mężczyznę z przestrachem. Wycofałam się do kąta i skuliłam. Chciałam się stąd wydostać, być gdzie indziej, ale nie mogłam się poruszyć.

– Róża? – usłyszałam czyjś głos.

– Tak, mamo – odpowiedziała, gramoląc się na nogi. – Idę, mamo.

Jej głos drżał. Spojrzała na nieznajomego po raz ostatni, a potem pobiegła korytarzem w stronę pokoju telewizyjnego.

Mężczyzna stanął w progu. Myślałam, że jestem przygotowana, ale kiedy go zobaczyłam, wrzasnęłam ze strachu. Pod długimi skołtunionymi włosami dostrzegłam potwornie zniekształconą twarz. Z jednej strony wyglądała, jakby stopiła się i ściągnęła, a potem jakby ktoś nałożył na nią skórę w niewłaściwych miejscach. Mężczyzna szybko uniósł rękę, usiłując opuścić włosy na twarz, żeby ukryć deformację. Nosił długie rękawy, ale kiedy podniósł dłoń, ukazał się kikut. Cała lewa strona ciała mężczyzny była spalona. Ramię opadało mu niczym stopiona świeczka. Miał wielkie błękitne oczy, jedno idealnie oprawione na tle miękkiej, delikatnej skóry, drugie wyglądało, jakby za chwilę miało wyskoczyć z oczodołu. Widać było wszystko, całe białko i to, co pod spodem. Nieznajomy zaczął mozolną wędrówkę ku mnie. Rozpłakałam się.

Usłyszałam, jak drzwi wejściowe do kuchni otwierają się gwałtownie i do domu wpada wiatr. Na pokrytym plastikową matą korytarzu rozległy się szybkie kroki. Mężczyzna, którego Rosaleen nazywała Lauriem, odwrócił się przestraszony.

– Zostaw ją! – wrzasnął Weseley.

Laurie uniósł obie ręce w górę. Wyglądał na smutnego i wstrząśniętego. Potem Weseley zobaczył mnie. Musiałam wyglądać okropnie, bo na jego twarzy momentalnie pojawił się gniew. Pchnął Lauriego na ścianę i chwycił go za szyję.

– Co jej zrobiłeś?! – warknął prosto w jego twarz.

Zostaw go – chciałam powiedzieć, ale z moich ust nie wydobył się żaden dźwięk.

– Tamara, wyjdź stąd – powiedział Weseley, poczerwieniały na twarzy. Żyły na szyi wychodziły mu z wysiłku, jaki wkładał w przytrzymywanie Lauriego.

Nie wiem jak, ale wreszcie udało mi się stanąć na nogi. Chwyciłam pamiętnik i ruszyłam do wyjścia. Po drodze położyłam dłoń na ramieniu Weseleya, żeby go uspokoić, powstrzymać. Puścił Lauriego, zatrzasnął drzwi i zamknął je na klucz, który następnie włożył do kieszeni. Uwięziony mężczyzna krzyczał, żebyśmy go wypuścili, kiedy szliśmy w stronę tylnego wyjścia.

Rozdział 23

Okruszki

Dotarłam do końca korytarza, kiedy zza rogu wyłoniła się Rosaleen, blokując mi drogę. Musiała wyjść przez drzwi frontowe i obejść dom dookoła. Wyciągnęła rękę i chwyciła mnie za ramię, ale przesunęłam się w ostatniej chwili i wyślizgnęłam z jej uchwytu. Paznokcie Rosaleen wbiły się w moją skórę. Uszczypnęła mnie, usiłując utrzymać w garści. Wrzasnęłam.

– Za mną – powiedział Weseley.

Odwróciłam się i pobiegliśmy.

Nagle poczułam gwałtowne szarpnięcie do tyłu. To Rosaleen chwyciła mnie za włosy i pociągnęła mocno do tyłu. Walnęłam ją łokciem w brzuch i puściła mnie z bólu. Pomimo jej zachowania poczułam niepokój, więc przystanęłam, żeby zobaczyć, czy dobrze się czuje. Stała zwinięta wpół, bez tchu.

– Tamara, chodź! – krzyknął Weseley.

Ale ja nie mogłam. To wszystko było idiotyczne. Nie rozumiałam, dlaczego walczyłyśmy, dlaczego zwróciła się przeciwko mnie. Musiałam sprawdzić, czy nie zrobiłam jej krzywdy. Podeszłam do niej. Spojrzała na mnie, zamierzyła się prawą ręką i z całej siły uderzyła mnie w prawy policzek. Weseley szarpnął mnie do tyłu. Nie miałam wyjścia, musiałam uciekać.

Pobiegliśmy do ogrodu na tyłach domu, minęliśmy szopę, która oddzielała domowe życie od szklanego pola. Dopiero gdy znaleźliśmy się między szklanymi rzeźbami, zorientowaliśmy się, jak silny zrobił się wiatr. Tarmosił mi włosy, które opadały na twarz, czasem oślepiając mnie, a czasem dusząc, gdy kosmyki dostawały mi się do otwartych ust. Weseley trzymał mnie za rękę tak mocno, że gdy biegliśmy przez nierówny trawnik, musiałam machać drugą dla równowagi. Nie mogłam więc odgarniać włosów z twarzy. Szklane rzeźby miotały się na wietrze bezładnie, tak że nie można było przewidzieć kierunku ich ruchu. Trudno było się również uchylić i nie zostać pokaleczonym, gdy wiatr rzucał nimi nagle w kierunku naszych twarzy.

Trzymałam się kurczowo Weseleya. Pamiętam tylko, że myślałam: „Nie puszczaj, ani na chwilę go nie puszczaj". Od czasu do czasu odwracał się, żeby sprawdzić, czy nadal z nim jestem, choć przecież ściskał mnie za rękę tak mocno, że niemal miażdżył mi palce. Widziałam, że się martwi, trochę nawet panikuje. Tkwiliśmy w tym oboje i nigdy nie byłam bardziej wdzięczna niebiosom za to, że miałam takiego przyjaciela. Zanurkowaliśmy pod ostatnim rzędem szklanych rzeźb i znaleźliśmy się na skraju ogrodu. Weseley zaczął się zastanawiać, jak mamy przedostać się na drugą stronę muru, ja stałam na straży. Ramiona szczypały mnie, ponieważ zadrapania na nich zaczęły lekko krwawić. Wypatrywałam Rosaleen, która dość szybko pojawiła się koło szopy i zaczęła się rozglądać, szukając nas. Dostrzegła mnie i ruszyła naprzód.

Weseley pracował tak szybko, jak potrafił. Ustawiał coś w rodzaju piramidy ze skrzynek i kawałków betonu. W końcu wspiął się na nią i okazało się, że jest w stanie dosięgnąć szczytu muru.

– Tamara, szybko, pomogę ci przejść na drugą stronę.

Odłożyłam pamiętnik i Weseley dźwignął mnie w górę. Włożyłam wszystkie siły w to, żeby podciągnąć się na samą górę. Łokciami i kolanami szorowałam o twardy kamień. Wreszcie mi się udało. Weseley podał mi pamiętnik i zeskoczyłam po drugiej stronie. Poczułam ból w stopach i kostkach, kiedy wylądowałam na twardym podłożu. Weseley był tuż za mną. Znów chwycił mnie za rękę i pobiegliśmy dalej, przez drogę, do stróżówki.

Zawołałam Arthura i mamę, kiedy tylko udało mi się złapać oddech. Nikt nie odpowiedział. Dom wpatrywał się we mnie milcząco pustymi pokojami. Jedyną odpowiedzią na moje wołanie było tykanie dziadkowego zegara. Pobiegliśmy na górę, a potem z powrotem na dół. Otwieraliśmy wszystkie drzwi, wołając ich. Przedtem byłam zaniepokojona, teraz wpadłam w panikę. Usiadłam na moim łóżku, ściskając pamiętnik. Nie wiedziałam, co robić. Potem, tuląc do piersi pamiętnik z przyszłości, zaczęłam płakać. I nagle wszystko stało się jasne.

Otworzyłam pamiętnik. Powoli, lecz zdecydowanie spalone strony zaczęły się rozwijać i prostować. Pojawiły się na nich słowa, postrzępione i nabazgrane jakby w panice.

– Weseley! – zawołałam.

– Tak? – odpowiedział z dołu.

– Musimy iść! – krzyknęłam.

– Dokąd? – zapytał głośno. – Musimy zadzwonić po policję. Jak myślisz, kim był ten facet? Boże drogi, widziałaś jego twarz?

Wstałam szybko, zbyt szybko. Krew uderzyła mi do głowy i przed oczami zobaczyłam czarne kropki. Usiłowałam iść z nadzieją, że w końcu znikną. Wyszłam na korytarz, przytrzymując się ściany i oddychając głęboko. Czułam, że mój puls przyspiesza, a skóra robi się gorąca i wilgotna.

– Tamara, co się dzieje?

To były ostatnie słowa, jakie usłyszałam.

Poczułam, jak pamiętnik wyślizguje mi się z dłoni i upada z hukiem na podłogę. Potem już nic.

Kiedy się obudziłam, ze ściany wpatrywała się we mnie z obrazu Matka Boska, spowita w błękitną szatę. Uśmiech jej wąskich warg mówił mi, że wszystko będzie dobrze. Jej ręce wyciągały się w moim kierunku, jakby ofiarując mi niewidoczny podarunek. Nagle przypomniałam sobie, co się wydarzyło w bungalowie, i usiadłam przestraszona. Głowa dziwnie mnie bolała, jakby ściskało ją jakieś potężne imadło.

– Auuu! – jęknęłam.

– Ciiii, Tamaro, musisz się położyć. Spokojnie, spokojnie – powiedziała łagodnie siostra Ignacjusz, ujęła mnie za rękę, a drugą dłoń oparła na moim ramieniu. Popchnęła mnie delikatnie z powrotem na łóżko.

– Moja głowa – wychrypiałam, poddając się. Spojrzałam na nią.

– Nieźle ci się oberwało.

Wzięła do rąk ściereczkę, zanurzyła ją w misce z wodą i delikatnie otarła mi czoło tuż nad brwią. Zaszczypało. Zesztywniałam.

– Weseley! – zawołałam spanikowana, rozglądając się i odpychając rękę siostry od siebie. – Gdzie on jest?

– Z siostrą Konceptuą. Czuje się dobrze. Przyniósł cię tutaj na rękach, od samej stróżówki – uśmiechnęła się.

– Tamara! – zawołał ktoś. Nagle zobaczyłam mamę. Podbiegła do mnie i osunęła się na kolana. Wyglądała inaczej. Przede wszystkim była ubrana. Włosy związała z tyłu w koński ogon. Jej twarz była wychudzona, ale oczy... chociaż przekrwione i opuchnięte, jakby dużo płakała, lśniły niezwykłym światłem. – Dobrze się czujesz?

Nie mogłam uwierzyć, że wyszła z łóżka. Wpatrywałam się w nią, oczekując, że w każdej chwili znów wpadnie w trans. Pochyliła się i pocałowała mnie mocno w czoło, tak mocno, że niemal zabolało. Przesunęła dłonią po moich włosach, znów mnie całując i przepraszając.

– Au – skrzywiłam się, kiedy przypadkiem dotknęła rany.

– Och, kochanie, przepraszam. – Natychmiast cofnęła rękę i przyjrzała mi się uważnie. Wyglądała na zmartwioną. – Weseley powiedział, że znalazł cię w sypialni. Mówił o jakimś mężczyźnie z bliznami...

– On mnie nie uderzył – odezwałam się szybko w jego obronie, chociaż nie wiem dlaczego. – Przyszła Rosaleen. Była wściekła. Wypluwała z siebie same kłamstwa o tobie i tacie. Podbiegłam do niej, bo chciałam, żeby przestała, a ona mnie popchnęła... – Dotknęłam rany na głowie. – Jest bardzo źle?

– Nie będziesz miała blizny. Opowiedz mi o tym mężczyźnie – poprosiła mama drżącym głosem.

– Kłócili się. Rosaleen nazywała go Laurie – przypomniałam sobie nagle.

Siostra Ignacjusz chwyciła się oparcia kanapy, zupełnie jakby nagle zakręciło jej się w głowie. Mama spojrzała na nią, zaciskając szczęki, a potem znów na mnie.

– Czyli to prawda – powiedziała. – Arthur powiedział prawdę.

– Ale to niemożliwe – szepnęła zakonnica. – Pogrzebaliśmy go, Jennifer. Zginął w pożarze.

– Nie umarł, siostro. Widziałam go. Widziałam jego sypialnię. Miał zdjęcia, setki zdjęć porozwieszane na ścianach.

– Uwielbiał robić zdjęcia – powiedziała mama cicho, jakby myślała na głos.

– Byłam na nich wszystkich – wtrąciłam się. Spojrzałam na jedną i na drugą. – Opowiedzcie mi o nim. Kim on jest?

– Fotografie? Weseley o tym nie wspominał.

Siostra Ignacjusz trzęsła się cała. Była bardzo blada.

– Nie widział ich, ale ja obejrzałam wszystkie. Na tych zdjęciach było całe moje życie. – Ścisnęło mnie w gardle, ale brnęłam dalej. – Urodziny, chrzciny. – Spojrzałam wtedy na zakonnicę i poczułam nagły gniew. – Widziałam siostrę.

– Och! – Kościste palce powędrowały do ust. – Och, Tamaro.

– Dlaczego mi nie powiedziałaś?! Dlaczego obie kłamałyście?!

– Tak bardzo chciałam ci powiedzieć – zawołała siostra Ignacjusz. – Pamiętasz, kiedy obiecałam, że nigdy ci nie skłamię, że możesz mnie zapytać o wszystko, a ja powiem ci prawdę? Ale ty nigdy mnie nie zapytałaś. Czekałam i czekałam. Uznałam, że nie powinnam się wtrącać, ale nie miałam racji. Teraz to wiem.

– Nie powinnaś się dowiedzieć w ten sposób. To nasza wina – powiedziała mama drżącym głosem.

– Cóż, żadna z was nie miała odwagi zrobić tego, co Rosaleen. To od niej się dowiedziałam. – Odepchnęłam dłoń mamy i odwróciłam od niej twarz. – Opowiedziała mi jakąś głupią historię o tacie, jak przyjechał tu z dziadkiem i chciał kupić zamek z gruntami, zmienić go w uzdrowisko. Powiedziała, że spotkał wtedy mamę i mnie. – Spojrzałam na nią, oczekując, że zaprzeczy.

Milczała.

– Powiedz, że to nieprawda.

Do oczu nabiegły mi łzy. Chciałam być twarda, ale nie potrafiłam. To było zbyt wiele. Siostra Ignacjusz przeżegnała się. Widać było, że jest wstrząśnięta.

– Powiedz mi, że tata jest moim tatą.

Mama zaczęła płakać, ale potem powstrzymała się, wzięła głęboki oddech, znalazła w sobie siłę. Kiedy przemówiła, jej głos był spokojny, mocny, pewny.

– Posłuchaj mnie, Tamaro. Musisz uwierzyć, nie powiedzieliśmy ci o tym dlatego, że wydało się to nam właściwym wyjściem. George... – zamilkła na chwilę. – George kochał cię z całego serca, jakbyś była jego własnym dzieckiem...

Zaskowyczałam na te słowa. Nie mogłam uwierzyć własnym uszom.

– Nie chciał, żebym powiedziała ci prawdę. Kłóciliśmy się o to przez cały czas, ale to moja wina. To wszystko moja wina. Tak mi przykro.

Łzy płynęły jej po policzkach i chociaż nie chciałam nic do niej teraz czuć, chociaż pragnęłam ze wszystkich sił dać jej do zrozumienia, jak bardzo mnie zraniła, nie potrafiłam pozostać obojętna. Mój świat zmienił się tak bardzo, że nie wiedziałam już, na czym stoję.

Siostra Ignacjusz wstała i położyła dłoń na głowie mamy, która rozpaczliwie usiłowała powstrzymać łzy i zająć się mną. Nie mogłam na nią patrzeć, więc podążałam wzrokiem za zakonnicą, kiedy ta przecięła pokój, otworzyła szafkę, wyciągnęła z niej coś, podeszła do łóżka i podała mi.

– Proszę. Chciałam ci to dać już od jakiegoś czasu – powiedziała ze łzami w oczach. W dłoniach trzymała opakowany prezent.

– Siostro, naprawdę nie jestem teraz w nastroju urodzinowym. Może nie zauważyłaś, że właśnie mama przyznała się, że przez całe życie mi kłamała – powiedziałam jadowicie.

Mama zacisnęła usta i zmarszczyła czoło. Pokiwała powoli głową, akceptując każdą karę, jaką jej zamierzałam wymierzyć. Chciałam na nią nakrzyczeć, powiedzieć wszystkie najgorsze rzeczy na świecie, które o niej kiedyś myślałam. Tak jak kłóciłam się z tatą. Powstrzymałam się jednak. Konsekwencje. Reperkusje. Pamiętnik mnie tego nauczył.

– Otwórz go – powiedziała siostra Ignacjusz tonem nieznoszącym sprzeciwu.

Zerwałam opakowanie. W środku było pudełko, a w nim zwinięty w rulon papier. Spojrzałam na nią, ale ona uklękła obok, złożyła ręce i oparła o nie czoło, jakby się modliła.

Rozwinęłam rulon. Było to świadectwo chrztu.

Niniejsze Świadectwo Chrztu potwierdza, że
Tamara Kilsaney
urodzona dnia 24 lipca 1991 roku
w zamku Kilsaney, County Meath
została zaprezentowana światu z miłością
przez jej matkę, Jennifer Byrne
oraz jej ojca Laurence'a Kilsaneya
dnia 1 stycznia 1992 roku

Wpatrywałam się w dokument, czytając go raz po raz z nadzieją, że wzrok mnie zawodzi. Nie wiedziałam, od czego zacząć.

– Po pierwsze, data urodzin jest zła. – Starałam się mówić pewnym siebie głosem, ale tak naprawdę brzmiał on żałośnie i wiedziałam o tym. Było to coś, czego nie mogłam zamaskować sarkazmem.

– Przykro mi, Tamaro – powiedziała siostra Ignacjusz.

– To dlatego ciągle mówiłaś, że mam siedemnaście lat. – Przypomniałam sobie nasze wcześniejsze rozmowy. – Jeżeli to prawda, w takim razie dzisiaj skończyłam osiemnaście lat... Marcus. – Spojrzałam na nią. – Pozwolilibyście mu pójść do więzienia?

– Co takiego? – Mama spoglądała to na mnie, to na nią. – Kim jest Marcus?

– Nie twoja sprawa – warknęłam. – Może ci powiem za dwadzieścia lat.

– Tamaro, proszę.

– Mógł skończyć w więzieniu.

Spojrzałam z gniewem na siostrę Ignacjusz, która potrząsnęła gwałtownie głową.

– Nie. Prosiłam Rosaleen tyle razy, żeby ci to powiedziała, a jeżeli nie tobie, to policji. Ona uważała, że wszystko będzie dobrze, ale ja postanowiłam działać. Sama poszłam na policję, Tamaro. Pojechałam do Dublina, rozmawiałam z policjantem Fitzgibbonem, osobiście dałam mu twój akt urodzenia. Było również oskarżenie o włamanie, ale biorąc pod uwagę okoliczności, ono również zostało wycofane.

– Jakie oskarżenie? Co się stało? – Mama spojrzała na siostrę Ignacjusz z niepokojem.

„Boże, Tamara, jeżeli jeszcze nie wiesz, dlaczego nie stanę przed sądem, to masz dużo poważniejszy problem, niż myślałem. Słuchaj, życzę ci powodzenia ze wszystkim, ale... nie dzwoń już do mnie więcej".

To była moja ostatnia rozmowa z Marcusem. Wiedział już wtedy, dlaczego oskarżenie zostało wycofane. Jak cholernie musiałam być pokręcona, skoro nie znałam nawet daty swoich urodzin? Tak bardzo mi ulżyło z powodu Marcusa, że na chwilę wyparowała ze mnie cała złość. Niestety, szybko wróciła. Bolała mnie głowa. Dotknęłam dłonią rany. Karmili mnie kłamstwami, rzucali okruszki na drodze, a ja musiałam iść po tym śladzie, żeby dowiedzieć się prawdy.

– Ustalmy więc raz na zawsze. Rosaleen nie kłamała. Laurie jest moim ojcem, tak? Ten szaleniec... z fotografiami?! – wykrzyczałam. – Dlaczego nikt mi nie powiedział? Dlaczego wszyscy kłamali? Dlaczego pozwoliliście mi wierzyć, że straciłam tatę?

– Tamaro, George był twoim tatą. Kochał cię bardziej niż życie. Wychował cię jak własną córkę. On...

– NIE ŻYJE! – wrzasnęłam. – A wy wszyscy pozwoliliście mi wierzyć, że straciłam ojca. Okłamał mnie. Okłamaliście mnie. Nie mogę w to uwierzyć!

Zerwałam się. Kręciło mi się w głowie.

– Twoja mama myślała, że Laurie umarł, Tamaro. Miałaś wtedy niecały roczek. Mama mogła spróbować ułożyć sobie życie na nowo. George bardzo ją kochał, ciebie też. Twoja mama chciała, żeby się udało i żebyś uniknęła przykrości.

– I co, uważasz, że to było w porządku? – zwróciłam się do mamy, chociaż to siostra Ignacjusz jej broniła.

– Nie, nie zgadzałam się z tym, ale twoja mama zasługiwała na szczęście. Była taka załamana, kiedy Laurie zginął – dodała siostra Ignacjusz.

– Ale Laurie żyje! – wrzasnęłam. – Mieszka sobie w bungalowie i każdego dnia zajada się kanapkami i szarlotkami. Rosaleen o tym cały czas wiedziała!

Na te słowa mama wybuchnęła potwornym płaczem. Siostra Ignacjusz objęła ją mocno, z widocznym bólem. Zamilkłam, nagle zdając sobie sprawę, że nie byłam jedyną osobą, którą oszukiwano. Mama właśnie się dowiedziała, że mężczyzna, którego kochała, wcale nie umarł. Czy to jakiś wyjątkowo niesmaczny żart?

– Mamo, przepraszam – powiedziałam cicho.

– Och, kochanie – chlipnęła. – Może na to wszystko zasłużyłam. Za to, co ci zrobiłam.

– Nie, nie zasłużyłaś. Ale on też na ciebie nie zasługuje. Co z niego za psychol, że udawał przez cały ten czas nieboszczyka?

– Usiłował ją w ten sposób chronić – wyjaśniła siostra Ignacjusz. – Chciał, żebyście miały z mamą jak najlepsze życie, którego on wam nie mógł dać.

– Arthur powiedział, że Laurie jest bardzo oszpecony. – Mama spojrzała na mnie pytająco. – Jak... jak on wygląda? Był dla ciebie dobry?

– Arthur? – Poderwałam się. – Arthur Kilsaney? Jest bratem Lauriego?

Mama pokiwała głową, a po jej policzku spłynęła kolejna łza.

– Z wami to się nigdy nie skończy, co? – spytałam, ale już bez gniewu. Nie miałam na to siły.

– Nie chciał się na to wszystko zgodzić. – Mama też była wyczerpana. – Teraz rozumiem, dlaczego był taki przeciwny. Powiedział, że zawsze chciał być twoim wujkiem. Nigdy nie twierdziliśmy, że jest moim bratem, dopóki nie przyjęłaś tego za pewnik, a wtedy... – Machnęła ręką, wyczuwając idiotyzm tego układu.

W tym momencie w pokoju pojawił się Weseley.

– Policja jest już w drodze. Dobrze się czujesz? – Spojrzał na mnie. – Zrobił ci krzywdę?

– Nie, nie, to nie on – potarłam oczy. – On ocalił mnie przed Rosaleen.

– A ja myślałem, że...

– Nie – potrząsnęłam głową.

– Zamknąłem go w pokoju – powiedział Weseley zawstydzony, wyciągając z kieszeni klucz. – Myślałem, że chciał ci zrobić krzywdę.

– O nie! – Cała złość wyparowała ze mnie w jednej chwili. Zrobiło mi się żal Lauriego. Próbował mnie bronić, dawał mi prezenty. Pamiętał o moich urodzinach. Osiemnastych urodzinach. Oczywiście, że pamiętał. A jak ja mu podziękowałam? Zamykając go w pokoju.

– Gdzie jest Arthur? – spytała siostra Ignacjusz.

– Poszedł do bungalowu po Rosaleen.

I wtedy sobie przypomniałam. Pamiętnik.

– Nie! – Zaczęłam się gramolić na nogi.

– Kochanie, powinnaś wypoczywać. – Mama usiłowała mnie powstrzymać, ale wyskoczyłam z łóżka.

– Musimy go stamtąd wydostać – panikowałam. – Co ja tu robiłam przez ten cały czas? Weseley, zadzwoń po straż pożarną. Szybko!

– Po co?

– Kochanie, uspokój się – powiedziała mama zaniepokojonym tonem. – Połóż się i...

– Nie, posłuchajcie mnie! Weseley, wszystko jest w pamiętniku. Musimy to powstrzymać. Zadzwoń po straż pożarną!

– Tamara, to tylko książka...

– Która przewidywała przyszłość ze stuprocentową dokładnością aż do tej chwili – dokończyłam.

Pokiwał głową.

– Co to takiego? – Spytała nagle mama, spoglądając przez okno.

Nad drzewami w oddali unosiły się kłęby dymu.

– Rosaleen – powiedziała siostra Ignacjusz z takim jadem w głosie, że aż mnie zmroziło. – Zadzwoń po straż pożarną – poleciła Weseleyowi.

– Daj mi klucz. – Chwyciłam go i rzuciłam się do drzwi. – Muszę go wypuścić. Nie zamierzam znowu go stracić.

Słyszałam, jak za mną wołają, ale nie zatrzymałam się, nie słuchałam ich. Biegłam w kierunku drzew i dalej, wiedziona swądem spalenizny, prosto do bungalowu. Niedawno straciłam jednego ojca, tego, który mnie wychowywał. Nie zamierzałam stracić drugiego.

Rozdział 24

SNY O MARTWYCH LUDZIACH

Kiedy dotarłam do bungalowu, zobaczyłam zaparkowany przed nim samochód policyjny. Rosaleen stała na trawie obok swojej matki. Rozmawiał z nią dość niecierpliwy policjant, wypytując w kółko, czy ktoś został w domu. Rosaleen zawodziła, to chowając twarz w dłoniach, to spoglądając na dom, jakby nie mogła się zdecydować. Obok policjanta stał Arthur, który potrząsał Rosaleen i krzyczał na nią, usiłując wydobyć od niej odpowiedź.

– Jest w szopie! – krzyknęła wreszcie.

– Nie ma go tam! Sprawdziłem! – wrzasnął Arthur.

– Musi tam być! – zaskrzeczała. – Musi. Zawsze zamyka pokój na klucz, kiedy idzie do szopy.

– Kto? – pytał policjant raz za razem. – Kto jest w domu?

– Nie ma go tam. – Głos Arthura był schrypnięty od emocji. – Mój Boże, kobieto, co ty narobiłaś?!

– O Bożeeeee! – zawodziła Rosaleen.

Jej matka cicho płakała.

W oddali rozległo się wycie syren.

Zignorowałam ich wszystkich. Przebiegłam obok niezauważona, prosto do tylnego wejścia. Wszędzie był dym, czarny i gęsty, wypełniał korytarze. Zadławiłam się przy pierwszej próbie oddechu. Opadłam na kolana, krztusząc się i gwałtownie łapiąc powietrze. Oczy piekły mnie tak bardzo, że nie mogłam się powstrzymać od tarcia, chociaż to tylko pogarszało sprawę. Zasłoniłam twarz swetrem. Nasączyłam go zimną wodą w kuchni i owinęłam wokół nosa i ust, żeby łatwiej oddychać. Otworzyłam tylko jedno oko i zaczęłam przesuwać się wzdłuż ściany. Plastik pod moimi stopami zrobił się niebezpiecznie gorący i kleisty. Trzymałam się boków korytarza, gdzie była terakota. Dotarłam do drzwi sypialni Lauriego. Chwyciłam za klamkę, która była już tak rozgrzana, że się oparzyłam. Puściłam ją i skuliłam się, kasłąc, dławiąc się i wyjąc z bólu. Otwarte drzwi na końcu korytarza uwalniały korytarz od części dymu. Wiedziałam, że nie są tak daleko. Zawsze mogłam biegiem dotrzeć do wyjścia.

Wetknęłam klucz do zamka z nadzieją, że gorąco nie zdeformowało mechanizmu, i przekręciłam go. Odsunęłam się i nacisnęłam klamkę obutą stopą. Drzwi się otworzyły. Wbiegłam do środka w oparach dymu i zatrzasnęłam za sobą drzwi. Rogi fotografii na ścianach zwinęły się od gorąca. Nie widziałam ognia, tylko dym, gęsty, czarny ciężki dym, od którego bolały mnie płuca. Usiłowałam zawołać Lauriego, ale nie mogłam. Zaczęłam tylko kasłeć. Miałam nadzieję, że mnie usłyszy, będzie wiedział, że tu jestem.

Dłońmi odnalazłam drogę do łóżka, wyczułam jego ciało, twarz. Jego pięknie poranioną twarz, zrujnowaną niczym zamek, która kryła w sobie tyle historii. Przyciągała mnie, nie odstraszała. Miał zamknięte oczy, czułam pod palcami jego powieki. Potrząsnęłam nim, przesunęłam dłonie wzdłuż ciała. Próbowałam go obudzić. Nic. Stracił przytomność. Za plecami czułam gorąco, ogień. Dotrze tu szybko i znajdzie pożywienie w pokoju pełnym fotografii. Ściągnęłam gęste firanki, wpuszczając do szarego, zadymionego pokoju nieco światła. Zaczęłam szukać po omacku klamki, żeby otworzyć okna. Były zamknięte i nie mogłam znaleźć klucza. Chwyciłam krzesło i zamierzyłam się, żeby rozbić szybę. Nie dałam rady. Usiłowałam podnieść Laurence'a, ale był zbyt ciężki. Próbowałam i próbowałam, bezskutecznie. Opadałam tylko z sił, czułam zawroty głowy. Położyłam się obok niego, usiłując go obudzić. Chwyciłam jego dłoń i skuliłam się obok niego na łóżku. Nie zamierzałam go zostawić.

Nagle przed moimi oczami pojawił się zamek. Bankiet, z długim stołem zastawionym różnorakim jedzeniem, mięsiwami, bażantami, prosiakami z rożna, pyszną kaczką i warzywami, ociekający tłuszczem i sosami, płynący winem i szampanem. Potem pojawiła się przy mnie siostra Ignacjusz. Krzyczała na mnie, żebym pchała, ale nie wiedziałam co. Nie widziałam jej, ale słyszałam. Nagle w ciemności pojawiło się przecudne światło, rozlało wokół mnie. Znalazłam się w ramionach siostry Ignacjusz. W chwilę potem biegłam przez pole, z całych sił, a Rosaleen następowała mi na pięty. Trzymałam za rękę Weseleya, ale to nie był on, tylko Laurie. Nie wyglądał tak jak teraz, lecz tak jak na zdjęciach – przystojny, młody, łobuzerski. Odwracał się do mnie i uśmiechał, ukazując piękne białe zęby. Nagle dostrzegłam, jak bardzo jesteśmy do siebie podobni, przypomniałam sobie, jak się zastanawiałam, dlaczego nie wyglądam jak mama czy tata. Teraz miało to sens. Jego nos, usta, policzki i oczy. Moja twarz. Trzymał mnie za rękę i mówił, że wszystko będzie w porządku. Biegliśmy, zaśmiewając się i nie martwiąc o Rosaleen. Nie mogła nas skrzywdzić. Razem mogliśmy zrobić wszystko. Potem zobaczyłam tatę na końcu pola, bijącego brawo i dopingującego nas, zupełnie jakbym znowu była dzieckiem i brała udział w wyścigach w klubie rugby. Laurie zniknął, a u mojego boku pojawiła się mama. Miałyśmy związane razem nogi, bo to był wyścig trzynogich par. Mama była przestraszona, nie śmiała się, spoglądała z troską. Potem zniknęła i obok mnie znów pojawił się Laurie. Biegliśmy, potykając się, a mój tata śmiał się, dopingował i przywoływał nas z otwartymi ramionami, gotowy chwycić nas w objęcia, kiedy przekroczymy linię mety.

Potem szklane rzeźby eksplodowały wokół nas, rozpryskując się na miliony kawałków. Puściłam rękę Lauriego. Usłyszałam tatę wykrzykującego moje imię i otworzyłam oczy. Pokój był wypełniony szkłem. Odłamki obsypały nas oboje i podłogę. Dym wydostawał się z rozbitego okna na zewnątrz. Zobaczyłam pazur, wielki żółty pazur znikający w oknie. Dym wypłynął z pokoju, ale nie powstrzymało to ognia. Płomienie zaczęły lizać fotografie, pożerając je w przerażającym tempie. Nas zostawiły sobie na koniec. Już niedługo. Zobaczyłam Arthura. Siostrę Ignacjusz. Twarz mamy, prawdziwą, przerażoną. Była na zewnątrz, mówiła coś, biegała. Mimo jej trwogi poczułam ulgę. Chwyciły mnie czyjeś ramiona i nagle znalazłam się przed domem, kasząc, plując i krztusząc się. Nie mogłam oddychać. Leżałam na trawie. Zanim zamknęłam oczy, zobaczyłam mamę, jak opada obok mnie, poczułam, jak całuje mnie w czoło, a potem przytula Lauriego, płacząc straszliwie. Jej łzy spadały na jego twarz, jakby chciały same ugasić pożar między nimi.

Po raz pierwszy od dnia, w którym znalazłam tatę leżącego na podłodze w swoim gabinecie, naprawdę odetchnęłam.

Rozdział 25

Mała dziewczynka

Pewnego razu była sobie mała dziewczynka, która mieszkała w bungalowie. Była najmłodszym dzieckiem w rodzinie. Miała inteligentną starszą siostrę i słodkiego starszego brata, tak przystojnego, że wszyscy się za nim oglądali na ulicy i chcieli go mieć w swoim gronie przyjaciół. Mała dziewczynka była dzieckiem niespodzianką. Dla jej rodziców, którzy już dawno przestali myśleć o dzieciach, stała się nie tylko dzieckiem nieplanowanym, ale także niechcianym i dobrze o tym wiedziała. W wieku czterdziestu siedmiu lat, po dwudziestodwuletniej przerwie w rodzeniu dzieci, jej matka nie była przygotowana na pojawienie się kolejnej pociechy. Poprzednie już w tym czasie dorosły i wyprowadziły się. Córka Helena do Cork, gdzie pracowała jako nauczycielka w szkole podstawowej, zaś syn Brian do Bostonu, gdzie był analitykiem komputerowym. Rzadko odwiedzali dom rodziny. Dla Briana było to zbyt kosztowne, a matka wolała jeździć na wakacje do Cork. Mała dziewczynka nie znała tych dwojga ludzi, którzy nazywali siebie jej bratem i siostrą. Mieli dzieci starsze niż ona

330

i wcale nie wiedzieli, kim ona jest i czego chce. Pojawiła się na tym świecie zbyt późno i nigdy nie zaznała bliskości, jaka łączyła resztę rodziny.

Jej ojciec był pomocnikiem myśliwego na gruntach zamkowych, które rozciągały się po drugiej stronie drogi, naprzeciwko jej domu. Mama była kucharką rodziny Kilsaneyów. Mała dziewczynka była dumna z pozycji, jaką zajmowała jej rodzina, tak blisko świetności, że dzieci w szkole uważały, że sama należy do dworu. Lubiła świadomość, że jej rodzina wie o sprawach, o których nikt inny nie miał pojęcia. Zawsze korzystali z hojności państwa w czasie Bożego Narodzenia, mogli żywić się gotowanymi dla nich potrawami, używać materiałów i tapet pozostałych po niedawnych remontach. Grunty zamkowe były własnością prywatną, ale małej dziewczynce pozwalano się na nich bawić. Czuła się tym niezwykle uhonorowana i robiła wszystko, aby zadowolić rodzinę. Drobne roboty domowe, przekazywanie matce wiadomości od ojca, co dzisiaj upolowali i jakie warzywa wybrać na obiad.

Uwielbiała dni, kiedy pozwalano jej przychodzić do zamku. Gdy była chora, matka nie mogła jej zostawić samej w domu. Państwo Kilsaneyowie wykazali się wielką wyrozumiałością. Pozwalali mamie małej dziewczynki przyprowadzać ją ze sobą do pracy. Wiedzieli, że nie ma wyboru, a ponieważ nikt inny nie zadbałby o ich wyżywienie tak dobrze, zwłaszcza z malejącym z roku na rok budżetem, zgadzali się na obecność jej córki na zamku. Zazwyczaj mała dziewczynka siadywała wtedy cicho w rogu wielkiej kuchni i obserwowała, jak matka poci się przez cały dzień nad garnkami i rozgrzanym piecem. Nie sprawiała żadnych kłopotów, ale obserwowała i zapamiętywała wszystko dokładnie. Uczyła się w ten sposób gotowania, ale też pochłaniała to, co działo się w obejściu.

Zauważyła, że ilekroć pan Kilsaney miał do podjęcia jakąś decyzję, znikał w pokoju wyłożonym dębową boazerią, stawał na środku z rękoma założonymi do tyłu i wpatrywał się w portrety swoich przodków, którzy spoglądali na niego z ogromnych obrazów olejnych oprawionych w kosztowne złote ramy. Wychodził potem z pokoju z wysoko uniesioną głową i rzucał się do działania, niczym żołnierz zachęcony do działania przez swojego dowódcę.

Widziała również, że pani Kilsaney jest całkowicie zakochana w swoich dziewięciu psach i biega szaleńczo po całym domu, usiłując je złapać, nie zauważając przy tym, jak wiele rzeczy dzieje się bez jej udziału. Poświęcała całą uwagę swoim pupilkom, a zwłaszcza złośliwemu spanielowi o imieniu Messy, którego nie można było w żaden sposób wychować, a który zdominował większość myśli i konwersacji pani domu. Nie dostrzegała, że jej dwaj synowie psocą specjalnie, żeby przyciągnąć jej uwagę, ani tego, że mąż za bardzo polubił nieatrakcyjną pokojówkę Magdelene, która miała czarny ząb i zbyt dużo czasu spędzała na odkurzaniu sypialni Kilsaneyów, kiedy pani domu wychodziła na spacery ze swoimi psami.

Mała dziewczynka zauważyła, że pani Kilsaney wściekała się z powodu zwiędłych kwiatów. Przechodząc, przyglądała się uważnie zawartości każdego wazonu, zupełnie jakby miała obsesję na tym punkcie. Uśmiechała się radośnie, gdy co trzy dni zakonnica przynosiła jej rano świeże bukiety z ogrodu kwiatowego. Potem, gdy tylko za siostrą zamykały się drzwi, zaczynała przebierać kwiaty z zapałem, wyciągając i wyrzucając wszystko, co wydało jej się niedoskonałe. Mała dziewczynka uwielbiała panią Kilsaney, jej tweedowe kostiumy i brązowe buty do jazdy konnej, które nosiła nawet w dni, kiedy nie wybierała się na przejażdżkę. Postanowiła jednak, że nigdy nie pozwoli, aby w jej własnym domu tyle rzeczy działo się bez jej udziału czy świadomości. Uwielbiała panią domu, ale uważała ją za głupią.

Nie podobały jej się zabawy pana domu. Nie ukrywał nawet specjalnie zabawiania się z brzydką pokojówką. Łaskotał jej pupę miotełką do odkurzania i zachowywał się, jakby miał mniej lat niż mała dziewczynka. Uważał, że była za młoda, żeby zauważać i rozumieć jego zachowanie. Mała dziewczynka nie lubiła go zbytnio, a on uważał ją za głupią.

Przyglądała się wszystkim i wszystkiemu. Postanowiła, że ona zawsze będzie wiedziała, co dzieje się w jej domu.

Uwielbiała obserwować chłopców. Zawsze usiłowali coś spsocić, biegali korytarzami, przewracając, psując i tłukąc różne przedmioty, strasząc pokojówkę i hałasując. Pociągał ją zwłaszcza starszy z nich. To zawsze on wymyślał wszystkie harce. Młodszy, bardziej rozsądny, zgadzał się na kolejne szaleństwa głównie po to, żeby mieć baczenie na starszego brata. Laurence, tak miał na imię starszy. Laurie, jak na niego wołali. Nigdy nie zauważał małej dziewczynki, ale ona zawsze trzymała się gdzieś na uboczu, zaangażowana, choć niezaproszona, bawiąc się z nimi w wyobraźni.

Młodszy chłopiec za to – Arthur albo Artie, jak go nazywali – dostrzegł małą dziewczynkę. Nie zaprosił jej do zabawy, nie zrobił niczego z własnej inicjatywy. Zawsze podążał za starszym bratem. Kiedy jednak Laurie zrobił coś głupiego, Arthur zerkał na małą i wywracał oczami na jej użytek. Mała dziewczynka wolała, żeby tego nie robił. Chciała, żeby to Laurie ją dostrzegł, a im dłużej jej nie zauważał, tym bardziej tego pragnęła. Czasem, kiedy był sam i biegł gdzieś, specjalnie stawała na jego drodze. Chciała, żeby się zatrzymał, krzyknął albo przynajmniej spojrzał na nią, ale on nigdy tego nie robił. Po prostu ją omijał. Jeżeli szukał Artiego, kiedy bawili się w chowane-go, mała dziewczynka zawsze usiłowała mu pomóc, wska-zując, gdzie schował się młodszy brat. Laurie ignorował ją, szukał gdzie indziej, a potem krzyczał do Artiego, że się poddaje. Nie chciał od niej niczego.

Mała dziewczynka co jakiś czas chorowała, więc często przebywała w zamku. Najlepsze były letnie wakacje. Wte-dy miała każdy dzień dla siebie, mogła bawić się na tere-nie posiadłości bez potrzeby udawania, że kaszle albo że boli ją brzuch. Właśnie pewnego lata, kiedy mała dziew-czynka miała siedem lat, Artie osiem, a Laurie dziewięć, bawiła się na dworze, jak zwykle sama. Nagle matka za-wołała ją do zamku. Kilsaneyowie wyjechali na polowanie z kuzynami z Balbriggan. Pani domu zaprosiła kucharkę do swojego pokoju, aby pomogła jej wybrać suknię. Zdecy-dowała się na długą koloru oliwkowego, do której paso-wały perły i futro. Matka małej dziewczynki została na gospodarstwie na cały dzień. Kiedy dziewczynka pojawiła się przed wejściem do zamku, po minach chłopców wie-działa, że wpakowali się w kłopoty.

– Mamy dziś piękny dzień, więc idźcie się pobawić na dworze i nie plączcie mi się pod nogami – powiedziała matka dziewczynki. – Rosaleen pójdzie z wami.

– Nie chcę się z nią bawić – naburmuszył się Laurie, na-dal na nią nie patrząc, ale ona przynajmniej dowiedziała się, że nie była dla niego niewidzialna.

– Bądźcie dla niej mili, chłopcy. Przywitaj się, Rosaleen.

Chłopcy stali z zaciśniętymi ustami, ale matka małej dziewczynki warknęła na nich.

– Hej, Rosaleen – wymamrotali pod nosem. Laurie wbił wzrok w ziemię, Artie uśmiechnął się do niej nieśmiało.

Mała dziewczynka nie miała przedtem imienia. Kiedy usłyszała, jak Laurie wypowiada je tego dnia, były to dla niej swego rodzaju chrzciny.

– A teraz zmykajcie – poleciła jej mama i chłopcy pobiegli przed siebie, a Rosaleen za nimi.

Zatrzymali się dopiero w lesie. Laurie zauważył mrowisko.

– Jestem Artie – przedstawił się młodszy chłopiec.

– Nie rozmawiaj z nią – burknął Laurie.

Podniósł z ziemi gałąź i zaczął nią wymachiwać, jakby ruszał do walki. Zignorował ich oboje i zajął się grzebaniem w dziupli. Nagle usłyszeli głosy. Laurie nadstawił uszu i ruszył w stronę hałasu. Uniósł rękę do góry i wszyscy się zatrzymali. W prześwicie między drzewami zobaczyli zarządcę Paddy'ego, na kolanach, przerywającego jakieś chwasty. Obok niego, na taczce, leżała mała dziewczynka, może dwuipółletnia, z jasnymi blond włosami.

– Kto to? – spytał Laurie.

Rosaleen poczuła ostrzegawcze ukłucie w sercu, ale była zbyt podekscytowana możliwością pierwszej z nim rozmowy. Odpowiedziała więc z biciem serca, świadoma brzmienia swego głosu, pragnąc, żeby wszystko wypadło idealnie:

– To Jennifer Byrne. – Starała się wyrażać właściwie i perfekcyjnie, jak pani Kilsaney. – Paddy jest jej tatą.

– Może się z nami pobawi – powiedział Laurie.

– Ona jest jeszcze malutka – zaprotestowała Rosaleen.

– Jest zabawna – powiedział Laurie, przyglądając się, jak jasnowłose maleństwo wyleguje się w taczce.

Od tego dnia zawsze byli we czwórkę: Laurie, Artie, Rosaleen i Jennifer. Bawili się razem co dzień. Jennifer, ponieważ została zaproszona, Rosaleen, ponieważ chłopcy zostali zmuszeni do zabawy z nią. Rosaleen nigdy o tym nie zapomniała. Nawet kiedy Laurie pocałował ją w krzakach albo kiedy przez kilka tygodni chodzili ze sobą, zawsze wiedziała, że to mała Jennifer jest jego faworytką. Matka Jen umarła, gdy mała miała trzy lata. Wychowana bez kobiecej dłoni, Jennifer zawsze była chłopczycą. Chodziła po drzewach, ganiała się z Artiem i Lauriem, rozbierała się do naga i kąpała w jeziorach bez chwili zastanowienia. Zawsze usiłowała namówić do tego Rosaleen i nie rozumiała, dlaczego ta odmawiała. Rosaleen postanowiła przeczekać ten okres. Wiedziała, że takie zachowanie w końcu znudzi się chłopcom. Stracą zainteresowanie, będą chcieli znaleźć prawdziwą kobietę, a ona zamierzała właśnie nią być. Mogła się stać drugą panią Kilsaney, mieć zamek, gotować, trenować psy i pilnować, żeby zakonnica przynosiła jej tylko najpiękniejsze kwiaty. Marzyła o tym, że pewnego dnia Laurie będzie należał do niej. Zamieszkają razem w zamku, ona, dbając o psy i bukiety w wazonach, Laurie, szukając inspiracji w dębowym pokoju przodków.

Kiedy chłopcy wyjechali do szkoły z internatem, Laurie pisał listy tylko do Jennifer, a Artie do nich obu. Rosaleen nigdy się do tego nie przyznała przed Jennifer. Udawała, że ona również dostawała listy od Lauriego, ale nie chciała ich odczytywać na głos, bo zawierały sprawy zbyt osobiste. Jennifer nigdy to nie przeszkadzało. Tak bardzo ufała przyjaźni z Lauriem, że Rosaleen stała się jeszcze bardziej zazdrosna. Potem, kiedy chłopcy poszli do college'u, stwardnienie rozsiane, na które chorowała mama Rosaleen, zaczęło dawać się jej coraz bardziej we znaki. Jej starzejący się ojciec był bardzo chory, potrzebowali pieniędzy, a rodzeństwo Rosaleen mieszkało zbyt daleko, żeby im pomóc. Dlatego rodzice Rosaleen znaleźli oparcie w dziecku, którego nigdy nie chcieli. Rosaleen musiała przerwać naukę i przejąć posadę mamy jako kucharki w zamku. Jennifer dobrze się miewała i często odwiedzała chłopców w Dublinie.

To był najgorszy czas dla Rosaleen. Tygodnie dłużyły się nieznośnie bez nich wszystkich. Żyła tylko chwilą powrotu

Lauriego. Marzyła, żeby wszystko to się już skończyło, żeby nastała przyszłość, którą wyobrażała sobie całymi dniami i nocami. Tymczasem tamtych troje prowadziło ekscytujące życie w Dublinie: Laurie studiował w college'u sztuki piękne i wysyłał do domu swoje szklane rzeźby, Artie uczył się ogrodnictwa, a Jennifer oferowano posadę modelki, gdziekolwiek się pojawiła. Kiedy wracali do domu podczas przerw w nauce, Rosaleen była przeszczęśliwa, poza jedną rzeczą – chciała, żeby Laurie patrzył na nią tak, jak patrzył na Jennifer.

Nie miała pojęcia, jak długo trwał ich romans. Mogła tylko się domyślić, że rozpoczął się w Dublinie, kiedy ona siedziała w domu, skubiąc bażanty i patrosząc ryby. Zastanawiała się, czy kiedykolwiek zamierzali jej powiedzieć, gdyby nie pewien żenujący dzień, kiedy zaprowadziła Lauriego pod jabłoń, żeby wyznać mu swoje uczucia. Pokazała mu napis na drzewie. „Róża i Laurie". Była pewna, że go to zaskoczy. Zrozumie, kogo ma przed sobą, jak dzielnie dbała dla niego o jego dom, jaka była zaradna i samodzielna. Wyobrażała sobie ten dzień całymi miesiącami, latami, siedząc samotnie w zamkowej kuchni.

Ale nic nie przebiegło tak, jak to sobie planowała. Życie stało się przygnębiające, zimne. Jej ojciec umarł, chłopcy wrócili do domu na pogrzeb, jej starsza siostra chciała zabrać matkę do siebie, do Cork, ale bez niej Rosaleen nie miała nic. Obiecała więc, że będzie się nią opiekować do samego końca. Jennifer zaoferowała jej swoją przyjaźń, którą Rosaleen zaakceptowała, chociaż w głębi duszy szczerze nienawidziła pięknej blondynki. Nie cierpiała wszystkiego, co tamta mówiła, robiła, i tego, że Laurie się w niej zakochał.

Na jesieni 1990 roku Jennifer zaszła w ciążę. Życie Rosaleen legło w gruzach. Jennifer została przywitana w zamku Kilsaney z otwartymi ramionami. Zachwycona

337

pani domu pokazała Jennifer jej ubrania, suknię ślubną, wszystko to, co powinno należeć do Rosaleen. Jennifer i jej ojciec co tydzień byli zapraszani na obiady, a Rosaleen musiała dla nich gotować. Tego upokorzenia nie mogła zapomnieć.

Urodziło się dziecko, dwa tygodnie za wcześnie i bez możliwości dotarcia na czas do szpitala. Rosaleen musiała biec w nocy, żeby przyprowadzić starą zakonnicę. Laurie i Jennifer mieli dziewczynkę. Nazwali ją Tamara, na pamiątkę matki Jennifer, która umarła dawno temu. Laurie i Jennifer jeszcze się nie pobrali, ale zamieszkali razem w zamku. Rosaleen i Arthur zostali rodzicami chrzestnymi ich dziecka. Uroczystość odbyła się w kaplicy rodzinnej.

Życie w zamku nie było jednak usłane różami. Kilsaneyowie mieli coraz większe problemy z utrzymaniem posiadłości. Nie starczało pieniędzy, wszyscy byli coraz bardziej zdesperowani. Tyle pokojów do ogrzania, odrestaurowania – za dużo, za dużo. Pewnego dnia zasiedli przy obiedzie, żeby porozmawiać na ten temat. Rosaleen wszystko słyszała.

Może powinni otworzyć zamek dla publiczności? W każdą sobotę ludzie mogliby zwiedzać ich dom, robić zdjęcia osiemnastowiecznych mebli, dębowego pokoju z portretami przodków, kaplicy, starych listów sprzed stuleci, wymienianych między lordami i damami, politykami i rebeliantami w czasach wielkich niepokojów.

– Nie – sprzeciwiła się pani Kilsaney. – Nie pozwolę im przychodzić tutaj, jakbyśmy byli ogrodem zoologicznym. A poza tym, jak to pomoże się nam utrzymać? Kilka funtów za bilet nie naprawi dachu, nie zapłaci pensji Paddy'emu ani nie pokryje rachunków za ogrzewanie.

Znaleźli jednak rozwiązanie. Pewnego pięknego dnia pojawili się w Kilsaney Timothy i George Goodwinowie. Przyjechali tu swoim bentleyem i nie mogli uwierzyć własnym oczom, kiedy zobaczyli rozpościerający się przed nimi widok: zamek, łąki, jeziora, jelenie, ptactwo. Wyglądało to jak tematyczny park rozrywki. Dostrzegali pieniądze wszędzie, gdzie spoczął ich wzrok. Timothy Goodwin, elegancki i arogancki starszy pan w trzyczęściowym garniturze i z książeczką czekową w wewnętrznej kieszeni, zakochał się w posiadłości. George Goodwin zakochał się w Jennifer Byrne. Był to najszczęśliwszy dzień w życiu Rosaleen. Podając jedzenie na bankiecie w zamkowej jadalni, nie mogła nie zauważyć, że George patrzył tylko na Jennifer, nie miał zbyt wiele do powiedzenia Lauriemu, za to dużo czasu poświęcił na zabawę z dzieckiem. Wszyscy przy stole to widzieli, a już na pewno Laurie. Jennifer była miła dla George'a, ale nie widziała świata poza Lauriem.

Goodwinowie wracali raz po raz, żeby dokonać pomiarów, przywieźć projektantów, budowniczych, architektów, inżynierów, rzeczoznawców. George pojawiał się tu dużo częściej niż ojciec, przejmując pieczę nad projektem. Rosaleen zobaczyła w tym szansę na odzyskanie Lauriego. Pewnej nocy podsłuchała, jak George ofiaruje Jennifer słońce, księżyc i gwiazdy na niebie. Wszyscy się w niej zakochiwali. To była jej wina. Kusiła ich, wciągała w pułapkę, w swoją sieć, nie miała pojęcia, ile ludzkich marzeń przy tym zniszczyła. Chociaż George Goodwin wydał się jej bardzo miłym człowiekiem, odrzuciła jego zaloty.

Jednak nie w opinii Rosaleen.

Laurie przyłapał ją w przykuchennej komórce, wypłakującą oczy. Nie chciała mu najpierw powiedzieć, o co chodzi, nie chciała go skrzywdzić. To nie była jej sprawa, Jennifer była jej przyjaciółką. Laurie przekonał ją wreszcie do wyznania, co zobaczyła. Rosaleen było przykro, kiedy dostrzegła ból w jego wzroku. Tak bardzo, że o mały włos nie odwołała swoich słów. Ale wtedy Laurie wziął ją za rękę i ścisnął, przytulił Rosaleen i podziękował za to, że była tak wspaniałą przyjaciółką. Przeprosił ją za to, że wcześniej tego nie doceniał. Jak Rosaleen mogła w takiej chwili wyznać, że to, co powiedziała, jest nieprawdą? To była długa noc, długa kłótnia. Rosaleen pozwoliła im walczyć ze sobą. Ich własne słowa wyrządziły między nimi więcej zniszczeń, niż zdołałyby to zrobić słowa Rosaleen. Laurie nie powiedział Jennifer, od kogo się o wszystkim dowiedział, i Rosaleen była mu za to wdzięczna. Pozwoliła potem Jennifer wypłakiwać się na swoim ramieniu. Tej nocy Jennifer spała w stróżówce. Laurie nie chciał jej widzieć. Jennifer przyszła do Rosaleen, gdy ta radośnie sprzątała w kuchni, zadowolona z najnowszej kłótni, której zarzewiem była ona sama. Jennifer wręczyła jej list. List do Lauriego, który Rosaleen przeczytała, i chociaż rzadko się wzruszała, tym razem rozpłakała się rzewnie. Potem podpaliła kartkę, ale w tym momencie pojawiło się dziecko. Dziewczynka wyglądająca jak żywy obraz swojego ojca. Rosaleen potrząsnęła listem, gasząc płomień, i wrzuciła go do kosza. Wzięła dziecko na ręce i zaniosła do łóżka. Potem poszła do domu.

Tej nocy w zamku wybuchł pożar. Rosaleen nie była pewna, czy to przez niedogaszony list, chociaż strażacy mówili, że wszystko zaczęło się w kuchni. Nikt jednak nigdy jej nie winił. Dziecko zostało ocalone przez Lauriego, który potem wrócił do zamku, żeby zgarnąć jakieś cenne przedmioty. Dla Jennifer tego dnia Laurie zginął w pożarze. Nie chciał, żeby została z nim tylko z poczucia obowiązku. Uważał, że George Goodwin zdobył jej serce i mógł zaoferować jej znacznie więcej. Chociaż była to decyzja Lauriego, Rosaleen pomogła mu nieco w tym postanowieniu. On nie mógł nic zaoferować ukochanej kobiecie i dziecku. Zamek spłonął, grunty zamkowe zostały sprzedane, on sam stracił władzę w ręce i nodze. Był ciężko poparzony, tak że nie można go było rozpoznać. Szpetny, jakby zgnił po jednej stronie. Artie nie zgadzał się z tym, ale nie mógł przekonać starszego brata do zmiany decyzji. Nigdy więcej nie rozmawiali, chociaż zamieszkali po sąsiedzku, oddzielała ich tylko szosa.

Przez całe miesiące Jennifer przechodziła żałobę po Lauriem. Nie chciała wychodzić z domu, nie chciała żyć. Taki stan nie może jednak trwać wiecznie, zwłaszcza jeśli młody, odnoszący sukcesy dżentelmen pojawił się u jej drzwi, chcąc ją uratować, zabrać z tego miejsca. I znów Rosaleen sama pomogła w podjęciu tej decyzji.

Jakże świetnie to wszystko zaplanowała. Nie wznieciła wprawdzie pożaru świadomie, nie chciała też, żeby biedny Laurie tak cierpiał, ale wszystko, co się wydarzyło, zadziałało na jej korzyść. Artie wprowadził się do Paddy'ego i zaczął z nim pracować na terenach zamkowych. Laurie przeprowadził się do bungalowu, gdzie Rosaleen mogła się zajmować jednocześnie nim i chorą matką. Dziękował jej codziennie, ale nadal nie potrafił dać jej tego, czego chciała. Nie kochał jej. Rosaleen zdała sobie wtedy sprawę, że nigdy nie będzie go miała w taki sposób, jak to sobie wymarzyła. Nigdy nie zostanie jedną z Kilsaneyów.

Kiedy umarł Paddy i Artie zamieszkał w stróżówce sam, Rosaleen przerzuciła swoją uwagę na niego, a raczej zaczęła się nim interesować tak, jak on nią od wczesnego dzieciństwa. I tak oto wreszcie stała się panią Kilsaney, chociaż nigdy nie używali swoich tytułów. Laurie nadal był w jej życiu i potrzebował jej. Rosaleen utkwiła w Kilsaney na dobre, nie lubiła wizyt w pobliskim mieście. Nienawidziła, kiedy jego mieszkańcy plotkowali o rzeczach, o których nic nie wiedzieli. Pojawiała się tam tylko w niedziele, na mszach, oraz na targu, żeby sprzedać swoje warzywa. Zakupy robiła w innej miejscowości, gdzie nikt o nic ją nie podejrzewał.

To było siedemnaście lat temu. Wszystko układało się znakomicie, może nie idealnie, ale bez szczególnych zakłóceń, dopóki George Goodwin, do końca bohaterski, nie postanowił uchronić Kilsaney przed odebraniem go rodzinie. Pokrzyżował plany Rosaleen, w jej życiu pojawiła się znowu Jennifer i to okropne dziecko, które wyglądało jak odbicie swojego ojca i które powinno być jej dzieckiem. Wszystko zaczęło się sypać. Byłoby dobrze, gdyby Jennifer przestała zadawać pytania, gdyby wyleczyła dawne rany. Wtedy mogłyby zacząć nowe życie z Tamarą daleko stąd, w Dublinie. Ona jednak cofnęła się do czasu, gdy przeżywała śmierć Lauriego, zaczęła się zachowywać dokładnie tak samo jak wtedy. Była zdezorientowana, przechodziła żałobę po niewłaściwej osobie. Rosaleen chciała tylko, żeby uregulowały swoje finanse i wyprowadziły się jak najszybciej, ale niestety, tak się nie stało.

Rosaleen nie potrafiłaby pogodzić się z jakąś kolejną stratą. Kochała Lauriego nad życie, ale kłamstwo, do którego utrzymywania ją zmusił, skrzywdziło wielu ludzi. Widziała to teraz i była bardzo zmęczona. Zmęczona walką o własne małżeństwo ze wspaniałym, cudownym Arthurem, który nigdy nie zaakceptował decyzji starszego brata i tego, że Rosaleen stanęła po stronie tamtego. Jej piękny, cudowny, dobry mąż, każdego dnia od nowa raniony kłamstwem, którym musiała karmić Jennifer i Tamarę. Jej wspaniały mąż, który zasługiwał na więcej. Rosaleen była zmęczona utrzymywaniem tajemnicy, bieganiem między jednym domem a drugim, tym, że nie mogła spojrzeć w oczy nikomu w wiosce ze strachu, że wiedzą, co zrobiła, domyślą się, co się dzieje w bungalowie i szopie, skąd dniami i nocami dobywał się dym. Chciała, żeby wszystko zniknęło. Chciała, żeby ten dom, który zawsze był dla niej więzieniem i który stał się nim dla jej matki i Lauriego, zniknął na zawsze z powierzchni ziemi. Zamie-

342

rzała uwolnić ich wszystkich. Upewniła się, że matka jest bezpieczna, zanim zapaliła zapałkę.

Dlaczego, Rosaleen? Dlaczego? Pytali ją raz po raz, kiedy stała przed płonącym bungalowem. Dlaczego? Nadal nie wiedzieli. Musieli to usłyszeć od niej. Wszystko, przez co przeszła, jej męka znoszona w milczeniu. Właśnie dlatego. To zawsze był powód. Od dziecka, aż do teraz, kiedy stała się dojrzałą kobietą, Rosaleen kochała Lauriego zbyt mocno.

Rozdział 26

Lekcja życia

Piątek, 7 sierpnia

Słyszałam mamę i Lauriego rozmawiających aż do wschodu słońca. Nie wiem, o czym, ale ton konwersacji był znacznie lepszy niż w ciągu ostatnich kilku tygodni. Siostra Ignacjusz pomagała im w „negocjacjach".

W domu nie jest doskonale, ale też nigdy nie było. Słoń został uwolniony i teraz szaleje po okolicy, a my wszyscy usiłujemy go poskromić. Wymieciono wszelkie rodzinne sprawy spod dywanu. Teraz musimy sobie poradzić z ich obecnością. To trochę jak przy grze w karty – rozdający tasuje je, wprowadza talię w tymczasowy chaos, ale potem rozdaje karty, które ostatecznie zostają uporządkowane. To właśnie się nam przydarzyło. Dawno temu ktoś potasował i rozdał karty naszego życia. Teraz usiłujemy je uporządkować, nadać sens ich układowi.

Nie sądzę, żeby mama kiedykolwiek wybaczyła Lauriemu, Rosaleen i Arthurowi to, że kryli przed nami taką tajemnicę. Kłamali w tak ważnej sprawie przez tyle lat. Jedyne, co możemy teraz zrobić, to próbować zrozumieć, że Laurie zrobił to wszystko, ponieważ chciał dla nas jak najlepiej, bez względu na to, w jak wielkim był błędzie. Mówi, że zrobił to z miłości dla nas. Dzięki temu miałyśmy wieść lepsze życie. Oczywiście to niewybaczalne. Nie wystarczy tłumaczenie, że to Rosaleen wprowadziła go w błąd, naprowadziła na ten tor myślenia, kłamała jemu i mamie tak, że żadne z nich nie wiedziało, co robi. Może kiedy zdołam zrozumieć to wszystko właściwie, zrozumieć, dlaczego rodzice okłamali mnie w sprawie mojego prawdziwego ojca, potrafię wybaczyć. Myślę, że te wydarzenia są zbyt odległe w czasie, żebym umiała wyobrazić sobie, jak to było. Mogę jednak podziękować Lauriemu za to, że obdarzył mnie takim wspaniałym tatą. George Goodwin był dobrym człowiekiem, wspaniałym ojcem, który myślał o nas do samego końca, niezależnie od tego, jak błędną decyzję podjął. Walczył ze swoim ojcem o Kilsaney. Wiedział, że była to jedyna rzecz, którą mój biologiczny ojciec pozostawiłby mi w spadku, gdyby nie zdarzyło się to, co się zdarzyło – gdyby posiadłość nie spłonęła. Był to również dom mamy, miejsce, gdzie dorastała, gdzie narodziły się wszystkie jej wspomnienia. Kiedy u drzwi pojawili się komornicy, nie mógł pozwolić, żeby zabrali również i Kilsaney. Ja osobiście wolałabym zatrzymać tatę niż Kilsaney, ale wiem, jak bardzo nas kochał, i rozumiem, co starał się zrobić. Obaj moi ojcowie poświęcili bardzo wiele dla mnie i dla mamy. Mogę jedynie być im wdzięczna i czuć radość z tego, że ktoś tak bardzo mnie kochał. Może nikt inny nie potrafi tego zrozumieć, ale to moje życie i tak właśnie nauczyłam się z nim sobie radzić.

Arthur kursuje między stróżówką a szpitalem, gdzie umieszczono Rosaleen. Ta kobieta jest straszną szczęściarą, że go ma. Szkoda, że przedtem nie zdawała sobie z tego sprawy. Myślę, że teraz, kiedy wszyscy zwrócili się przeciwko niej, powinna to wreszcie zrozumieć. Arthur nadal jest przy niej, mimo że dowiedział się całej prawdy, zrozumiał, co zrobiła. Nadal stara się odzyskać kobietę, którą kocha. Nie pojmuję jego lojalności wobec Rosaleen, ale z drugiej strony, nigdy nie byłam naprawdę zakochana. Miłość sprawia, że ludzie robią najdziwniejsze rzeczy. Arthur chce, żeby Rosaleen wyzdrowiała, ale, tak między nami, nie sądzę, żeby kiedykolwiek wyszła ze szpitala. Cokolwiek się stało z Rosaleen, jest tak głęboko zakorzenione, że nie pozbędzie się tego nawet w przyszłym życiu.

Arthur i Laurence się pogodzili. Arthur nigdy nie wybaczy bratu tego, co tamten zrobił, wymuszenia obietnicy milczenia. Myślę jednak, że jeśli już, Arthur szybciej wybaczy Laurence'owi niż samemu sobie. Każdego dnia dręczył się tym, że nie sprzeciwił się planowi, że nie powiedział prawdy, że pozwolił kwitnąć kłamstwu, że przyglądał się, jak dorastam, podczas gdy mój prawdziwy ojciec mieszkał po drugiej stronie szosy, że pozwolił mojej matce cierpieć, gdy miłość jej życia była tuż obok. Mówi, iż powstrzymywało go wiele rzeczy, ale najważniejszą z nich było to, że widział, że mama kocha George'a, i to, jakim wspaniałym ojcem był dla mnie. Przypuszczam, że dużo łatwiej jest dostrzec wyjście z sytuacji, kiedy patrzy się na labirynt zdarzeń z perspektywy czasu. Kiedy człowiek utknie w jego środku, zapędzi się w ślepy zaułek, wtedy nie może odnaleźć tak łatwo właściwej drogi. Znam to uczucie.

Ja? Jestem trochę roztrzęsiona, ale jednocześnie o wiele silniejsza. Zerwałam całkowicie kontakty z Zoey i Laurą po tym, jak poprosiły mnie o zdjęcie mojej poparzonej ręki, żeby opublikować je na swoich stronach Facebooka. Zamierzam zaprosić tu wkrótce Fionę, dziewczynę, która podarowała mi książkę na pogrzebie taty. Chcę jednak poczekać, aż trochę się wszystko uspokoi.

Oto moja historia. Cała historia. Tak jak napisałam na samym początku, nie spodziewam się, że mi uwierzycie, ale to prawda. Każde słowo. Każda rodzina ma swoje tajemnice, o których większość ludzi nie wie. Ale przecież są takie miejsca, takie przestrzenie, gdzie tkwią pytania.

Wszyscy mamy swoje sekrety. Nasze na szczęście zostały odkryte. Zastanawiam się nieustannie, jak wiele bym się dowiedziała o moim życiu, gdyby nie pamiętnik. Czasem myślę, że prędzej czy później prawda wyszłaby na jaw, ale najczęściej wydaje mi się, że znalazłam pamiętnik z przyszłości specjalnie w tym celu. Bo ten pamiętnik z całą pewnością miał cel. Doprowadził mnie tutaj. Pomógł odkryć rodzinne tajemnice, ale jednocześnie dzięki niemu stałam się lepszą osobą. Wiem, to brzmi bardzo ckliwie, ale pamiętnik pomógł mi zrozumieć, że istnieje dzień jutrzejszy. Przedtem żyłam tylko chwilą obecną. Mówiłam i robiłam rzeczy, które pomagały mi zdobyć coś, czego chciałam w tej chwili. Nigdy się nie zastanawiałam nad tym, jak upadnie reszta kostek domina. Pamiętnik pokazał mi, w jaki sposób jedna rzecz może wpływać na drugą, jak mogę zmienić życie swoje i innych ludzi. Zawsze przypomina mi się ten dzień w objazdowej bibliotece Marcusa, kiedy poczułam dziwne przyciąganie do tej księgi, zupełnie jakby czekała tam właśnie na mnie. Większość ludzi chodzi do księgarni, nie bardzo wiedząc, co chcą kupić. Książki stoją tam na półkach i w jakiś magiczny sposób podpowiadają, że to właśnie je trzeba zabrać do domu. Odpowiednia osoba dla właściwej książki. Tak jakby wiedziały, czyjego życia częścią powinny się stać, jak mogą je zmienić, nauczyć kogoś czegoś, wywołać uśmiech na twarzy we właściwym momencie. Myślę teraz o książkach w zupełnie inny sposób niż przedtem.

W podstawówce jeden z nauczycieli kazał nam opisywać pod koniec dnia, czego się dzisiaj nauczyliśmy. W obecnych okolicznościach myślę, że łatwiej byłoby mi teraz napisać, czego się nie nauczyłam. A czego się nie nauczyłam? Nie ma takiej rzeczy. Zrozumiałam tak wiele, dojrzałam tak bardzo, a to dopiero początek.

Myślałam, że właśnie to – zrozumienie, kim jestem – było głównym celem pamiętnika. Wydawało mi się, że po pożarze stanie się znów tylko zbiorem pustych kartek i będę go musiała zwrócić do biblioteki objazdowej, tam gdzie stał, na półce z literaturą faktu, żeby ktoś inny mógł z niego skorzystać. Ale nie mogę tego zrobić. Nie mogę go oddać. To mój pamiętnik z przyszłości, opowiada mi o niej, a ja żyję według jego świadectwa, czasem starając się zmienić następny dzień na lepsze.

Zamknęłam pamiętnik, opuściłam zamek i ruszyłam w stronę sadu, w którym miałam się spotkać z Weseleyem, pod jabłonią z napisami.

– Oho, co teraz? – spytał, przyglądając się pamiętnikowi, który trzymałam pod pachą.

– Nic złego. – Usiadłam obok niego na kocu.

– Nie wierzę ci. O co chodzi?

– Właściwie to o mnie i o ciebie. – Roześmiałam się.

– To znaczy?

Poruszyłam sugestywnie brwiami.

– O nie! – Wyrzucił ramiona w górę w dramatycznym

geście. – Nie dosyć, że cię uratowałem z płonącego domu, to jeszcze muszę cię pocałować?

Wzruszyłam ramionami.

– Jak chcesz.

– I gdzie to się ma stać? Tutaj?

Skinęłam głową.

– Dobra. No więc... – Spojrzał na mnie poważnie.

– No więc... – Przełknęłam głośno ślinę i przygotowałam się.

– Czy pamiętnik powiedział, że ja pocałuję ciebie, czy ty mnie?

– Zdecydowanie ty mnie.

– Dobra.

Milczał przez chwilę, a potem pochylił się i pocałował mnie delikatnie w usta. W połowie tego najcudowniejszego pocałunku świata otworzył oczy i odsunął się.

– Zmyśliłaś to, prawda? – spytał, spoglądając na mnie szeroko rozwartymi oczami.

– O co ci chodzi? – Parsknęłam śmiechem.

– Tamaro Goodwin, zmyśliłaś to wszystko! – Wyszczerzył zęby w uśmiechu. – Dawaj mi tę książkę – wyjął pamiętnik z moich rąk i udał, że uderza mnie nim po głowie.

– Sami musimy tworzyć nasze jutro.

Zaczęłam się z nim droczyć. Przewróciłam się na koc i spojrzałam na jabłoń, która tyle już widziała. Weseley pochylił się nade mną tak blisko, że niemal stykaliśmy się nosami.

– Co tak naprawdę było w nim napisane? – spytał cicho.

– Że wszystko będzie dobrze. I że napiszę jutro.

– Zawsze to mówisz.

– I zawsze to robię.

– Jesteś gotowa? – Przyjrzał mi się uważnie.

– Tak myślę – wyszeptałam.

– W porządku. – Usiadł i podciągnął mnie do góry. – Przyniosłem to. – Zza pleców wyciągnął plastikową torbę, którą otworzył. Wrzuciłam do niej pamiętnik. Na początku nie byłam pewna, ale gdy tylko to zrobiłam, wiedziałam, że podjęłam właściwą decyzję.

Weseley dokładnie owinął pamiętnik plastikiem i oddał mi go.

– Ty to zrób.

Spojrzałam na jabłoń, na napisy wyskrobane w jej pniu, imiona mamy, Lauriego, Arthura, Rosaleen i wielu innych ludzi, którzy siadali tutaj, z nadzieją na przyszłość. Potem przyklękłam i umieściłam pamiętnik w dole, który wykopał wcześniej Weseley. Przysypaliśmy go ziemią.

Nie kłamałam, mówiąc, że nie potrafię oddać mojego pamiętnika z przyszłości. Nie mogę. Nie do końca. Może pewnego dnia, kiedy znów będę w kłopotach, wykopię go i zobaczę, co ma do powiedzenia. Tymczasem jednak będę się starała sama odnajdywać własną drogę.

Dziękuję, że przeczytaliście moją opowieść. Napiszę znowu jutro.